Américaine, Anita Shreve anime des ateliers d'écriture à la très prestigieuse université du Amhers dans le Massachusetts.
Elle a écrit une dizaine de romans, qui sont tous des best-sellers aux États-Unis et dont la plupart ont été traduits en français, notamment *Nostalgie d'amour*, *Un seul amour*, et *Ultime rencontre*. En 1997, *Le poids de l'eau* a reçu le PEN/Winship Award et le New England Booksellers Association Award.
Anita Shreve vit dans l'État de New York avec son mari et leurs deux enfants.

ULTIME RENCONTRE

DU MÊME AUTEUR
CHEZ POCKET

LA LONGUE NUIT D'EDEN CLOSE

LA FEMME DU PILOTE

UN SEUL AMOUR

LA MAISON DU BORD DE MER

ANITA SHREVE

ULTIME RENCONTRE

Traduit de l'américain
par Hélène Fournier

BELFOND

Titre original :
THE LAST TIME THEY MET
publié par Little, Brown and Company
New York

Les événements et les personnages de ce roman sont fictifs. Toute ressemblance avec des personnes réelles, vivantes ou mortes, serait pure coïncidence et involontaire.

ISBN 2-266-13796-4

À Janet

Première Partie

Cinquante-deux ans

1

Elle sortait à peine de l'avion mais, déjà, elle avait oublié son voyage et le trajet depuis l'aéroport. À sa descente de voiture, un portier en uniforme et un individu vêtu d'un manteau sombre, qui passait la porte à tambour, composaient son public. L'homme au manteau sombre hésita, prit un moment pour ouvrir un parapluie qui aussitôt, en un seul mouvement fluide, se retourna. L'individu parut décontenancé puis, l'air résolument amusé – maintenant, c'était elle, son public –, il jeta l'inutile appendice dans une poubelle et se remit en route.

Elle regretta que le portier prenne sa valise et, n'eussent été la feuille d'or ouvragée de l'auvent et le cuivre parfaitement astiqué de l'entrée, elle lui aurait sans doute dit que c'était inutile. Elle ne s'était pas attendue à ces hautes colonnes se dressant jusqu'à un plafond qu'elle ne pouvait voir distinctement sans cligner des yeux, ni à ce tapis rose déroulé entre elles et suffisamment long pour un couronnement. Sans prononcer un mot, le portier donna à un chasseur la valise – bien peu adaptée à ce faste – comme s'il lui communiquait un secret. Elle se dirigea vers la réception en passant devant de somptueux fauteuils vides.

Linda – que la banalité de son prénom avait autrefois gênée – tendit sa carte de crédit quand on la lui demanda, apposa sa signature sur un morceau de papier et reçut deux clefs, l'une en plastique, l'autre d'une rassurante réalité, la clé métallique donnant accès au minibar, à un verre si nécessaire. Elle s'avança vers la rangée d'ascenseurs d'après les indications et remarqua, sur une table en acajou, un bouquet d'hortensias et de belles-de-jour aussi grand qu'un garçon de dix ans. Malgré le raffinement des lieux, la musique diffusée dans l'ascenseur était de mauvais goût et quelconque, et Linda se demanda comment on avait pu négliger ce genre de détail. Elle suivit des flèches le long d'un large couloir silencieux, construit à une époque où l'espace n'était pas un luxe.

La lourde porte à panneaux blanche de sa chambre s'ouvrit avec un léger déclic sur une entrée qui se reflétait dans une glace, faisant apparemment office de bar, un salon avec des fenêtres généreusement tendues de rideaux, et des portes-fenêtres aux fins voilages qui donnaient sur une chambre plus grande que son propre salon. À cet instant, elle eut envie d'oublier le poids des obligations pour se laisser dorloter. Elle regarda les oreillers en toile ivoire posés sur l'énorme lit et pensa au gâchis que représentait le fait d'y dormir seule – elle qui aurait pu se contenter d'un petit lit dans une petite chambre, et qui ne considérait plus un lit comme un lieu où amour et sexe étaient donnés ou reçus.

Son imperméable mouillé sur le dos, Linda s'assit en attendant que le chasseur lui apporte sa valise. Elle ferma les yeux et tenta de se détendre, activité pour laquelle elle n'avait aucun talent. Elle n'avait jamais pris de cours de yoga ou pratiqué la méditation, étant incapable de s'affranchir de l'idée que de telles stratégies constituaient une capitulation, l'aveu d'une incapacité à se confronter à l'enveloppe de la réalité, son ancien amour. Comme tourner le dos à un mari déconcerté, elle qui se montrait jadis si vorace.

Elle alla ouvrir à un jeune chasseur et lui remit un bon pourboire pour compenser la taille ridicule de sa valise. Linda eut conscience d'être examinée, avec impartialité, simplement parce qu'elle était une femme pas encore tout à fait vieille. Elle alla tirer les rideaux, et la lumière pâle d'une journée pluvieuse ébranla l'obscurité de la chambre. Dehors, elle aperçut des immeubles aux contours estompés, le miroitement des rues ruisselant d'eau, un lac gris entre des gratte-ciel. Deux nuits d'hôtel. Peut-être dimanche matin saurait-elle le numéro de sa chambre sans avoir à le demander à la réception, comme elle avait souvent dû le faire. Linda était convaincue (contrairement aux réceptionnistes) que son état de confusion était le simple produit de la physique : elle devait réfléchir à trop de choses en trop peu de temps. Avait depuis longtemps accepté le fait d'avoir besoin de consacrer un temps fou à la réflexion (plus que les autres, d'après ses observations, ne semblaient en ressentir la nécessité ou l'envie). Et, des années durant, s'était plu à croire que son métier, son art, avait généré ce besoin, alors que c'était plutôt l'inverse. L'esprit recherchait et trouvait l'œuvre, et l'insatisfaction se manifestait lorsqu'il en était incapable.

Bien sûr, c'était de la frime, cet art. Linda ne pouvait donc s'empêcher d'approcher une estrade, n'importe quelle estrade, sans être la proie d'un léger dépit qu'elle ne réussissait jamais à cacher tout à fait, les épaules voûtées sous sa veste ou son chemisier, son regard ne rencontrant pas celui de l'auditoire, comme si les hommes et les femmes assis devant elle pouvaient la défier, l'accuser d'imposture – ce dont elle était la seule, en définitive, à se croire coupable. Il n'y avait rien de plus facile et de plus angoissant que de composer les longs poèmes narratifs que publiait son éditeur – facile car il ne s'agissait que de rêveries écrites à l'encre ; angoissant le moment où Linda revenait à elle (le téléphone sonnait, la chaudière se mettait en route au sous-sol), où elle regardait les mots sur le papier réglé bleu et voyait, pour la première fois, les images trompeuses, la manipulation et le jeu de mots fourbe, tout ce qui, lorsque la journée avait été bonne, trouvait grâce à ses yeux. Linda écrivait de la poésie « accessible », lui avait-on dit, mot fabuleux et fallacieux capable de servir à la fois critiques cinglantes et éloges outrés ; elle ne pensait mériter ni les unes ni les autres. Son souhait le plus cher était d'écrire en gardant l'anonymat, bien qu'elle n'en parlât plus à ses éditeurs : cette suggestion, cette apparente ingratitude vis-à-vis de leur long (et pénible ?) investissement – lequel, après toutes ces années, finissait par payer – paraissaient quelque peu les blesser. Certains recueils se vendaient maintenant (l'un d'eux même très bien) pour des raisons que personne n'avait prévues ni ne semblait comprendre, ventes inespérées dues à ce phénomène indéfinissable et troublant : le bouche-à-oreille.

Linda recouvrit le dessus-de-lit de chintz de ses affaires : sa valise olive (mince et souple) ; sa serviette avec ordinateur amovible (une nécessité pour les contrôles de sécurité) ; et son sac à main en microfibre avec ses huit compartiments où elle rangeait portable, carnet, stylo, permis de conduire, cartes de crédit, crème pour les mains, rouge à lèvres et lunettes de soleil. Son imper toujours sur le dos, Linda alla aux toilettes puis chercha l'étui de ses verres de contact afin de retirer les fabuleuses lentilles en plastique qui lui irritaient les yeux, lentilles souillées par l'air confiné de l'avion et la fumée d'un café d'aéroport, une escale de quatre heures à Dallas s'étant conclue par une capitulation devant une assiette de nachos et un Coca light. Filtrant à la surface, le soulagement que procuraient toujours les chambres d'hôtel commença à se faire sentir : un endroit où personne ne pouvait l'atteindre.

Linda s'assit de nouveau, avec deux oreillers calés dans le dos, sur l'immense lit que reflétait dans sa totalité un miroir doré placé en face d'elle, et où elle ne put se regarder sans penser à certains actes dignes ou indignes qui avaient certainement été accomplis devant. (Linda trouvait que les hommes étaient particulièrement sensibles aux miroirs des chambres d'hôtel.) Ses suppositions la conduisirent inévitablement à réfléchir aux substances répandues ou tombées sur ce dessus-de-lit (combien de fois ? des milliers ?), et la pièce se remplit aussitôt d'histoires. Un homme marié qui aimait sa femme mais ne lui faisait l'amour qu'une fois par mois, car il ne pouvait s'empêcher de fantasmer sur elle devant le miroir de sa chambre d'hôtel lors de ses fréquents voyages d'affaires, le corps de son épouse comme unique objet de son imaginaire sexuel. Un autre cajolant une collègue jusqu'à lui faire accomplir un de ces actes dignes et prenant plaisir à observer dans la glace l'image de sa tête servile qui s'agitait au-dessus de la coiffeuse puis, après s'être effondré en position assise, avouant – ce qui par la suite lui coûterait son emploi – qu'il avait de l'herpès (pourquoi pensait-elle aux hommes avec autant d'hostilité aujourd'hui ?). Une femme, qui n'était pas jolie mais dansait nue devant la glace, ce qu'elle ne ferait jamais chez elle, ne referait peut-être jamais plus (voilà qui était mieux). Linda retira ses lunettes pour ne pas se voir. Elle s'appuya contre la tête de lit et ferma les yeux.

Elle n'avait rien à dire. Avait tout dit. Écrit tous les poèmes qu'elle écrirait jamais. Bien que quelque chose de vaste et de souterrain eût nourri ses images, elle n'était qu'un poète mineur. Peut-être exigeait-elle trop d'elle-même. Ce soir, elle ne ferait pas d'efforts, passerait vite aux questions/réponses et laisserait le public dicter le cours des événements. Dieu merci, ça ne durerait pas longtemps. Linda appréciait les manifestations littéraires pour cette raison même : elle serait noyée dans le nombre de romanciers et de poètes (davantage de romanciers que de poètes) qui, pour la plupart, étaient plus connus qu'elle. Linda savait qu'elle devait consulter le programme avant de se rendre au cocktail : il valait mieux engager rapidement la conversation avec une connaissance, si on ne voulait pas donner l'impression d'être à la fois impopulaire et une proie facile ; mais un coup d'œil au programme la plongerait trop tôt dans la soirée, et elle s'opposa à cette incursion. Récemment, elle s'était vraiment mise à se protéger comme si quelque chose de précieux et de vulnérable avait besoin d'être défendu.

De la rue, douze étages plus bas, s'éleva un bruit métallique produit par une grosse machine. Dans le couloir, des voix, celles d'un homme et d'une femme, manifestement fâchés.

Pure activité de sybarite que l'écriture. Linda se rappelait encore (antidote au dépit ?) le plaisir exquis, la texture, dès le début, de ses premières lettres tracées au crayon sur l'épaisse réglure, l'inclinaison éprouvée de la cursive à l'encre bleue sur son premier cahier (le F généreux du mot Frugalité, le E élégant du mot Envie). Linda les collectionnait maintenant, les vieux cahiers, dépositaires d'écritures superbes. Il s'agissait d'art, d'art de la récup, elle en était convaincue. Elle avait encadré certaines de ces pages et tapissé de caractères les murs de son bureau. Elle supposait que ces cahiers (simples cahiers d'exercices ayant appartenu à des anonymes mortes depuis longtemps) n'avaient pratiquement aucune valeur – elle les avait rarement payés plus de cinq ou dix dollars chacun dans une librairie d'occasion – mais ils lui plaisaient néanmoins. Elle était persuadée que, pour elle, l'écriture tenait tout entière dans l'acte même d'écrire, bien que sa propre calligraphie se fût affreusement dégradée, devenant presque un code.

Linda se leva et mit ses lunettes. Puis se regarda attentivement dans la glace. Ce soir, elle porterait de longues boucles d'oreilles en Altuglas rose. Mettrait ses lentilles, un rouge à lèvres qui ne jure pas avec la lucite, et les choses s'arrêteraient là. Sous un certain angle, elle pourrait presque être invisible.

Le cocktail avait lieu dans une salle réservée à ce genre d'événement. Il y avait vraisemblablement une belle vue, même si le temps était gris et si la ville s'obscurcissait déjà. Des lumières scintillaient au hasard, et il était inconcevable de ne pas se dire : dans telle ou telle pièce, des femmes se déshabillent, et des hommes, la cravate dénouée, offrent à boire. Même si personne n'en savait rien et que d'autres scénarios plus saugrenus puissent être envisagés.

Une rafale de vent fit trembler la vitre. L'espace d'un instant, la lumière baissa, provoquant un arrêt simultané des conversations pendant lequel elle ne put s'empêcher de songer à l'affolement dans un hôtel plongé dans le noir, à des mains qui tâtonnent. Une horrible musique, proche de ces airs douceâtres qui s'échappaient de l'ascenseur, filtrait à travers les discussions. Linda ne reconnut aucun visage, ce qui la déconcerta. Vingt-cinq personnes environ étaient présentes dans le salon quand elle y était entrée ; déjà, la plupart buvaient, réunis en petits groupes. Le long d'un mur, on avait installé une table avec des amuse-gueule classiques. Linda posa son sac à main sous une chaise près de la porte et se dirigea vers le bar. Elle demanda un verre de vin en se disant que le chardonnay ne se montrerait certainement pas à la hauteur du tapis de sacre rouge ou des bouquets grands comme des garçons, ce en quoi elle avait raison.

Une voix féminine prononça son nom, et Linda se tourna dans sa direction : une femme frêle vêtue d'un ensemble en laine, au drap couleur iris, lui tendait la main. C'était agréable de voir quelqu'un qui n'était pas habillé de noir, comme tout le monde semblait l'être aujourd'hui, mais le dire pourrait faire passer son interlocutrice pour une provinciale et être considéré comme un affront. Linda serra la main offerte, la sienne était froide et humide à cause du verre de vin.

« Je suis Susan Sefton, l'une des organisatrices de la manifestation. Une fervente admiratrice ! Je voulais vous remercier d'être là.

— Oh ! Merci à vous. Je m'en fais une joie », mentit Linda.

La femme avait un sourire carnassier mais de ravissants yeux verts. Est-ce ainsi qu'elle gagnait sa vie ?

« Dans une demi-heure environ, nous nous rendrons tous devant l'hôtel où un car nous prendra pour nous emmener au restaurant Le Matin. C'est un bar à vins.

Aimez-vous la cuisine française ? » La réponse n'avait sans doute aucune importance, mais Linda fit signe que oui.

L'idée d'être ainsi trimballée pour aller dîner lui évoqua le troisième âge, image qui ne se dissipa pas l'instant suivant quand on lui apprit qu'ils mangeraient tôt à cause de l'horaire des différentes séances de lecture.

« Et puis chaque auteur sera conduit là où il doit intervenir. Il y a quatre salles différentes. » Elle consulta un classeur en vinyle avec des étiquettes colorées. « La vôtre se trouve dans l'aile rouge et vous lisez à vingt et une heures trente. »

Ce qui allait lui garantir un maigre public, songea Linda, sans le dire. La plupart des gens se rendant à ce genre de manifestation – auteurs compris – s'apprêteraient à rentrer vers vingt et une heures trente.

« Connaissez-vous Robert Seizek ? »

Ce nom disait vaguement quelque chose à Linda mais elle aurait été incapable d'y associer le titre d'une œuvre ou même un genre littéraire. Elle fit un signe de tête pouvant être interprété comme un oui.

« Vous partagerez la même estrade. »

Linda perçut la rétrogradation implicite dans ce partage, cette impression de ne représenter qu'une moitié de spectacle.

« C'était dans le programme. » Susan Sefton avait l'air sur la défensive, peut-être en réaction à une expression de dépit. « Vous n'avez pas reçu votre dossier ? »

Linda l'avait bien reçu mais pouvait difficilement l'admettre : il aurait forcément été inconvenant ne pas y avoir jeté un coup d'œil.

« Je vais m'assurer que vous en ayez un. »

Le sourire carnassier s'était évanoui. Linda ne serait

qu'un des nombreux auteurs fantasques dont Susan Sefton avait la charge, auteurs en général trop désorganisés ou égocentriques pour faire ce que l'on attendait d'eux. L'organisatrice regarda sa poitrine avec insistance.

« Dans le dossier, vous trouverez un badge que vous devrez porter à chacune de vos interventions. » Règle contre laquelle des écrivains se rebelleraient certainement, pensa Linda en scrutant la pièce pleine de badges blancs plastifiés, épinglés sur des revers de veston et sur des corsages. « Avez-vous déjà rencontré Robert ? Je vais vous le présenter », ajouta son interlocutrice sans attendre de réponse.

La femme à l'ensemble couleur iris interrompit une conversation entre trois individus, ce qui n'eut pas l'air de leur plaire particulièrement. Ils parlaient d'informatique (Linda aurait pu s'en douter) et d'actions dans les industries de pointe qu'on aurait peut-être achetées si seulement on avait su. Seizek avait une grosse tête, léonine devrait-on dire, et un corps encore plus gros qui révélait ses appétits – pour preuve, sa redoutable haleine et sa façon d'osciller légèrement, comme s'il était fixé à un gyroscope différent des autres. Après tout, peut-être se retrouverait-elle en solo sur l'estrade. Parmi ces écrivains, l'un d'eux avait un agréable accent australien, et Linda en déduisit (comme si elle prenait en cours une émission de radio) qu'il s'agissait du romancier dont on avait dit dans une remarquable critique, le dimanche précédent, que sa prose était « lumineuse et attachante », ses observations « brillantes et pénétrantes ». (Un roman sur un chercheur australien ? Elle essaya de se rappeler. Non, sur un ingénieur.) Il était impossible, malgré ces termes élogieux utilisés à l'excès et donc dépréciés, de ne pas témoigner à cet homme plus d'intérêt qu'elle ne venait de le faire ces dernières secondes, attitude qu'elle méprisait chez elle. On s'inclinait devant l'autorité. Et Linda remarqua, ce qu'elle n'avait pas fait auparavant, que les deux autres se tournaient légèrement vers l'auteur fraîchement consacré, comme si leur corps était dévié par un puissant aimant.

« Et vous, mademoiselle Fallon, diriez-vous que votre compréhension de l'amour vient de l'amour lui-même ou bien de vos lectures sur l'amour ? » Seizek parlait d'une voix pâteuse, ce qui indiquait sans doute qu'elle pouvait à tout moment être arrosée de postillons.

Autre conversation dont Linda n'avait saisi que des bribes. Le troisième auteur ne la regardait absolument pas, comme si elle était invisible. Il serait injuste d'affirmer qu'il était gay. Comme c'est curieux que les hommes parlent d'amour, se dit-elle, qu'ils aient parlé d'amour avant même qu'elle les rejoigne, un thème qui n'intéressait que les femmes, croyait-on.

Linda répondit sans hésiter : « De l'expérience. Personne n'a jamais décrit avec précision la vie conjugale.

— Un roman en est incapable, non ? » Question de l'Australien, posée avec un accent prononcé des antipodes. « Un mariage ne se prête pas à l'art. Et certainement pas à une structure satisfaisante ou à des dialogues qui valent la peine d'être lus.

— Vous écrivez sur l'amour », déclara le troisième homme, rendant soudain Linda visible. Elle ne put s'empêcher d'être heureuse de constater que quelqu'un connaissait son œuvre.

« Effectivement. » Elle n'était pas gênée de s'attribuer ce domaine-là. « Je le considère comme le drame essentiel de notre vie. » Aussitôt, elle nuança l'audace de son propos. « C'est-à-dire, pour la plupart d'entre nous.

— Pas la mort ? demanda Seizek, en quête de débat.

— Je considère qu'elle fait partie du scénario. Tout amour est condamné, vu sous l'angle de la mort.

— Vous ne pensez pas que l'amour puisse lui survivre, j'imagine », suggéra l'Australien.

Elle ne le pensait pas, bien qu'elle eût essayé. Après Vincent.

« Pourquoi essentiel ? » interrogea le troisième homme, qui avait un nom après tout : William Wingate.

« Il renferme toutes les possibilités dramatiques. Passion, jalousie, trahison, mise en danger. Et il est quasi universel. C'est quelque chose d'extraordinaire qui arrive à des gens ordinaires.

— C'est pourtant pas à la mode de parler d'amour, hein ? » Seizek s'exprimait avec dédain.

« Non. Mais d'après mon expérience, la mode n'a pas grand-chose à voir avec la validité de ce qui est dit.

— Non, bien sûr que non », assura immédiatement Seizek qui ne voulait pas passer pour un invalide.

Brusquement tenaillée par la faim, Linda perdit le fil de la discussion. Elle n'avait pas pris de vrai repas (mis à part quelques nachos) depuis le petit déjeuner servi dans la chambre d'hôtel d'une ville située à onze cents kilomètres de là. Elle demanda aux autres s'ils voulaient quelque chose, elle allait juste grignoter un biscuit, elle mourait de faim, n'avait rien mangé depuis ce matin. Non, non, ils n'avaient besoin de rien, mais, bien sûr, qu'elle y aille. La salsa n'était pas mauvaise, ajoutèrent-ils, et de toute façon le dîner ne serait pas servi avant une heure. À ce sujet, quelqu'un connaissait le restaurant ? En s'éloignant, Linda se fit la réflexion que juste un an plus tôt, ou peut-être deux, l'un des écrivains aurait saisi cette opportunité et se serait détaché du petit groupe pour la suivre jusqu'au buffet. Ironie de l'âge, pensa-t-elle. À l'époque où les témoignages d'attention étaient omniprésents, ça l'ennuyait.

Des petits bols de nourriture colorée laissaient l'invité deviner leur identité : le vert devait être du guacamole, le rouge, très probablement cette salsa qui n'était pas mauvaise, et le rose, peut-être une sauce au crabe ou aux crevettes. Mais elle sécha sur le beige grisâtre, une couleur qui, quelles que soient les circonstances, ne convenait pas pour de la nourriture. Linda attrapa une petite assiette en carton – la direction n'avait pas envisagé qu'il y eût de gros appétits. Un silence perceptible envahit les lieux, un léger silence, comme si on avait baissé le volume d'un cran ou deux. Depuis un coin de la pièce, elle entendit un nom chuchoté. Ce n'est pas possible, se dit-elle au moment même où elle se rendait compte que ça l'était. Elle se retourna pour vérifier qu'elle avait bien entendu.

Il se tenait dans l'embrasure de la porte, on l'aurait dit momentanément aveuglé par ce qui se présentait à lui. Comme si, blessé, il devait réapprendre certains signes évidents de la réalité : des cosses d'hommes et de femmes, un verre à la main, une pièce qui s'efforçait d'être ce qu'elle n'était pas, des visages familiers peut-être, ou peut-être pas. Il avait désormais des cheveux argentés – quel choc – mal coupés, vraiment horriblement mal coupés, trop longs derrière et sur les côtés. Il devait détester ça, songea Linda en prenant déjà son parti. Son visage était ravagé par les rides, mais il avait de l'allure. Les yeux bleu marine étaient doux et plissés, on aurait pu croire qu'il sortait d'une pièce plongée dans le noir. Une cicatrice, cette vieille cicatrice qui semblait autant faire partie de lui que sa bouche, courait le long de sa joue gauche. On l'accueillit comme peut être accueilli un homme resté longtemps dans le coma ; comme un roi exilé des années durant.

Refusant d'être la première dans la pièce à être vue de lui, Linda se tourna.

Certains s'étaient mis à le saluer, lui prodiguant une attention discrète mais intense. Se pouvait-il que ce fût sa première apparition publique depuis l'accident, depuis qu'il avait choisi de vivre en solitaire, retiré du monde ? Peut-être, peut-être. Linda était immobile, le souffle court, tenant devant elle une assiette. Elle porta lentement la main à ses cheveux et fourra une mèche égarée derrière son oreille. Se frotta doucement les tempes avec le doigt. Prit un biscuit sur lequel elle tenta de tartiner un fromage friable, mais le biscuit se brisa, se désintégra dans ses mains. Elle examina une coupe remplie de fraises et de grappes de raisin dorées.

Quelqu'un dit, avec trop d'onction dans la voix : Je vais vous apporter un verre. Un autre gazouilla : Je suis tellement content. D'autres encore murmurèrent : Vous ne pouvez pas savoir et Je suis tellement…

Ce n'est rien, pensa Linda en prenant un verre d'eau. Les années ont passé et tout a changé maintenant.

Elle le sentit approcher. C'était terrible, après tout ce temps, de devoir se retrouver devant des inconnus.

Il prononça son prénom, ce prénom très banal.

« Bonjour, Thomas », répondit-elle en se tournant vers lui ; son prénom était aussi banal que le sien, mais l'histoire lui donnait du poids.

Il portait une chemise ivoire et un blazer bleu marine dont la coupe était depuis longtemps passée de mode. Sa taille s'était épaissie, comme on aurait pu s'y attendre, et pourtant, en le regardant, on voyait un homme grand et dégingandé. Ses cheveux lui retombaient sur le front, et il les écarta d'un geste qui avait survécu à travers les années.

Thomas traversa l'espace qui les séparait et l'embrassa près de la bouche. Elle voulut lui toucher le bras, trop tard, il avait reculé, laissant la main de Linda pendre dans le vide.

L'âge l'avait diminué. Il la regardait ; peut-être lui aussi la trouvait-il diminuée par l'âge. Était-il en train de se dire : Ses cheveux sont devenus secs, son visage n'a pas vieilli ?

« C'est très bizarre, observa-t-il.

— Ils se posent déjà des questions sur nous.

— C'est réconfortant de penser qu'on pourrait fournir la matière d'une histoire. »

Ses mains ne semblaient pas faire partie de lui ; elles étaient pâles, de douces mains d'écrivain, avec ces éternelles traces d'encre aux pliures du majeur droit.

« J'ai suivi ta carrière, dit-il.

— Le peu de carrière que j'ai eue.

— Ça marche bien.

— Seulement depuis peu. »

Les autres s'éloignèrent, tels des boosters se détachant d'une fusée. Le fait qu'elle le connaisse lui conférait un certain prestige, un peu comme l'auteur australien et sa critique favorable. Un verre apparut pour Thomas, il le prit et dit merci, décevant le porteur qui avait espéré engager la conversation.

« Je n'ai pas fait ce genre de chose depuis des années, reprit-il, puis il se tut.

— Quand a lieu ta séance de lecture ?

— Ce soir.

— La mienne aussi.

— Sommes-nous en concurrence ?

— J'espère que non ! »

Les bruits couraient qu'après bien des années stériles Thomas recommençait à écrire et que son travail était d'une grande qualité. Autrefois, on lui avait inexplicablement préféré d'autres écrivains pour les prix, même si, de l'avis général, il était entendu qu'il était le meilleur d'entre eux.

« Tu es arrivé aujourd'hui ? demanda Linda.

— À l'instant.

— Tu viens de… ?

— Hull. »

Elle hocha la tête.

« Et toi ?

— Je suis en fin de tournée. »

Thomas pencha la tête et sourit à moitié, comme pour dire : Toutes mes condoléances.

Un homme qui attendait de pouvoir l'approcher rôdait autour d'eux.

« Dis-moi. » Thomas fit semblant de ne pas remarquer l'individu et se pencha en avant pour n'être entendu que de Linda. « Tu es devenue poète à cause de moi ? »

Elle se souvint que les questions de Thomas étaient souvent surprenantes et injurieuses, bien qu'on lui pardonnât toujours.

« C'est comme ça qu'on s'est rencontrés », lui rappela-t-elle.

Il but une assez longue gorgée.

« Effectivement.

— Ça ne me ressemblait pas. Ce cours.

— Je crois que si. Tout le reste était de la frime.

— Le reste ?

— Jouer à l'affranchie. »

Affranchie. Linda n'avait pas entendu ce mot employé de cette façon-là depuis des années.

« Aujourd'hui, tu es davantage toi-même.

— Comment peux-tu le savoir ? » le défia-t-elle.

Thomas perçut le caractère incisif de sa voix. « Ton corps et tes gestes te donnent l'air d'être devenue toi, ce que je crois être toi.

— Ce n'est que la cinquantaine, affirma-t-elle, les rabaissant ainsi tous les deux en même temps.

— Ça te va à merveille. »

Linda esquiva le compliment. L'homme à côté de Thomas ne partirait pas. Derrière lui, d'autres désiraient être présentés au poète solitaire. Elle s'excusa et se fraya un chemin à travers tous les admirateurs et les flagorneurs qui, bien sûr, ne s'intéressaient pas à elle.

Ce n'est rien, se dit à nouveau Linda en atteignant la porte. Les années ont passé et tout a changé maintenant.

2

Linda prit l'ascenseur qui lui sembla mettre une éternité à descendre jusqu'à son étage. Elle ferma la porte de sa chambre, refuge provisoire. Le dossier que lui avait remis la femme était recouvert par son manteau, abandonné tel un journal déjà lu. Elle s'assit sur le lit et parcourut des yeux la liste des participants ; le nom de Thomas y figurait, en caractères plus gras que celui des autres. Dans le rabat opposé, coincé derrière un badge en plastique blanc portant son nom à elle, une coupure de presse annonçait la manifestation. La photo choisie par la rédaction pour illustrer l'article était une photo de Thomas, plus jeune de dix ans. Son visage était tourné sur le côté, dissimulant ainsi la cicatrice, l'air évasif. Pourtant, son expression avait quelque chose d'arrogant – un Thomas différent de celui que Linda avait connu autrefois, différent aussi de celui qu'elle venait de voir quelques instants plus tôt.

Elle se leva, transformant en élan le doux affolement. Cette rencontre après tant d'années était apparemment un fait marquant, bien qu'elle sût que tous les événements importants de sa vie avaient déjà eu lieu. Elle envisagea de rester dans sa chambre et de ne pas assister au dîner. Linda n'avait assurément aucune obligation sérieuse envers les organisateurs, si ce n'est celle de se présenter à l'heure pour sa séance de lecture publique. Elle pouvait s'y rendre en taxi. Susan Sefton s'inquiéterait peut-être, mais Linda pouvait laisser un message au restaurant : elle ne se sentait pas bien et avait besoin de repos après ce long vol. Soudain, elle ne se sentit effectivement pas bien ; elle avait besoin de repos. Peut-être était-ce le choc de sa rencontre avec Thomas, après toutes ces années, qui la rendait légèrement malade. Un sentiment de culpabilité presque insupportable l'envahit, elle qui avait connu l'ordre, la responsabilité, et imaginé combien, vu de l'autre côté, ses actes étaient impardonnables. Des années plus tôt, une douleur abominablement intolérable avait masqué cette culpabilité – le désir et l'amour aussi. L'amour aurait pu la rendre généreuse ou altruiste, mais ce n'avait pas été le cas.

Linda entra dans la salle de bains et s'approcha de la glace. L'eye-liner avait coulé, formant un petit cercle humiliant sous l'œil gauche. Recourir à la ruse est une chose, se dit-elle, s'y prendre mal en est une autre. L'humidité avait fait perdre à ses cheveux leur texture et leur tenue. Linda se pencha, les ébouriffa, mais quand elle se redressa, ils reprirent leur aspect mou. La lumière de la salle de bains n'était guère flatteuse. Elle se refusa à faire l'inventaire des dégâts.

Était-elle devenue poète à cause de Thomas ? Question fondée, quoique impertinente. Ou avaient-ils été attirés l'un vers l'autre par une même façon de voir les choses ? Les poèmes de Thomas étaient courts et tranchants, criblés de juxtapositions brillantes, de sorte qu'arrivé à la fin d'un recueil le lecteur se sentait ballotté. Comme s'il avait emprunté une route en zigzag ; comme si la voiture avait été déstabilisée par un passager, au risque de provoquer un accident. Son œuvre à elle était lente, pareille à un rêve, plus élégiaque, une tout autre forme d'expression, presque.

Linda se retrouva dans la chambre – une femme qui avait momentanément oublié où elle était – et elle aperçut le téléphone, lien vital avec ses enfants. Elle lut les indications concernant les appels longue distance. Ça lui coûterait horriblement cher, mais elle n'allait pas s'en soucier maintenant. Elle s'assit sur le bord du lit, composa le numéro de Maria et fut déçue de ne pas avoir sa fille au bout du fil. Linda ouvrit la bouche pour laisser un message – les gens qui appelaient sans laisser de message l'agaçaient – mais, malgré son ardent désir de parler à Maria et plus encore d'entendre sa voix, les mots lui manquèrent. *Un homme dont je ne t'ai jamais parlé est réapparu.* Enchaînement irrationnel, ou peut-être pas, Linda pensa ovule et sperme, et se figura une unique cellule traversant une fine membrane. Anormalement muette et frustrée, elle raccrocha. Se renversa en arrière et ferma les yeux.

Linda se représenta ses deux enfants, l'un robuste, l'autre pas. Curieusement, c'était le garçon le plus fragile. Quand elle s'imaginait Maria, elle pensait couleurs vives, clarté (sa fille, comme son mari, disait ce qu'elle avait sur le cœur et concevait rarement que les conséquences pussent être catastrophiques), et lorsqu'elle s'imaginait Marcus, elle pensait couleur passée, autrefois là, maintenant disparue, bien qu'il n'eût que vingt-deux ans. Lui, pauvre garçon, avait hérité de la pâleur irlandaise de Linda, alors que le sang italien de Vincent, plus vigoureux, avait donné à Maria ses sourcils sombres, et sa chevelure d'un noir bleuté qui faisait tourner les têtes. Et même si Vincent avait parfois des ombres sur le visage, en particulier des cernes sous les yeux (signes avant-coureurs de la maladie qu'ils auraient pu détecter, si seulement ils avaient su ?), la peau de Maria était rose et douce maintenant que les ravages de l'adolescence, heureusement passagers, s'étaient éloignés. Une fois de plus, Linda se demanda si sa propre réaction au teint de ses enfants avait déterminé leur personnalité ; si elle ne leur avait pas, en fait, renvoyé leur image, annonçant ainsi que Maria serait toujours directe tandis que quelque chose de souterrain se formerait sous la peau de Marcus. (Son fils avait dû vraiment se trouver mal nommé toutes ces années – Marcus Bertollini, déjouant les attentes de tous, ressemblait tellement plus à un Philip ou à un Edward.) Quand elle pensait ainsi à ses enfants, Linda ne se sentait pas déloyale ; elle les aimait également. Ayant appris de bonne heure qu'aucune compétition ne se gagnait jamais, ils n'avaient à aucun moment rivalisé.

Les chiffres du réveil brillaient davantage à mesure que la chambre s'assombrissait. Poètes et romanciers devaient être en train de se rassembler devant l'hôtel, tels des écoliers prêts pour quelque sortie éducative.

Je vais y aller, décida soudain Linda. Je ne vais pas avoir peur.

À l'horizon, les nuages s'étaient dissipés, la lumière était rose, promesse d'un lendemain plus beau. Linda enregistra tout : la manière dont une femme qui approchait du car fut incapable de s'appuyer sur son genou droit et dut empoigner la rampe ; le porte-documents en cuir prétentieusement usé d'un poète chaussé de lunettes à la mode à monture noire ; la façon dont ils se tenaient tous debout, en imperméable, légèrement ballottés, les mains dans les poches, jusqu'à former un groupe plus dense. Mais Linda pria ses antennes de ne pas localiser Thomas, qui devait être derrière elle ou simplement absent. D'où sa surprise et sa gêne lorsqu'une fois installée au fond du véhicule elle le vit monter, comme si elle était confrontée à sa brutale émasculation à travers l'obligation qui lui était faite de prendre le car tel un écolier. Vêtu de son trench-coat, il était trop corpulent pour son siège, ses bras coincés devant lui, les épaules saillantes au-dessus du torse. Robert Seizek, plus ivre qu'elle n'avait vu un homme l'être depuis des années – on avait l'impression qu'en lui pinçant la figure il en sortirait un jet –, eut besoin d'aide pour gravir les marches. Les écrivains qui devaient lire ce soir-là semblaient inquiets, excessivement soucieux de paraître décontractés.

Ils parcoururent des rues sombres, désertées à cette heure, plus fonctionnelles que charmantes. Linda s'efforça de ne pas regarder Thomas, ce qui ne se révéla guère facile. Il était débraillé, contrairement à Vincent qui avait toujours l'air impeccable, solide et soigné, comme son corps. Linda avait aimé la façon dont l'étoffe des chemises s'ajustait à ses épaules, la manière dont il se taillait la barbe, sculpture éternellement parfaite. Vincent portait des ceintures de cuir italiennes et des pantalons faits sur mesure ; il n'y avait là nulle vanité de sa part, mais plutôt la marque d'une habitude inculquée par des immigrés désireux de voir leur enfant réussir dans le Nouveau Monde. Ce qui aurait pu passer chez un autre pour du dandysme était chez Vincent routine, voire élégance ; Vincent qui se refusait à piétiner les désirs candides de ses parents ; Vincent qui se sentait souvent déconcerté devant l'insolence généralisée chez les amis de ses enfants.

Le car s'arrêta et Linda décida de s'attarder. Au restaurant, elle se contenterait de s'asseoir à une place vide et de se présenter à un inconnu. Mais, lorsqu'elle sortit du car, elle constata que Thomas traînait près de la porte, à l'attendre.

Il réussit, en quelques légers mouvements, à leur trouver des places à l'écart. C'était un petit bar à vins, peut-être français. On les avait installés dans une salle étroite comprenant deux longues tables avec un banc de chaque côté. Thomas et elle s'assirent en bout de table, très près de la porte, et cela aussi lui rappela l'homme qu'elle connaissait, qui avait toujours préféré les sorties accessibles. Linda nota que la nappe en papier, déjà tachée de demi-lunes de vin rouge, ne recouvrait pas tout à fait la table. Thomas griffonnait distraitement avec son stylo. L'acoustique de la salle était terrible, et Linda eut l'impression de couler dans un océan de voix, de mots inintelligibles. Ce qui les obligea, pour parler, à se rapprocher l'un vers l'autre, tels des conspirateurs.

« C'est un peu une résurgence, non ? Cet intérêt pour la poésie ?

— Mais pas une renaissance, répondit-elle au bout d'un moment.

— On m'a dit qu'on était dix ici. Sur une liste de soixante. C'est certainement un record.

— Ils font mieux à l'étranger.

— Tu as fait ça ? Aller à des manifestations à l'étranger ?

— De temps en temps.

— Tu es donc dans le circuit depuis un moment.

— Pas vraiment. »

Cette remarque blessante indigna Linda. Elle s'écarta

de la bulle séditieuse. Thomas se pencha un peu plus vers elle et leva les yeux de son griffonnage.

« Tu cherches à en faire trop dans tes poèmes. Tu devrais raconter tes histoires comme des histoires. Tes lecteurs aimeraient ça.

— Mes lecteurs ?

— Tes poèmes sont populaires. Tu dois connaître tes lecteurs. »

Blessée par la critique implicite, Linda resta un instant silencieuse.

« Au fond, je crois que tu es une romancière. »

Linda détourna les yeux. Quel culot ! Elle envisagea de partir mais un geste aussi théâtral prouverait sa vulnérabilité et pourrait rappeler à Thomas d'autres gestes, théâtraux eux aussi.

« Je t'ai froissée. » À son crédit, il avait l'air contrit.

« Bien sûr que non, mentit Linda.

— Tu n'as besoin ni de moi ni de personne pour connaître ta propre valeur.

— Non, effectivement.

— Tu écris merveilleusement bien, quelle que soit la forme. »

Ce compliment était certainement sincère. Thomas ne devait même pas le considérer comme un compliment, ce qui laissait supposer quelque chose de supérieur à la vérité.

Les plats furent servis dans des assiettes tellement grandes que, d'un bout à l'autre de la table, il fallut s'organiser. Linda tenta de se figurer l'appareil électroménager capable de manipuler de telles assiettes ; et dans quel but, se demanda-t-elle, puisqu'elles ne faisaient que rendre la nourriture insignifiante : poulet indonésien pour elle, saumon grillé pour Thomas. Les yeux injectés de sang, Robert Seizek revint du bar et heurta la table, déséquilibrant les verres d'eau et le vin. Linda nota les coups d'œil furtifs et insolents que les autres jetaient sur elle. Quel droit de priorité Linda Fallon avait-elle sur Thomas Janes ?

Thomas prit une bouchée puis s'essuya les lèvres, indifférent à la nourriture, et elle constata qu'en cela il n'avait pas non plus changé : une demi-heure plus tard, il serait incapable de se souvenir de ce qu'il avait mangé.

« Tu es toujours catholique ? » demanda-t-il en regardant attentivement dans l'échancrure de son chemisier ivoire. C'était une espèce d'uniforme, ces corsages soyeux, ces jupes étroites. Linda en avait trois de chaque, marqués de plis incertains, à l'intérieur de sa valise. « Tu ne portes pas la croix.

— J'ai arrêté de la porter il y a des années », répondit-elle sans ajouter : *Quand mon mari, qui en connaissait la signification, m'a demandé de l'enlever.* Linda but, s'apercevant trop tard que le vin allait lui tacher les dents. « On reste catholique. Même quand on a cessé de pratiquer.

— Il y a eu tellement de mal de fait à l'époque. » Thomas semblait perdu dans ses pensées ; peut-être certains péchés catholiques lui revenaient-ils en mémoire. « Tu es croyante aujourd'hui ?

— Seulement en avion », répondit-elle aussitôt, et Thomas rit. Avant de s'efforcer d'avaler une autre bouchée.

« Je le suis un peu, avoua-t-il – elle fut stupéfaite –, et cette confession parut presque le gêner. Le prêtre de la famille est resté des jours à la maison après la mort de Billie, mais je me rendais à peine compte de sa présence. Très fort pour les étreintes. Ils sont comme ça, non ? On joue souvent au tennis ensemble maintenant, et je vais parfois à la messe. Pour ne pas le blesser, j'imagine. »

Linda respirait difficilement, sa poitrine la brûlait. Cette évocation d'un drame intime était trop prématurée. Elle entendit de nouveau : *après la mort de Billie...*

« Je trouve sans doute qu'il faut se montrer reconnaissant, poursuivit Thomas. Même si finalement ça ne sert à rien. En fin de compte, il n'y a rien qui puisse aider. Sauf la drogue, peut-être.

— Oui. »

Il se pencha en avant. « Ça t'arrive ? Je repense à ce que nous avons fait, et je ne peux pas croire qu'on ait été si cruels. »

Linda fut incapable de répondre. Thomas avait payé bien plus cher que ce que n'importe qui aurait mérité. Et pour elle, qu'en était-il ? Elle avait connu l'amour, et ses enfants étaient vivants. Contre toute attente, elle avait été récompensée. Où était la justice dans tout ça ?

Linda reposa sa fourchette ; elle ne pouvait même pas faire semblant de manger. Ils n'avaient jamais répété ce genre de conversation. Elle joignit les mains sous son menton. Elle ne pouvait pas aller plus loin car elle ignorait ce que Thomas était capable d'endurer. Elle lui emboîterait le pas, ne poserait aucune question.

Les énormes assiettes furent remplacées par de plus petites. Le serveur remplit leurs verres.

« Tu as toujours les lettres ? s'enquit-il.

— Je les ai perdues, répondit Linda, soulagée que la conversation se soit déplacée sur un terrain plus sûr. Elles sont tombées d'un carton. Je guettais depuis une fenêtre du premier étage d'une maison dans laquelle j'emménageais avec mon mari. C'était lui qui portait le carton. J'ai retenu ma respiration quand il l'a ramassé. Elles lui auraient fait mal, même si... »

(Même si je ne t'avais pas vu depuis des années, faillit-elle ajouter.)

« Aucun homme n'aime à penser qu'un autre a compté, déclara Thomas, raisonnablement.

— Et puis, des semaines plus tard, quand j'ai eu l'idée de les chercher, elles avaient disparu. Introuvables. J'ai essayé de questionner indirectement mon mari, mais il n'avait pas l'air de voir de quoi je parlais. C'est un mystère. Aujourd'hui encore, j'ignore ce qu'elles sont devenues.

— Il les a détruites », observa simplement Thomas.

Linda ne pouvait concevoir une telle issue, un tel subterfuge. Le désir d'être fourbe et donc l'habileté à l'être faisaient défaut à Vincent. Tandis que Thomas et elle avaient été des acrobates.

Des bras furent allongés sur les dossiers. La nourriture dévorée ou laissée de côté. Des glaces murales doublaient le nombre des convives, laissant voir des visages cachés jusque-là. Une cohorte de petits hommes en tablier sale se faufilèrent, tels des danseurs, autour de la table étroite. L'absence de fenêtres – elles rappelaient la pluie – conférait à la pièce une certaine intimité. Ceux qui n'étaient pas doués pour la conversation souffraient.

« Quand t'es-tu mariée ? » demanda Thomas d'un ton dégagé.

Parler du passé invitait à la souffrance, songea Linda, mais il était absurde d'imaginer qu'ils puissent poursuivre leur conversation sans évoquer ce qu'il y avait eu de pire entre eux.

« En 1976.

— Il y a vingt-quatre ans. »

Linda hocha la tête et, à un moment, elle sut ce à quoi pensait Thomas. À elle se préparant au mariage. À elle aux prises avec un intense amour physique pour un autre.

« Et tu as des enfants ? J'ai dû lire ça quelque part.

— Une fille de vingt-trois ans et un garçon qui en a vingt-deux. »

Voilà, c'était fait : la mention de ses enfants.

Linda regarda Thomas lutter pour composer son visage. Comme l'affliction qui, dix ans plus tard, pouvait se manifester par de nouvelles larmes était profonde !

« Comment s'appellent-ils ?

— Maria et Marcus.

— Maria et Marcus... ?

— Bertollini.

— Le nom de ton mari.

— Vincent, précisa-t-elle sans ajouter qu'il était mort.

— Comme ça, je peux me représenter les choses. »

Linda hocha la tête.

« Tu t'habilles avec beaucoup de goût maintenant, remarqua Thomas sans quitter des yeux le visage de Linda, bien qu'elle sût qu'il l'avait déjà jaugée.

— Merci, répondit-elle simplement.

— Billie aurait eu douze ans au printemps. »

Ce prénom, prononcé à voix haute, était trop triste, trop cruel. Thomas avait les lèvres serrées, Linda vit ce qu'il lui en coûtait.

« Le bateau était pourri et plein d'eau. Les toilettes puaient. On entendait Rich baiser dans la cabine avant... »

Thomas resta un moment sans pouvoir poursuivre.

« On était en route pour le Maine, poursuivit-il avec un tremblement dans la voix qu'il maîtrisa mieux un court instant. Rich et sa copine étaient à bord. Et Jean, ma femme. » Il leva les yeux vers Linda. « Et notre fille, Billie.

— Thomas, arrête, dit-elle doucement. Tu n'es pas obligé de faire ça. Quand l'accident a eu lieu, je l'ai lu dans le journal. » Bien sûr, Linda ne se rappelait que trop bien la façon dont, comme chaque matin, elle avait tourné les pages du *Boston Globe* (Vincent lisait le *Times* à l'autre bout de la table ; elle se souvenait même qu'elle avait la main poissée de confiture) et comment les mots THOMAS JANES et FILLE et NOYÉE, inconcevables et criardes majuscules, s'étaient tous trouvés contenus dans la même manchette. La façon dont Vincent avait aussitôt posé son journal en disant : Linda, que se passe-t-il ?

Un serveur, tenant des assiettes en équilibre, interrompit la conversation.

« Jean n'était pas responsable, même si je lui en ai voulu. »

Linda regarda les doigts de Thomas se resserrer autour du pied de son verre. Elle ne pouvait assurément pas lui dicter la manière dont il devait raconter l'histoire.

« Mon Dieu, comme je lui en ai voulu. Je l'aurais tuée sur le bateau si j'en avais eu la force ou le courage. »

Linda pressa ses mains jointes contre sa bouche. Comme on se donne du mal pour retenir les mots qu'on aimerait dire, songea-t-elle.

Elle embrassa la salle du regard, tous les visages – avides, extrêmement curieux – étaient tournés vers eux. C'était horrible. Ils ne pouvaient pas faire ça ici.

« Thomas, dit-elle en se levant. Viens. »

Ils longèrent un quai qui avançait sur le lac. La bruine formait un voile autour des cheveux de Linda, de son visage. Thomas marchait, les épaules légèrement voûtées, les mains enfoncées dans les grandes poches de son trench-coat. Il avait noué lâchement sa ceinture dont un côté pendait plus bas que l'autre. Ses chaussures n'avaient pas été cirées depuis un certain temps. Ce n'était pas la pauvreté qui lui donnait cet air à ce point négligé, elle le savait ; mais simplement le manque de soins. Soins prodigués par d'autres ou par lui-même.

« Tu vis encore à Hull.

— Oui.

— Et comment va Rich ?

— Bien. Il est marié maintenant et il a deux fils. Il se trouve que sa femme est médecin. Les garçons sont super. »

Linda ne comprenait pas comment Thomas parvenait à jouer avec les enfants des autres, ou même à leur parler. La douleur était-elle continue ? Pouvait-on pendant une heure, ou cinq heures de suite, simplement – et heureusement – oublier ?

« Je vois ta tante de temps en temps, reprit Thomas. Elle essaie toujours de faire comme si elle ne me connaissait pas.

— Peux-tu lui en vouloir ?

— Non, bien sûr que non. Je n'en veux guère à personne aujourd'hui, si ce n'est à moi-même. Je suppose que c'est un progrès. »

Le vent soufflait âprement sur le décolleté de son chemisier. Linda serra fort les revers de son imperméable.

« Je ne te demanderai pas des nouvelles de ta femme. Bien que j'en aie envie.

— Jean, tu veux dire ? »

Linda fit oui de la tête, consciente qu'ils ne pouvaient

pas encore parler de Regina. Qu'ils ne le pourraient peut-être jamais.

« Tu sais, je peux parler de Jean. » La voix de Thomas semblait s'être départie de son chevrotement. Linda songea que le chagrin pouvait se manifester de façon erratique : certains moments devaient être épouvantables ; d'autres, les simples miettes d'une triste histoire. « Je ne lui en veux pas, ajouta Thomas. Je te l'ai déjà dit. C'était quelqu'un de bien. Ça l'est toujours, j'imagine.

— Vous ne vous voyez pas ?

— Oh, mon Dieu, non. Je pense qu'on ne le supporterait ni l'un ni l'autre. Au bout d'un an environ, elle est allée vivre plus à l'ouest, à Indianapolis, d'où elle était originaire. C'est sans doute plus sûr là-bas. Pas d'océan en perspective. Je crois qu'elle est toujours seule. Oui, je sais qu'elle l'est. Il lui arrive d'écrire à Rich. »

Et pourquoi Thomas persistait-il à laisser l'océan le torturer ? aurait pu demander Linda.

Ils avaient marché jusqu'à ce qui ressemblait à une zone industrielle. Linda se rappela un Noël, des années plus tôt ; Thomas et elle avaient flâné dans les rues vides de Boston, seuls êtres vivants dans un univers déserté. Puis une pensée troublante lui vint à l'esprit. Bien qu'elle se souvînt de cette journée-là – l'impression de disposer d'un temps infini, la promesse d'opportunités à chaque coin de rue, la clarté de l'air –, Linda ne pouvait plus l'appréhender. Et elle découvrit que son incapacité à retrouver les sensations du passé la contrariait. C'était gênant, vraiment, d'être à ce point éloignée de la texture de sa propre existence.

Sa jupe bougeait. Elle était en train d'abîmer ses chaussures. Malgré ce froid inhospitalier, Linda sentait la chaleur de Thomas à ses côtés. La gêne lui contractait les épaules. Cette présence lui était familière, et pourtant étrangère. Toutes les cellules de Thomas avaient changé, chavirées à trois reprises.

« Tu enseignes ?

— Oui. » Elle mentionna l'université. « À temps partiel. Mon mari est mort il y a deux ans en laissant une assurance-vie.

— Je l'ignorais. Je suis désolé. » Lui qui savait mieux que quiconque combien il était vain d'être désolé. « Après une longue maladie ?

— Non. Très brutalement. »

À ses côtés, on aurait dit que Thomas bondissait plutôt qu'il ne marchait.

« Après sa mort, j'ai commencé à faire plus de tournées. J'avais l'impression de moins penser à Vincent dans une chambre d'hôtel. »

Ils étaient arrivés devant un banc. Thomas lui fit signe de s'asseoir. Linda avait les mains dans les poches de son imperméable, elle les rapprocha sur ses genoux. Le week-end s'étendait devant elle, avec plus de précision qu'à peine quelques heures plus tôt. Dans un an, Linda le savait, elle se dirait peut-être : *c'est le week-end où je...* Après tout, ces retrouvailles au bout de tant d'années, c'était considérable. Considérable, ce simple échange d'histoires, cette vérification du passé. Elle n'aurait pu imaginer quelque chose de plus vaste ; ces jours-ci, ça allait à contre-courant.

« Vous avez été heureux ? »

Personne ne lui posait plus jamais ce genre de question. Linda ressentit incontestablement une certaine ivresse à devoir y répondre.

« Très heureux, je crois. » Elle ignorait tout du second mariage de Thomas avec cette femme qui s'appelait Jean, n'en connaissait que ce décès horrible et ses conséquences. « On a vécu dans la joie tous les deux. À la mort de Vincent, je me souviens de m'être dit : "On a vécu dans la joie." Et très peu dans la tristesse.

— Ça me fait plaisir.

— Mais personne ne sort indemne de l'existence. » Linda se demanda si c'était vrai, si on pouvait, à cinquante-deux ans, être indemne. « Vincent n'avait jamais l'air de souffrir et je trouvais ça contagieux. La vie était plus normale, moins tendue qu'elle ne l'avait été. »

Qu'elle ne l'avait été avec toi, aurait-elle pu ajouter.

« Raison de plus pour aimer quelqu'un, fit observer Thomas.

— On revenait juste de ce qui devait devenir notre résidence d'été dans le Maine. On avait fait l'aller-retour dans la journée pour rencontrer l'entrepreneur. Ç'aurait été une somptueuse maison, enfin, à nos yeux. Après des années d'économies, elle devenait enfin réalité. Nous regrettions seulement de ne pas avoir fait ça quand les enfants étaient plus jeunes, même si on s'imaginait déjà avec des petits-enfants. » Linda fit une pause, comme pour reprendre haleine, alors qu'en réalité c'était pour comprimer sa colère qu'elle s'était momentanément interrompue. « Je suis partie à la banque en laissant Vincent à la maison. À mon retour, il était allongé par terre, entouré d'oranges.

— Une crise cardiaque ?

— Une apoplexie foudroyante. » Linda marqua un temps d'arrêt. « Rien dans son état de santé n'avait jamais laissé supposer une telle éventualité. Il n'avait que cinquante ans. »

Thomas mit sa main sur celle de Linda, qui s'était échappée de sa poche en cours de récit. La peau de Thomas était froide, et sa paume rugueuse au point de ressembler à du parchemin, malgré ses doigts d'écrivain. Il caressa Linda maladroitement, geste d'un homme peu habitué à consoler les autres.

« Je suis tellement surprise de te voir. Je ne savais pas. Je n'avais pas lu le programme.

— Serais-tu venue si tu avais su ? »

Cette question ressemblait à un labyrinthe.

« La curiosité m'aurait peut-être enhardie », répondit Linda.

Thomas lui lâcha la main et sortit un paquet de cigarettes. Dans un enchaînement de gestes à la fois anciens et connus d'elle, il en alluma une, détacha de sa lèvre un brin de tabac et souffla un mince filet de fumée bleue qui resta suspendu dans l'air humide, morceau de calligraphie se dissipant. Bien sûr, parler santé à Thomas ne servirait à rien. Il ne manquerait certainement pas de rétorquer qu'il avait déjà vécu trop longtemps.

« Tu serais étonnée d'apprendre que je suis venu à cause de toi ? »

Quelque chose de plus que la surprise empêcha Linda de parler.

« Oui, moi aussi, ça m'a surpris, poursuivit Thomas. Mais c'est comme ça. J'ai vu ton nom et je me suis dit… Enfin, je ne sais pas ce que je me suis dit. »

Derrière eux, un ferry ou un remorqueur siffla.

« En fait, j'ai faim, déclara-t-il.

— Tu as une séance de lecture dans une demi-heure.

— Prix à payer pour tout ce cirque ! »

Linda regarda Thomas et rit.

Il se leva et, en homme bien éduqué, lui prit le bras.

« Je crois qu'on se doit un dîner après ça.

— Au moins ! » approuva Linda.

Linda et Thomas rentrèrent en taxi. Devant la porte de la salle de conférences, ils se séparèrent – grimace de rigueur d'un côté, souhaits usuels de bonne chance de l'autre. Et Thomas parut bel et bien blêmir légèrement quand Susan Sefton l'aborda pour lui faire comprendre qu'il intervenait dix minutes plus tard.

C'était une salle au sol très incliné, un ancien amphithéâtre peut-être, dont les sièges se déployaient en éventail depuis l'estrade comme les rayons d'une roue. Linda retira son imperméable mouillé et le laissa se friper dans son dos – le vêtement dégageait une odeur vaguement synthétique. Seule maintenant, anonyme – deux inconnus prenaient place à ses côtés –, Linda se laissa aller à méditer l'affirmation de Thomas selon laquelle il était venu à cause d'elle. Ce n'était sans doute pas totalement vrai – il y avait le sentiment de réémerger dans un monde qu'il avait laissé derrière lui – mais la part d'éventuelle vérité l'alarma. Linda n'acceptait pas, ne pouvait pas accepter, d'aussi somptueuses avances.

Les gens arrivaient au compte-gouttes, l'amphithéâtre ressemblait à un visage grêlé, ce qui, Linda le savait, pouvait être décourageant vu de l'estrade. Elle désirait ardemment que Thomas ait un bel auditoire. Il y avait des étudiants avec un sac à dos, quelques couples d'amoureux qui semblaient s'être donné rendez-vous, des femmes comme elle, assises en petits groupes joyeux. Les soi-disant poètes entraient un à un, suppliants en quête d'inspiration ou, au moins, d'un agent. Puis une porte latérale, oubliée ou jusque-là verrouillée, s'ouvrit sur un flot continu de spectateurs ; Linda observa la foule remplir les rangs un à un, le visage grêlé devenait plus sain. Bizarrement, elle se sentit fière comme une mère (ou une épouse, se dit-elle, bien qu'elle manquât d'entraînement ; Vincent était terrifié à la simple idée de s'exprimer en public). L'assistance, d'importance respectable, devint marée humaine, les portes retenues par des corps désormais incapables d'avancer. Les années d'exil nécessaire, que Thomas avait lui-même annoncées, avaient aiguisé les appétits. L'histoire se faisait, histoire d'intérêt local et limité.

À côté de Linda, un très jeune couple s'interrogeait sur ce fameux silence.

« Sa fille est morte en bateau.

— Oh, mon Dieu ! Tu te rends compte !

— Emportée par une vague. Elle n'avait que cinq ans. Ou six peut-être. Il paraît qu'après il a fait une dépression.

— J'ai dû lire ça quelque part. »

Les lumières baissèrent et un universitaire fit une présentation. On évoqua un exil, mais pas sa cause. Cette introduction ne rendait guère justice à Thomas, bien qu'elle laissât supposer une réussite remarquable, digne du plus grand respect malgré cette longue absence. Le projecteur dessinait des ombres peu flatteuses sur le visage de l'universitaire. Bientôt elle-même se tiendrait là.

Au moment où Thomas sortit des coulisses, un silence, pareil à une nuée, s'abattit sur l'assistance. Thomas avança avec beaucoup d'assurance, soucieux de ne pas lever les yeux vers les centaines de visages. Une fois installé derrière l'estrade, il prit un verre d'eau, et Linda vit – elle espéra être la seule – sa main trembler au cours de son épique voyage entre la table et la bouche. Derrière elle, quelqu'un remarqua : « Dis donc, qu'est-ce qu'il a vieilli », ces mots (quel pouvoir !) réduisant même le meilleur d'entre eux à moins que rien.

Au début, Thomas se montra fort gauche, et une

rougeur d'empathie se propagea le long du cou de Linda avant de se loger derrière ses oreilles. L'homme avait l'air pris au dépourvu. Dans le silence grandissant, il tournait les pages avec son index, le papier craquant comme de la pelure d'oignon. Linda entendit des murmures de surprise, la plainte légère de la déception. Thomas n'en continuait pas moins à feuilleter son recueil. Puis, au moment où elle croyait ne pas pouvoir en supporter davantage, alors qu'elle avait penché la tête et mis la main devant les yeux, il se mit à lire.

C'était une voix grave et sonore, indifférente aux années qui avaient ravagé son visage. C'eût pu être une voix lisant une déclaration, la basse profonde d'un chanteur d'opéra. Les spectateurs semblaient retenir leur souffle, de crainte de manquer un mot s'ils respiraient. Linda fit un effort pour appréhender les expressions surprenantes puis se laissa entraîner par une avalanche d'images étrangement agréables, même s'il était impossible de se méprendre sur leur terrible signification : « Eau soyeuse », lut-il. « Banc de sable. » « La mère a ployé, tige piétinée. » Linda sentit les poils de sa nuque se hérisser et des frissons lui parcourir les bras. Immobile, elle oublia le public. Il était difficile de croire à cette alliance d'affliction confuse et servile. Linda comprit, comme elle ne l'avait jamais fait – et ceux qui l'entouraient non plus, elle en était convaincue –, qu'elle se trouvait en présence du sublime.

Thomas lut des extraits des *Poèmes à Marie-Madeleine*. Recueil de poèmes sur une jeune fille jamais devenue femme. Élégie pour une vie jamais vécue.

Il s'arrêta, et le verre d'eau entreprit un autre voyage épique. Clameur d'une centaine d'individus mettant la main sur leur cœur en faisant : Oh ! S'ensuivit un véritable tonnerre d'applaudissements. Thomas leva les yeux et tout cet émoi parut le surprendre. Il ne sourit pas – que ce soit au public ou intérieurement – et, sans pouvoir l'expliquer, Linda se sentit soulagée : Thomas ne se laisserait pas aisément séduire.

Les questions qui fusèrent étaient classiques (l'une d'elles, sur sa culpabilité, épouvantable). Thomas répondit consciencieusement ; et, par bonheur, il n'était pas beau parleur. Linda n'aurait pas été sûre de pouvoir supporter sa volubilité. Il avait l'air épuisé, un reflet luisant était apparu sur son front, désormais blême de trac.

Les questions cessèrent – par quel mystérieux signal, ce n'était pas clair –, et les accoudoirs vibrèrent sous les applaudissements. Certaines personnes allèrent même jusqu'à se lever, comme au théâtre. Pas plus habile qu'habitué à accepter les éloges, Thomas quitta la scène.

Linda aurait pu aller le retrouver dans les coulisses et l'étreindre, signe d'une exubérance réciproque. Et peut-être l'attendrait-il, serait-il déçu de ne pas la voir. Mais elle l'aperçut alors dans le hall d'entrée, entouré d'admirateurs en adoration devant lui – il avait mis de côté dans sa tête les mots qui torturent – et elle se dit : Je ne vais pas leur disputer son attention.

Elle avait besoin de prendre l'air et sortit dans la nuit. Des gens étaient réunis en groupes, moins calmes qu'euphoriques. Linda n'avait pas l'intention d'écouter les conversations mais elle ne put s'empêcher d'entendre les mots « renversant » et « brillant » ; cependant, une femme parut outrée à l'idée qu'un poète tirât parti de la mort de sa fille. « Opportuniste », entendit Linda, « viol de la vie d'autrui ». Un homme réagit dédaigneusement : « Dana, ça s'appelle de l'art », et aussitôt Linda sut qu'ils étaient mariés.

Elle fit le tour du pâté de maisons – ce qu'elle venait

de vivre dans l'amphithéâtre semblait l'exiger. La bruine se transforma en grosse pluie, et avant d'avoir pu regagner le bâtiment Linda avait les cheveux et les épaules trempés. Elle pénétra dans une petite salle, écouta une Rwandaise énumérer des atrocités. Et demeura assise, transie, vidée de toute émotion, jusqu'à l'heure de sa propre intervention.

On emmena Linda dans les coulisses, comme infestées de serpents avec leurs faisceaux de câbles électriques. Ses yeux, qui ne s'adaptèrent pas suffisamment vite à l'obscurité, lui donnaient l'air bête, trop circonspect, et Linda sut que le tout jeune organisateur la voyait comme une femme d'un certain âge. Seizek apparut à ses côtés, son haleine l'annonçant avant sa corpulence. L'homme posa une main possessive sur le dos de Linda et la laissa glisser jusqu'à ses reins – pour garder l'équilibre ou affirmer quelque prérogative virile, elle n'aurait su le dire. Clignant des yeux, ils furent conduits sur la scène qui, bien sûr, baignait dans une lumière crue et s'assirent de chaque côté de l'estrade. Oublieux des bonnes manières et même de sa propre présentation, Seizek, en titubant, se dirigea le premier vers le micro. Il était quasiment trop soûl pour rester debout mais lut impeccablement, fait plus remarquable que sa prose édulcorée, comme si l'auteur, rendu négligent par quelque échéance, avait délayé les paragraphes pour qu'ils soient longs.

Les applaudissements furent plutôt nourris. Après l'intervention de Seizek, certaines personnes quittèrent la salle (elles s'étaient ennuyées ? ne se passionnaient pas pour la poésie ? n'étaient pas intéressées par Linda Fallon ?), réduisant le public à un cas d'acné désespéré. Linda se dirigea vers l'estrade et, par un effort de volonté, lutta pour surmonter son apparente impopularité (plus vraisemblablement l'anonymat auquel elle aspirait) ; elle y était parvenue dans une large mesure au moment où elle régla le micro, mais ne put s'empêcher de remarquer l'absence de Thomas. Linda dit ses poèmes, ces mots dont elle avait quelque raison d'être fière et qui, même s'ils n'étaient plus nouveaux pour elle, avaient été ciselés. Mais, ce faisant, son attention commença à se relâcher, et elle pensa à la suggestion de Thomas, celle de transformer ses images en prose. Elle constata qu'au moment même où elle lisait ses vers son second cerveau construisait des phrases, si bien que lorsqu'un mot fortuit la fit brusquement sortir de sa rêverie, elle s'affola, comme si elle avait perdu la page.

Les applaudissements étaient ceux d'un auditoire que la promesse d'être libéré pour aller dîner ou se coucher avait mis de bonne humeur. Puis il y eut des questions, l'une étrangement semblable à la plainte maussade de cette femme qui qualifiait d'opportunisme le fait d'utiliser la vie d'autrui pour les besoins de l'art (pourquoi tant d'aigreur chez cette femme, Linda ne le comprenait pas, puisqu'il n'était pas question de sa propre vie). Les gens qui faisaient la queue dans le hall d'entrée pour acheter ses livres n'étaient pas plus de vingt, et au fond Linda leur en fut reconnaissante. Elle s'arrangea pour traîner plus longtemps que nécessaire, se demandant si, après tout, Thomas se présenterait pour ce dîner qu'ils pensaient se devoir ; mais elle ne s'attarda pas suffisamment pour se sentir ridicule au cas où il aurait fini par arriver. Elle sortit dans la nuit, soudain déconcertée par une traînée blanche le long de la voûte céleste, les nuages bas ayant accroché la lumière de la ville.

Eau soyeuse, songea-t-elle. *Tige piétinée*.

3

Il était réconfortant de se dire que le pire avait eu lieu. À vingt-sept ans, elle avait été entraînée bien au-delà d'une laisse de haute mer pour s'étioler au soleil ou être balayée par une autre vague. Échouée à Cambridge, la jeune femme ne cessait d'en parcourir les rues, son corps élancé sous ses jupes et ses corsages, le port d'une minijupe n'étant pas plus extraordinaire en cette saison et cette année-là que celui d'une tunique africaine ou d'un pantalon à pattes d'éléphant. Ses cheveux, eux, étaient extraordinaires : en bataille, indisciplinés, sans style, même si aucun style particulier n'était requis. En Afrique, ils s'étaient plus que jamais colorés et offraient une gamme de nuances allant de l'acajou au pin blanchi. À force de marcher ou de manger sur le pouce, elle était devenue maigre, voire sèche. L'existence consistait dorénavant à se promener sous la pluie ou au soleil avec une liberté que la jeune femme n'avait jamais connue et dont elle ne voulait pas. Chaque matin, elle mettait ses sandales, tripotait sa croix en or et se préparait à vivre des journées faites de culpabilité et de récriminations, sans le moindre désir d'effacer l'événement à l'origine d'un tel état. Parfois, anéantie, elle s'appuyait contre un mur, posait sa tête sur les pierres fraîches et suffoquait, frappée une nouvelle fois par l'ampleur de la perte, la douleur aussi vive que si les choses s'étaient passées la veille.

Elle ne connaissait pas la ville comme on était censé la connaître. Elle ne vivait pas comme on pouvait s'y attendre. On pouvait s'attendre à d'interminables promenades au milieu des sycomores, en ayant présent à l'esprit qu'il s'agissait d'une terre sacrée. Ou encore s'attendre à des discussions qui se prolongent tard dans la nuit sous l'œil de pâles étudiants et d'exaspérants et fantomatiques pédants. En flagrante violation du règlement, la jeune femme rentrait dans des pièces tristes où la vue du lit lui était presque insupportable. Cambridge lui rappelait que ces baisers sordides derrière la porte d'un bureau avaient jadis été élevés au rang de sacrement (elle qu'on avait désormais excommuniée) ; ou bien c'était le frisson glacial d'un coucher de soleil qui donnait aux briques et aux pierres de la ville, et même aux visages des étudiants dans les rues, une couleur rose saumon qui semblait la teinte même de l'amour. Cambridge, c'était s'asseoir dans la baignoire d'un appartement loué et, à titre expérimental, se taillader les poignets, ce qu'elle regrettait aussitôt à cause des histoires que ça faisait aux urgences. (Sans parler de l'humiliation de n'être qu'une parmi tant d'autres à les fréquenter.) Ses jupes étaient suspendues à ses hanches comme du linge à une corde, et en septembre, quand le froid commençait à s'installer, elle portait des bottes qui montaient jusqu'aux genoux et auraient dû lui faire horriblement mal, mais ce n'était pas le cas.

À l'époque, la jeune femme habitait un appartement de Fairfield Street, avec une baignoire surélevée dans la cuisine (auguste emplacement pour des rites sacrificiels). Elle possédait un service de porcelaine et des verres en cristal provenant d'un autre rituel meurtrier et du mariage subséquent qui s'était corrodé de l'intérieur, comme une voiture rutilante où la rouille travaille sous la peinture. (Bien qu'en fin de compte elle fût entrée de plein fouet en collision avec cette voiture.) Placée sur une étagère, dans un placard de la cuisine, cette vaisselle prenait la poussière, témoignage muet de l'attente. La jeune femme mangeait, si tant est qu'elle mangeât, dans une assiette mélaminée achetée chez Lechmere, assiette à laquelle n'était rattaché aucun souvenir, qu'aucun amant ou mari n'avait touchée. Le matin, quand l'école reprenait, Linda buvait une boisson instantanée, debout près de la porte, contente de consacrer si peu de temps à cette activité. Elle sortait en bottes et minijupe (stupéfaite aujourd'hui à l'idée d'avoir porté ce genre de tenue devant des adolescents de dix-sept ans), montait dans sa voiture et se fondait dans la circulation pour se rendre dans un lycée de la banlieue nord. Dans l'intimité que seul l'intérieur d'une voiture peut offrir, elle pleurait cette perte obsédante et apparemment infinie, et devait souvent se remaquiller dans le rétroviseur avant d'entrer en classe.

La jeune femme, en vacances à Hull, avait l'impression de traverser un champ de mines – craintive à l'entrée, muette de reconnaissance une fois franchi l'éprouvant obstacle. Et, quelquefois, elle échouait. Tout en sachant qu'elle avait tort, il lui arrivait de passer en voiture devant la maison des Janes et d'essayer de deviner laquelle était la voiture de Thomas (la Volkswagen ? la Fiat ? la Volvo ?) ; car lui, comme elle, se tenait inévitablement à l'écart pendant les vacances. Mais, malgré la crainte ou l'espoir que nourrissait Linda de le revoir, ils ne se rencontrèrent jamais par hasard, pas même dans le petit restaurant ou à la station-service. (Dire qu'il suffisait qu'elle entre dans le parking du restaurant pour trembler, le doute et la curiosité l'empêchant presque de respirer.)

Pour tenir les hommes à distance – ils étaient omniprésents, même dans cette université essentiellement féminine –, Linda s'était inventé une vie de femme mariée (pour plus de confort dans le mensonge, à un étudiant en droit très souvent absent). Elle imaginait aisément ce genre d'existence et pouvait la recréer en détail sur-le-champ : l'époux fantôme (jadis bien réel) de retour à la maison après un travail éreintant au tribunal ; une soirée de week-end animée avec son mari malade comme un chien à cause du bourbon et du cidre ; la recherche d'un cadeau de mariage pour un enseignant. Cambridge, c'était laisser ces mensonges derrière elle et rentrer dans un appartement silencieux où elle disposait de temps et d'espace pour le souvenir, espace et temps apparemment aussi nécessaires que le Valium qu'elle conservait dans l'armoire à pharmacie (le Valium, véritable bénédiction, inattendue, au sortir des urgences).

Elle était plutôt bon professeur et parfois on lui en faisait la remarque (« On me dit que vos cours sont… » ; « Vous êtes ma préférée »), mais c'était tout de même une vie racornie. Linda supposait que certains événements avaient affecté sa conscience. Plus tard, elle se souviendrait d'avoir été marxiste pendant un mois, d'avoir fait l'amour dans un sous-sol avec un homme (politique et pressant) et pris goût avec lui à la marijuana, penchant qui ne disparaîtrait pas avant l'arrivée de Maria. Et, pendant un temps, elle posséderait une boîte en bois contenant une extraordinaire palette de peintures à l'huile, qui lui rappelait qu'elle avait tenté de se perdre sur la toile. Chose étrange, Linda ne prenait jamais la plume pour écrire, de crainte de provoquer une conflagration, comme si le papier lui-même était du silex.

Mais, la plupart du temps, elle marchait seule, dans Massachusetts Avenue et Irving Street. Le long de la Charles et jusqu'à Porter Square. Le samedi, vers Somerville ou Fenway Park. Linda n'avait pas de but – la marche, un but en soi – et, quand elle était vraiment très mal, elle comptait en cadence, n'ayant jamais été aussi près de psalmodier un mantra. La jeune femme était surtout impressionnée par la capacité de résistance de la souffrance : que la perte d'un autre rende aussi malheureux lui semblait invraisemblable. Elle savait qu'il était scandaleux de s'étendre à n'en plus finir sur ces tragédies intimes, même dans un coin retiré de son esprit, quand tant de gens étaient véritablement maltraités. (Encore plus scandaleux, le fait d'entendre parler d'Entebbe ou d'émeutes dans des ghettos et de ne relativiser nos souffrances qu'à certains moments seulement, le moi ayant besoin de revenir à lui-même ; parfois, le fait d'entendre parler de conflits intérieurs ou extérieurs aggravait le mal : après tout, on aspirait à partager avec quelqu'un ces bulletins d'informations venus de l'enfer.)

Un jour de septembre – elle marchait depuis des mois –, Linda entra dans un café où des tables en bois avaient été disposées perpendiculairement à un comptoir doté d'une vitrine de desserts. Ayant sauté le déjeuner, elle commanda un café et un cookie au beurre de cacahuète, qu'elle apporta jusqu'à la table où elle avait étalé ses dossiers pédagogiques. Travailler dans un café atténuait le caractère assommant de la tâche, et Linda se perdit un moment dans l'explication détaillée du thème de *Ethan Frome* et de *La Ménagerie de verre*. Dehors, le soleil avait réchauffé les briques, mais pas les gens qui s'exerçaient à se pelotonner dans leur veste en prévision de l'hiver. Dans un coin, une certaine agitation sollicita son attention, qui ne demandait que cela. Si invraisemblable que cela pût paraître, une femme avait installé ses deux caniches sur des rehausseurs posés sur des chaises, et leur faisait manger des morceaux de ces coûteux macarons vendus en vitrine. Elle s'adressait à eux comme une mère à ses tout-petits, leur essuyait le museau avec un mouchoir en dentelle et réprimandait gentiment celui qui se montrait trop gourmand.

Incrédule, Linda observait la scène.

« Elle conservera leurs cendres dans la boîte à biscuits », dit une voix derrière elle.

La jeune femme se retourna et vit un homme à la physionomie animée et aux sourcils épais comme de la fourrure. Une expression ironique se lisait incontestablement sur son visage. Un rire incommensurable – sans entraves, libérant des mois de cuisants remords – monta en Linda et fit surface. Une liasse de papiers tomba, qu'elle tenta de rattraper. Impuissante, elle porta la main à son cœur.

Il y eut les présentations, l'incommensurable rire se transformant peu à peu en petits éclats que la jeune femme ne parvenait pas à contrôler. Le rire lui-même était communicatif, et de temps à autre, l'homme gloussait. Linda mit sa main devant sa bouche et la fille derrière le comptoir demanda : Qu'est-ce qu'il y a de si drôle ? L'un d'eux alla s'installer à la table de l'autre (plus tard, ils débattraient pour savoir qui), et Vincent déclara, à propos du rire incommensurable : « Vous en aviez bien besoin. »

Il avait de grands yeux marron, et une peau douce que l'exercice ou quelque voyage avait hâlée. Ses cheveux étaient brillants, comme le pelage d'un animal en bonne santé.

En se retournant, Linda heurta le pied de la table et du café se renversa sur la chaussure cirée de Vincent. La jeune femme se pencha pour l'essuyer avec une serviette en papier.

« Attention, la prévint-il. Je suis facilement excitable. »

Elle leva les yeux et sourit. Rien de plus facile. Et sentit une petite vague venir enfin la chercher.

Linda raconta tout cela à Thomas sur le ferry qui les emmenait vers une île au milieu d'un lac.

« Il a été bon pour toi ?

— Très bon. Je ne peux pas imaginer ce qui serait arrivé, ce que je serais devenue.

— À cause de moi.

— Disons que oui. Et de moi aussi.

— J'ai vécu à Cambridge. Dans Irving Street. Mais des années plus tard.

— Je ne savais pas. »

Linda se demanda combien de fois elle avait parcouru cette rue, et dans quelle maison Thomas avait vécu. Appuyée contre la cloison du bac, elle regarda la ville du Nord s'éloigner doucement. Le vent fouettait ses cheveux qui lui cinglaient le visage, et elle tourna la tête pour les dégager. Linda avait mis une chemise blanche et un jean, ce qu'elle faisait presque quotidiennement quand rien n'exigeait quelque chose de plus inspiré. Et ce jour-là son imperméable, boutonné pour se protéger de la brise. Thomas portait toujours son blazer bleu marine, comme s'il avait dormi avec. Il avait appelé Linda avant même son réveil, de peur qu'elle ne parte pour la journée et qu'il ne puisse la trouver, avait-il expliqué. Aimerait-elle se rendre sur une île du lac en ferry ? Oui, avait-elle répondu, ça devrait lui plaire. Puis elle lui avait effrontément demandé pourquoi il n'était pas venu assister à sa séance de lecture.

« C'était troublant de te voir à la mienne. C'est toujours plus dur quand tu connais quelqu'un dans le public. J'ai voulu t'épargner ça. »

Ce en quoi, bien sûr, il avait raison.

« Ton œuvre, dit-elle, je ne sais pas si j'ai jamais entendu… »

Le visage de Thomas exprima ce que Linda elle-même avait déjà ressenti : du plaisir imparfaitement masqué par de la modestie.

« On l'enseignera à l'école dans dix ans. Ou peut-être avant. J'en suis sûre », affirma Linda.

Elle détourna les yeux pour permettre à Thomas de goûter à ce plaisir sans se sentir observé.

« Pourquoi ce titre, *Poèmes à Marie-Madeleine* ? » demanda-t-elle au bout d'un moment.

Il hésita. « Tu devrais le savoir. »

Linda le savait, assurément, et elle regretta d'avoir posé la question. Car les questions appelaient des confidences et des souvenirs dont elle ne voulait pas.

« Il y a bien d'autres versions du nom, reprit-il : Marie la Magdaléenne, Marie Magdalena, Marie de Magdala. Savais-tu que la madeleine de Proust venait de là ?

— Tu as passé du temps sur ces poèmes.

— J'ai dû arrêter d'y travailler. Après l'Afrique. »

S'ensuivit un silence gêné.

« Ils transcendent n'importe quel sujet. » Linda parlait vite. « Comme tout bon poème.

— C'est un mythe, cette histoire de femme déchue. On l'a cru uniquement parce que la première fois qu'on parle de Marie-Madeleine, il vient juste d'être question d'une femme déchue.

— Dans la Bible, tu veux dire.

— Oui. Ça n'a guère d'importance. C'est le mythe qui nous intéresse.

— Et ils étaient amants ?

— Jésus et Marie-Madeleine ? “Elle a montré beaucoup d'amour”, dit la Bible. J'aimerais le croire. La plupart des spécialistes sont prêts à aller jusqu'à affirmer qu'elle Lui a permis d'être l'homme qu'Il était. Mais pas plus. Pour moi, c'est une façon voilée de parler de sexe.

— Et pourquoi pas ? fit Linda d'un air songeur.

— Tout ce dont on est sûr, c'est qu'elle n'a jamais été identifiée à une épouse ou à une mère, ce qui est intéressant en soi. Et, en fait, on la porte aujourd'hui aux nues pour ce qu'elle est. Une femme suffisamment importante pour être considérée par Jésus comme une sorte de disciple. Suffisamment importante pour être la première à porter la nouvelle de la résurrection. En tout cas, c'est l'interprétation féministe.

— Et cette référence aux sept démons ?

— Question fascinante. Luc déclare : “Marie, surnommée la Magdaléenne, de laquelle étaient sortis sept démons”. Nous ne savons pas. Souffrait-elle d'une affection telle que l'épilepsie ? Lui fallait-il s'accorder un répit dans un mal-être émotionnel, spirituel ou psychologique ? Était-elle purement et simplement folle ?

— Quoi qu'il en soit, tes poèmes sont de toute beauté. »

À bâbord, Linda vit Robert Seizek empoigner le bastingage comme s'il était le capitaine du bateau. Peut-être examinait-il la ligne d'horizon, à l'image de ceux que guette le mal de mer. Elle doutait qu'il se souvînt de son intervention de la veille ou même de sa présence à elle. Des adolescents, trop peu couverts pour l'occasion, étaient assis sur les bancs, un petit anneau d'argent fixé à leur nombril accrochant le soleil, malgré le froid. Leur présence rappela à Linda qu'on était samedi. Toutes les filles avaient la raie au milieu et leurs cheveux, tirés en arrière, retombaient en queue-de-cheval. Ceux de Linda trahissaient son âge parce qu'elle ne parvenait pas à les avoir lisses et brillants, comme on les portait désormais. Les queues-de-cheval s'agitaient au vent.

« Qu'est devenu Peter ? » demanda Thomas en allumant une cigarette.

La question prit Linda au dépourvu. « Je ne sais pas exactement. Il est rentré à Londres. Une fois, j'étais là-bas et je l'ai cherché dans l'annuaire, mais il n'y avait personne à ce nom-là. »

Thomas hocha la tête, comme s'il était banal que quelqu'un à qui on avait un jour été marié disparaisse de notre existence. L'eau réfléchissait une lumière impitoyable qui révélait la moindre imperfection de son visage, visage qui n'avait jamais été parfait, même quand Thomas était jeune. Linda se refusa à penser à son propre visage et lutta contre une furieuse envie de se mettre à l'ombre.

« Tu y es déjà retournée ? » Il voulait dire en Afrique.

« Non. J'aurais aimé y emmener mes enfants. Mais c'était toujours tellement cher, et finalement je ne l'ai jamais fait.

— C'est devenu un pays dangereux.

— On le trouvait déjà dangereux à l'époque.

— Et on avait raison. Mais cela a empiré. On m'a dit que les touristes devaient se faire escorter par des hommes armés. »

Il faisait inexplicablement plus chaud sur l'île et, après avoir débarqué, ils durent retirer leur manteau. Thomas ôta son blazer et Linda se surprit à examiner les épaules hexagonales sous la chemise blanche. Elle avait conscience de son corsage, du poids de ses seins, cette lourdeur familière. Ces derniers temps, elle avait parfois la sensation de perdre du lait et se disait que ses hormones devaient dérailler.

Ils parcoururent une rue bordée de cottages en bois, Thomas, la veste repliée sur le bras, tel un colonial portant une tenue inadaptée à la chaleur. Cela aurait pu être Nairobi ou Lamu après tout. Linda, qui se refusait à imiter ce geste masculin, avait jeté son imperméable sur ses épaules.

« Vous avez eu un bébé ? s'enquit-elle.

— Fausse alerte. »

L'espace d'un instant, Linda eut l'impression que la rue tournait autour d'elle et lutta pour retrouver ses repères.

« Quelle ironie ! murmura-t-elle.

— Quoi ? »

Linda ne voulait pas, ne pouvait pas raconter à Thomas son expérience douloureuse à l'hôpital catholique. L'hostilité des sœurs. La gentillesse du médecin belge affirmant que l'avortement était une nécessité. Pas plus que la méchanceté non dissimulée de sœur Marie Francis apportant le fœtus dans un bocal afin que Linda le voie. Elle ne serait pas celle qui exacerberait la douleur de Thomas.

« Tu dois continuer à écrire, déclara-t-elle, haletante, un instant plus tard. Si difficile que ce soit. »

Thomas resta quelque temps silencieux. « C'est une bataille que je perds plus souvent que je ne la gagne.

— Le temps aide-t-il ?

— Non. » Sa conviction semblait découler d'une longue expérience.

Ils gravirent une colline, quittèrent la route et s'assirent sur un rocher. Linda demeura un long moment la tête posée sur les genoux. Et, lorsqu'elle leva les yeux, ses mains tremblaient encore. Elle avait une tenue plus adaptée à la circonstance que celle de Thomas, ce qui lui rappela qu'ils avaient raté, ensemble, le grand relâchement vestimentaire de l'Amérique. Linda n'avait jamais vu Thomas en T-shirt et ne pouvait donc pas se l'imaginer. Elle nota que sa chemise de soirée était apprêtée, d'excellente qualité. Et ressentit brusquement l'envie, aussitôt désavouée, de lui toucher le dos. Le désir se manifestait parfois la nuit, sans prévenir, contre son gré – présence importune dans le lit. Agitée, énervée, elle prenait alors conscience, de manière accrue et irrévocable, de ce qu'elle avait perdu.

(Vincent et elle, allongés face à face, leurs peaux se touchant en une demi-douzaine d'endroits, comme des électrodes. Maria et Marcus sortis avec des amis un samedi après-midi ; du temps disponible et le soleil sur le lit, un régal. Vincent disant, le regard sombre et grave, comme s'il avait perçu un signe de mort prochaine : « J'espère mourir avant toi. » Ses yeux à elle s'écarquillant : de tels propos de la part de Vincent, qui n'était pas romantique. « Il faudrait que je détruise complètement le lit », avait-il ajouté. Je ne pourrais pas le supporter.)

Et elle, qui jadis était romantique, dormait désormais

seule dans ce même lit et ne pouvait envisager de le mettre en pièces.

« Pourquoi as-tu fait ça ? » demanda Thomas.

Il fixait résolument la ligne que la ville du Nord découpait sur le ciel. Il souhaitait certainement lui poser la question depuis des années. Vingt-cinq ans, très exactement.

Linda fut d'abord incapable de répondre. Comme face à un écran de cinéma, ils regardèrent ensemble bateaux de plaisance et pétroliers entrer dans le port.

« Quelle importance, finalement ? »

Thomas posa sur elle un regard pénétrant. « Nous aurions pu trouver une solution.

— Et comment, au juste ?

— Peut-être qu'avec le temps on aurait trouvé un moyen.

— Tu te fais des illusions.

— Mais la façon dont ça s'est passé. Tu ne nous as laissé aucune chance. »

Peut-être, de par la mort de sa fille, se sentait-il en droit d'accuser, se dit Linda.

« J'étais soûle », reconnut-elle. Elle qui, normalement, n'essayait pas de se trouver des excuses.

« Effectivement. Mais ça allait plus loin. Tu as voulu faire du mal.

— À qui ? demanda Linda d'un ton acerbe. Me faire du mal ? Faire du mal à Regina ?

— À Regina, certainement. »

Elle n'avait pourtant pas cherché à blesser qui que ce fût ; elle avait seulement voulu transmettre ce qui, à ses yeux, représentait une vérité importante, aussi incommensurable à sa manière que le rire qui la secouerait des années plus tard. Qu'elle eût dû se montrer si effroyablement cruelle l'avait toujours choquée.

« Le moment le plus égoïste de ma vie, Thomas. J'ai certainement voulu que ça s'arrête. Que tout soit fini.

— Oh, Linda. Je suis évidemment aussi coupable que toi. Même plus.

— Difficile de croire que quelque chose ait pu avoir autant de répercussions. » Le souvenir de cette terrible soirée brûlait le visage de Linda.

Elle avait bu son whisky sec. Appuyé contre un mur, Peter n'avait d'abord pas saisi les raisons de toute cette agitation mais savait que des mots irréparables avaient été prononcés. Il semblait alors jouer un petit rôle, simple témoin d'un drame plus vaste. Sur ce point aussi, Linda était impardonnable. Ne pas avoir perçu combien Peter était mortifié. Et combien il avait été généreux de sa part de ne pas attirer l'attention sur lui. Jusqu'à ce que plus tard, cette nuit-là, dans l'intimité de leur chambre d'hôtel, cette trahison, absolue, publique, le fasse pleurer. Et Linda était restée assise à côté de lui, muette, terrorisée uniquement à l'idée d'avoir perdu son amant.

Mieux valait oublier.

« Un auteur de comédies en ferait une farce, observa Thomas. Confessions dans différentes chambres, etc.

— Ce ne serait peut-être pas un catholique. »

Ils avancèrent avec difficulté sur un sentier bordé de petits arbustes rabougris. Les cottages avaient été condamnés en attendant le retour estival de leurs propriétaires. Les voitures étaient interdites dans l'île, et Linda se demanda comment on avait pu construire ce genre de maisons. Murs, tuiles et cheminées avaient-ils été transportés par bateau ?

« Les îles me rappellent toujours celles de Shoals, fit remarquer Thomas. Un endroit cruel. »

Linda mit un moment à se souvenir, à comprendre. Elle dut s'arrêter.

Thomas se retourna pour voir où elle était passée. « Ce n'est rien. J'y suis allé des centaines de fois depuis. »

C'est une forme de courage, se dit-elle, cette capacité à regarder le pire en face. Se peut-il qu'il y ait une tombe, une plaque commémorative ? Comment supporter un tel spectacle ?

« Qu'est devenue Regina ? demanda Linda après qu'ils se furent remis en route.

— Elle vit à Auckland et elle a deux enfants.

— Auckland, en Nouvelle-Zélande ?

— On s'écrit de temps en temps. Elle travaille pour un laboratoire pharmaceutique. »

La différence de pression entre le funeste et le banal étourdit Linda.

« Son mari fait de l'élevage de moutons, ajouta Thomas.

— On n'est donc pas éternellement marqué. »

Thomas retroussa ses manches. « Qui sait ? »

Ils s'attardèrent devant une petite maison blanche aux volets bleu vif, transformée en salon de thé à l'intention de ceux qui traversaient l'île à pied. Linda était surprise de constater qu'ils avaient autant marché et elle transpirait sous son corsage soyeux en synthétique dont l'achat lui semblait bien peu judicieux en cette journée anormalement chaude. Elle tira dessus, le laissa flotter sur son jean et sentit un souffle de vent frais autour de sa taille. Ses cheveux collaient à sa nuque, et d'un geste ample de la main elle les libéra.

« Une petite faim ? » s'enquit Thomas.

Ils avaient le choix entre une table avec une nappe à l'intérieur ou une simple table de pique-nique à l'extérieur. Ils s'installèrent dehors et posèrent des verres et une bouteille de ketchup sur les serviettes en papier pour empêcher qu'elles ne s'envolent. Assis l'un à côté de l'autre, ils contemplaient l'eau qui miroitait, sauf en quelques endroits où de rares nuages, en apparence cléments, l'assombrissaient. Thomas s'assit tout près de Linda, volontairement ou parce que la notion d'espace intime lui échappait complètement. Leurs bras se frôlaient entre le coude et l'épaule, une proximité qui troublait Linda. Elle vit l'intérieur d'une voiture, une Buick Skylark décapotable, blanche avec du cuir rouge. Elle n'aurait su dire l'année. La capote relevée, les fenêtres couvertes de buée, un policier braquant sa torche sur la vitre opaque et mouillée. Tous les adolescents de l'époque avaient-ils un tel souvenir ?

« Je suis censé participer à un débat. Et en ce moment même je suis en train de sécher une interview », annonça Thomas.

Linda n'avait pas d'interview, à part cet entretien téléphonique dans la matinée.

« Ton débat est à quelle heure ? »

Thomas jeta un coup d'œil sur sa montre. « Quatre heures.

— Il y a un bac à deux heures et demie. C'est quoi, le thème ?

— L'extraordinaire ego du poète contemporain. »

Linda regarda Thomas en riant.

Il se tourna légèrement, posa un pied sur le banc et appuya un bras sur son genou. Thomas avait toujours eu des problèmes de colonne vertébrale, même enfant. Une histoire de proportion entre sa taille et la largeur de ses os. C'était son dos rond qui lui donnait cette attendrissante allure dégingandée.

Une adolescente s'approcha timidement de la table

pour prendre la commande. La liste des plats était limitée : cheeseburger, fish burger ou hot dog. Linda, à qui le poisson n'inspirait pas confiance, commanda un cheeseburger.

« Ça fait des années que je n'en ai pas mangé.

— C'est vrai ? demanda Thomas, vraiment surpris. Et du homard ?

— Bien sûr. Dans le Maine, tu ne peux pas vraiment y couper. »

Linda voulut s'écarter de lui, juste pour dissiper la tension. Elle était consciente de certaines imperfections : ses propres défauts physiques, auxquels il valait mieux ne pas penser ; des encoches dans la table ; un pied légèrement bancal ; du ketchup séché sous la capsule en plastique blanc. Des bateaux, qui naviguaient sous le vent, se heurtaient à une forte houle, embruns explosifs, détonants. Linda nota qu'une espèce d'oiseaux de proie semblait se reproduire au moment même où elle les observait, formant une phalange qui attendait les restes à distance respectueuse. Ces oiseaux rusés avaient bonne mémoire.

« Si tu souhaites parler de ta fille, commença Linda, consciente du caractère dangereux de sa proposition, je ne demande pas mieux. »

Thomas soupira. « En fait, ce serait un soulagement. C'est le problème quand on ne vit pas avec la mère de l'enfant. Il n'y a personne pour la faire revivre. Il y avait Rich, mais nous avons épuisé les souvenirs. »

Sous prétexte de croiser les jambes, Linda s'écarta.

« Mais qu'y a-t-il à raconter ? » Thomas eut soudain l'air vaincu avant même d'avoir commencé.

Elle considéra son long dos, la chemise disparaissant sous sa ceinture. L'espace d'un instant, elle mourut d'envie de faire glisser ses ongles sur l'étoffe, le long de sa colonne vertébrale. Elle savait avec certitude qu'incapable de s'en empêcher Thomas grognerait de plaisir. Peut-être pencherait-il la tête en avant pour inviter Linda à lui gratter le haut du dos. La source de plaisir chez l'autre ne s'oubliait jamais.

Thomas posa son pied par terre et fouilla dans une poche arrière. Il en sortit un portefeuille en cuir aux coutures plus claires à force d'usure.

« Voici Billie. »

Linda lui prit la photo des mains et l'examina. Des boucles brunes retombaient de chaque côté du visage. Des iris bleu marine, gros comme des billes, étaient couvés par d'extraordinaires cils brillants. La bouche rose, qui ne souriait ni ne grimaçait (malgré l'inclinaison de la tête, circonspecte ou séduisante, c'était difficile à dire), avait un contour parfait. La peau était lumineuse, teint rosé des joues rebondies. Bien peu plausible sur un tableau, mais ici on était forcé d'y croire. Comment cette photo n'avait-elle pas brûlé le cuir usé ?

D'un bref regard, Linda jaugea une nouvelle fois Thomas. Qu'on pût le voir dans cette fillette était indéniable, même si la beauté du père avait été tout autre. La curiosité, proche d'une certaine forme de jalousie, s'empara de Linda au moment où elle tenta d'imaginer la mère : elle s'appelait Jean. Regina, la première épouse de Thomas, une femme que Linda avait jadis elle-même connue, était corpulente et voluptueuse, lourde de sensualité, mais n'avait pas vraiment représenté une menace. À aucun moment.

Linda secoua la tête. Dire qu'elle était jalouse d'une femme qui avait tout perdu !

« La photo a été prise à Cambridge, dans le jardin de l'immeuble que nous habitions. » Thomas semblait incapable de la regarder, même si les bords usés dénotaient de nombreux examens.

Il jeta un coup d'œil sur Linda, puis détourna rapidement les yeux, comme si c'était elle qui, en cet instant précis, avait besoin d'intimité. Les hamburgers arrivèrent, monumental manque d'à-propos. Linda lui rendit la photo.

« Billie était très éveillée. C'est ce que disent tous les parents, non ? Et peut-être ont-ils raison. Comparé à nous, je veux dire. »

Linda n'avait plus faim. Les hamburgers étaient monstrueux, dans leur lac de graisse qui imprégnait les assiettes en carton.

« Ce qu'elle pouvait être têtue, Dieu, ce qu'elle pouvait être têtue ! » Un souvenir, que Thomas ne divulgua pas, le fit sourire. « Étrangement courageuse aussi. Quand elle avait mal, elle ne pleurait jamais. Mais elle savait très bien geindre lorsqu'elle voulait quelque chose.

— Ils sont tous pareils. »

Thomas mangea son hamburger en tenant sa cravate. Il fallait bien qu'il mange, non ? se dit Linda. Autrement, il serait mort de faim des années plus tôt. Il inspecta rapidement l'assiette à laquelle elle n'avait pas touché, mais ne dit rien.

« C'était une sacrée petite sportive. Je m'installais souvent sur un fauteuil de jardin en plastique pour la regarder jouer au base-ball. La plupart des enfants s'amusaient à cueillir des pissenlits. Certains restaient même assis. » Thomas rit.

Linda sourit. « Je me souviens de ça. On lance la balle loin des bases et tous les gamins courent pour la rattraper.

— D'après eux, cela aurait duré moins d'une minute.

La noyade. Un enfant avale l'eau plus vite qu'un adulte. Et elle a pu être assommée. J'ai passé des années à prier pour ça. Pour que Billie ait été assommée au lieu de se noyer. Curieux, non ? Des centaines d'heures de prières juste pour lui épargner cette minute-là. »

Ce n'est pas curieux, songea Linda. Elle aurait fait la même chose.

« C'est horrible de se dire que je lâche prise, poursuivit Thomas. Mais c'est un fait. Je n'ai plus autant de souvenirs. Je ne me rappelle même pas ce que j'ai oublié. »

Alors Linda le toucha, lui toucha le bras. C'eût été inhumain de ne pas le faire. « Il n'y a pas de mots, Thomas.

— Non, effectivement. Ironie du sort, tu ne trouves pas ? Nous qui pensions posséder tous les mots. Jean, avec son appareil photo, a fait de nous des gens inaptes. »

Un bateau à moteur barré par une jeune femme blonde tourna à toute allure. Sa beauté et ce premier jour de chaleur de la saison semblaient la rendre exubérante.

Thomas pencha la tête légèrement en avant. « Gratte-moi près des épaules. »

Sur le chemin qui les conduisait au bac, Thomas décida de se baigner – il avait exceptionnellement chaud ou désirait se purifier. Linda s'assit sur un tertre et observa la manière dont il plongea puis, une fois debout, chancela sous l'effet du froid, secoua la tête comme un chien et remonta son caleçon jusqu'à la taille. Quand il sortit, le caleçon retombait sur ses cuisses et moulait ses organes génitaux, qui avaient molli avec les années.

« C'est comme une thérapie par électrochocs », déclara-t-il en se séchant avec sa chemise.

Sur le ferry, il frissonna malgré sa veste et son blazer. Ils apprendraient plus tard que le lac était pollué. Thomas avait mis sa chemise en boule. Linda se tenait à ses côtés pour le réchauffer, mais les frissons venaient du fin fond de lui-même et ne se calmeraient pas. Il n'eut pas l'air de remarquer certains regards insistants sur le bateau ou à l'entrée de l'hôtel, ses cheveux désormais secs comiquement sculptés par l'eau et le vent. Thomas accompagna Linda jusqu'à sa chambre, il ressemblait trait pour trait à un réfugié fuyant quelque catastrophe (ce qu'il était, bien sûr, songea Linda). Il resta devant la porte et se passa les mains dans les cheveux pour les coiffer.

« Je ne t'invite pas à entrer. » En fait, Linda avait dit cela pour rire, comme s'ils sortaient ensemble. Mais, comme toujours, Thomas la prit au sérieux.

« Où est le mal ?

— Où est le mal ? répéta Linda, incrédule.

— Les antécédents. C'est comme ça ou à cause de ce qui s'est passé avant ?

— À cause de ce qui s'est passé avant, me semble-t-il. »

Thomas examina attentivement Linda. « D'après toi, quel drame affreux va nous séparer cette fois-ci ?

— On n'est pas condamnés à ça. Nous sommes trop vieux pour vivre un drame. »

Il se retourna pour partir puis s'arrêta.

« Marie-Madeleine », fit-il.

Le nom, l'ancien nom. Un terme d'affection, presque.

4

Tout en sachant qu'elle avait tort, Linda chercha des preuves de la présence d'autrui et découvrit, sur le carrelage blanc près du lavabo, un unique poil, pubien, troublant. Elle était devenue presbyte et pouvait estomper son reflet dans la glace, ce qu'elle faisait parfois quand elle était pressée. Mais, aujourd'hui, Linda voulait voir : avec calme et objectivité.

Elle déboutonna son chemisier comme le ferait une femme qui n'est pas observée et défit la fermeture Éclair de son jean dont elle se débarrassa d'un coup de pied. Les sous-vêtements, désassortis, elle pouvait les garder. Elle posa les mains sur ses hanches, regarda dans le miroir. Et n'aima pas ce qu'elle vit.

Linda était l'impensable : une femme de cinquante-deux ans dont les cheveux blonds s'éclaircissaient ; non, même pas, ils n'étaient pas blonds mais plutôt incolores, gris si vous préférez, pratiquement invisibles. Invisibles à la racine, ils s'étalaient jusqu'à prendre une couleur or sale, inexistante dans la nature. Elle examina les hanches plutôt carrées et la taille qui s'épaississait, ce qu'elle avait cru provisoire un an plus tôt. Elle avait lu des choses sur ces jeunes filles qui se croyaient trop grosses alors qu'elles étaient maigres à faire peur (comme Charlotte, l'amie de Maria) ; tandis qu'elle, Linda, se voyait le plus souvent mince quand, en réalité, elle avait des kilos en trop. Et, bien sûr, il y avait ses mains, la peau depuis longtemps devenue rugueuse, qui révélaient son âge et plus encore.

Linda se détourna brusquement du miroir – médecin grincheux, irrité par son patient. Elle prit le peignoir en tissu-éponge de l'hôtel qui pendait à un crochet et voulut le mettre, mais resta figée sur place, le peignoir dans les bras.

Était-elle folle ? À quoi pensait-elle ? Personne ne verrait son corps. Alors pourquoi cet examen digne d'un amant ?

Elle réessaya d'appeler sa fille, cette fois sur son portable. Bien que Linda eût proposé de payer les communications, Maria avait refusé, question d'indépendance, malgré d'impressionnants emprunts étudiants, rien de surprenant. Marcus, au contraire, avait besoin qu'on s'occupe de lui, il avait cultivé son charme pour compenser son bon sens, un charisme naissant afin d'attirer une personne capable de prendre soin de lui. Quelqu'un comme David, son amant, qui par moments le surprotégeait, surveillant ses habitudes alimentaires et son sommeil comme elle-même ne l'avait pas fait depuis des années. Marcus était brillant mais ne mettait jamais son intelligence à profit ; allant même jusqu'à nier cet avantage.

Le combiné dans la main, Linda se renversa sur le lit avec l'espoir d'entendre sa fille, et quand Maria décrocha, elle sourit.

« Je te dérange ?

— Non, je suis en train de finir des rapports de

labo. » Maria aimait faire deux choses à la fois. « Comment vas-tu ?

— Je participe à une rencontre d'écrivains », répondit Linda. Qui songea aussitôt : on n'est pas obligé de dire la vérité. La vérité étant qu'elle se sentait déstabilisée par l'imprévu.

Furent évoqués le pour et le contre de cette ville du Nord.

« Je pensais à ton père », ajouta Linda. Vérité partielle, bien que ce ne fût pas le fait de penser à Vincent qui l'avait déstabilisée. Et cette infidélité lui serra le cœur.

« Il te manque. »

Linda se voyait dans le miroir au-dessus de la coiffeuse. Dans la lumière tamisée de la chambre, elle avait l'air plus jolie – plus mince, peut-être même désirable dans le somptueux peignoir de l'hôtel. « Tu pourras prendre des congés cet été ?

— Une semaine. Dix jours peut-être si j'ai de la chance.

— Je peux te convaincre de venir dans le Maine ? »

Suivit une seconde d'hésitation, suffisamment longue pour renoncer à des projets déjà conçus ou caressés. Linda perçut ce bref silence et s'en voulut d'avoir posé la question. Elle se rappela l'époque où, enfants, Maria et Marcus la suppliaient de les emmener en ville ou d'inviter des amis à la maison. Et son propre silence pendant qu'elle consultait le programme parental puis y renonçait. *C'est sans problème. On va le faire.* À quel moment la nature avait-elle, d'une chiquenaude, fait pencher la balance, amenant les parents à solliciter une faveur de leur enfant ? À vingt ans ? À vingt-deux ans ?

« Juste quelques jours, ajouta immédiatement Linda

pour nuancer sa requête. Je ne te demande pas de renoncer à toutes tes vacances.

— Non, je serai ravie de venir. » Il faut dire, à son crédit, que Maria avait l'air enthousiaste. « On verra pour les dates. »

Mais Linda relèverait sa fille de cette promesse, la rendrait à sa jeune existence.

« Tu dors un peu ? »

Des parasites lui volèrent la réponse de Maria. Linda se retourna, arracha le téléphone de la table de nuit, le rattrapa par le fil. Un jour, Maria serait cardiologue pour enfants. Incroyable. Incroyable pour Linda qui avait été la première de sa famille à entrer à l'université.

« J'ai rencontré quelqu'un », déclara Maria, apparemment pour la seconde fois.

L'espace d'un instant, craignant que les mots n'aient jailli de sa propre bouche, Linda se sentit perturbée.

« Parle-moi de lui.

— Il est interne. Et s'appelle Steven. »

Une image prit forme dans la tête de Linda, sans doute inexacte, sans doute composée d'autres Steven, même si aucun ne lui venait à l'esprit. « Et tu l'aimes bien », avança-t-elle avec circonspection.

Encore un silence, peut-être Maria voulait-elle souligner sa réponse. « Oui. Il est très beau.

— Ça compte. » Linda n'avait jamais été de celles qui méconnaissent la beauté chez un homme.

« Il viendra peut-être avec moi dans le Maine. »

Et Linda se dit : C'est sérieux.

« À propos de papa, tu te rappelais quoi ?

— Ses chemises blanches. Et la façon dont elles dessinaient ses épaules. »

Devant ce souvenir trop intime pour être partagé par un enfant, Maria se tut.

« Tu connais certains des écrivains présents ? préféra-t-elle demander.

— Maintenant, oui. » Linda souhaitait chasser chez sa fille l'impression qu'elle manquait d'affection.

« Très bien, fit Maria, soulagée. Il faut que j'y aille. Si je n'ai pas fait ces rapports avant six heures, l'interne va me tuer. »

Linda en douta, bien que le sacrifice exigé chez ceux qui se destinaient à la médecine fût stupéfiant. Le manque de sommeil entraînait des erreurs. En larmes, Maria avait un jour reconnu les siennes.

Linda raccrocha, décontenancée par ce mélange de vérité et de mensonges constitutif d'une discussion entre parent et enfant. Plus de mensonges que de vérité cette fois-ci, bien que ce fût souvent le cas. Il était impossible de préparer un enfant à l'avenir ; une telle connaissance pourrait se révéler insupportable.

Le silence dans la pièce était absolu. Même la climatisation avait cessé de bourdonner. On aurait dit que toute la circulation s'était brusquement arrêtée, que toutes les radios avaient été réduites au silence. Quelle heure était-il ? Presque quatre heures. Linda imagina des gens faisant la haie dans les rues pour rendre hommage à quelque grand héros.

Elle sortit sous le soleil pour aussitôt s'en protéger. On lui avait conseillé de faire un tour dans certaines boutiques de cette ville du Nord (le taux de change était très avantageux), mais, quand elle entra dans un grand magasin connu, la vue de tous ces gens qui achetaient pour se sentir plus heureux, plus minces ou indifférents à la mort l'attrista. Elle promena ses doigts sur une écharpe en soie et fit courir sa main le long d'épaulettes de tailleurs impeccablement alignés, avec des espaces entre eux signalant que c'étaient des vêtements de première qualité. Elle admira un déshabillé et se souvint de certaines nuits avec d'autres déshabillés, mais la tristesse, ce nuage, ne fut pas pour autant balayée. Linda prit l'escalier mécanique, monta encore et encore, préférant au vol libre des ascenseurs le repère concret des étages. Dans le rayon enfants, elle vit un pull citron au délicat liseré, essaya de penser à qui avait un bébé dans son entourage puis en conclut qu'il ne pouvait désormais s'agir que d'un petit-enfant. Affamée, impatiente de se retrouver assise, elle se tint debout à l'entrée d'un salon de thé, mais quand on la conduisit à sa table elle eut soudain l'impression de manquer d'air. Elle fuit, perçut l'odeur de synthétique des vêtements, émanations provenant des chemises pour hommes. Qu'avait-elle fait ? Elle avait élevé des enfants. Serait oubliée. Diminuait de jour en jour. Cachait son corps. Ne s'installerait jamais nue sur une plage. Certaines choses étaient à jamais perdues. La plupart des choses étaient à jamais perdues. Même les images de Vincent s'estompaient : il était dorénavant plus réel sur les photos que dans ses souvenirs, comme les enfants une fois qu'ils ont grandi.

Linda sortit, suprêmement consciente d'être une femme entre deux âges avec un imperméable sur le dos malgré la chaleur. Les hommes ne se retournèrent pas sur elle, comme si on les avait conditionnés. Tandis que Vincent, son admirateur, son amant, l'avait déclarée belle le matin même de sa mort.

« Tu es belle.

— J'ai cinquante ans. Personne n'est beau à cinquante ans.

— Cela me surprend, ce que tu dis. Et, bien sûr, tu as tort. »

C'était ahurissant de constater combien on aspirait à être déclarée belle, combien ce seul mot pouvait plaire. Linda aperçut un couple portant des vêtements de prix, qui se disputait en marchant. L'homme avait des cheveux blonds, une barbe, et il précédait légèrement sa femme qui, furieuse, faisait des gestes en déclarant : « Je n'arrive pas à croire que tu aies pu dire ça. » Lui gardait les mains dans les poches, sans répondre. Grâce à ce silence, il allait l'emporter, se dit Linda.

Ses pas la conduisirent devant un bâtiment fait de flèches gothiques et de pierres sombres, bien qu'elle se crût incapable de jamais considérer une église catholique comme un simple bâtiment. Son authenticité l'attirait par rapport à la démesure des boutiques luxueuses construites de chaque côté. (Mais les flèches elles-mêmes ne témoignaient-elles pas de démesure ?) Linda pénétra dans un narthex qui sentait le renfermé et se rappela que, petite, elle refusait d'admettre que cette odeur provenait simplement de la moisissure et de la poussière, étant convaincue que l'eau bénite des fonts baptismaux était à l'origine de ce remugle quelque peu effrayant. Elle se sentit un instant gênée d'interrompre une messe en cours (elle qui allait à l'église le samedi uniquement pour se confesser), et avança silencieusement vers les bancs sans une génuflexion ou un signe de croix même si son corps, par habitude, le réclamait.

L'intérieur de l'église rafraîchit sa nuque mouillée de sueur. Linda fit glisser son imperméable de ses épaules, contente de ne pas être encombrée de paquets dont le bruit aurait pu attirer l'attention sur elle. Il y avait longtemps mais pas au point que les mots lui fussent devenus étrangers ; cela faisait bien des années, et Linda écouta la liturgie avec, dans la tête, de petites exclamations de surprise. Et, ce faisant, une pensée surprenante lui traversa l'esprit : sa propre poésie imitait ces cadences ! Comment ne l'avait-elle pas remarqué ? Comment un autre, un critique peut-être, ne l'avait-il pas non plus remarqué ? Impossible de ne pas percevoir les similitudes de ces rythmes. Découverte renversante qui donnait l'impression d'exhumer une lettre éclairant sa propre enfance.

Devant elle, une vieille femme pleurait abondamment (quel chagrin, quel péché, provoquait tant de larmes ?) mais Linda ne distinguait pas les traits des autres paroissiens au-delà des dix bancs suivants. Elle récita une rapide prière pour Marcus, qui en avait le plus besoin, et quand elle eut terminé, Linda leva rapidement les yeux vers les sombres vitraux (si peu de soleil entre les hauts bâtiments qui s'élevaient de chaque côté de l'église), en quête d'un portrait de Marie-Madeleine. Elle trouva Jean-Baptiste et une représentation de la Cène, mais pas la femme qu'elle recherchait.

Elle a montré beaucoup d'amour.

Puis, comme elle le faisait presque toujours dans une église des années plus tôt, Linda laissa sa pensée vagabonder. Des images s'imposèrent à elle. Jeune fille, elle commençait par se représenter, disons, le cerisier dans le jardin de derrière, puis un verre de Cherry Coke pour ensuite arriver au genou et à la jambe d'un garçon vêtu d'une veste de cuir, qu'elle avait vu un jour commander cette boisson dans le petit restaurant. Mais, cet après-midi-là, Linda vit des visages (ceux de Vincent et Thomas), des draps froissés (ceux de leur lit, le jour de la mort de Vincent), puis un impeccable petit paquet de linge nettoyé par la blanchisserie Belmont et resté des mois sur une chaise de sa chambre sans être ouvert, chaque image amenant la suivante, comme si elles étaient reliées entre elles par un fil ténu, le fil étant invisible, les liens à la fois élastiques et labyrinthiques. Ces images pouvaient perturber Linda ou lui faire plaisir, preuve d'une existence vécue même si certains souvenirs n'attestaient que bêtise, consternante ingénuité.

Mais, peu avant qu'elle en prenne conscience, une image s'insinua parmi les autres sans y avoir été invitée, désirée, qu'elle s'efforça aussitôt de tenir à distance. L'image la tira vers le bas, et Linda fut incapable de résister. Elle perçut un bruit assourdi – un mot ? non, plutôt un halètement ou un chuchotement, la bouche d'un homme enfoncée dans son épaule, son poids, lourd, sur sa cuisse. S'était-il fait mal ou (plus vraisemblable) s'agissait-il encore d'une autre expression dans cette nouvelle langue qu'il lui enseignait, cet étrange dialecte dépourvu de phrases et de vocabulaire mais néanmoins plein de sens – plein de manques, de prières muettes, d'une extraordinaire gratitude quoique non exprimée ?

Sa robe, bleu pâle, était sèche sur sa peau et flottait comme une étoffe au-dessus du creux de son ventre. Le soleil se répandait sur le canapé-lit et sur son visage. Il devait être dix heures ou dix heures et demie du matin.

Les poils de la courte barbe étaient non pas doux mais piquants comme la fourrure des chardons qui poussaient dans le terrain à vendre, au bout du pâté de maisons. Après la première fois, éblouie comme par le soleil de midi, elle s'était examinée dans la glace et avait remarqué qu'en frottant la fine peau située à la base de sa clavicule la barbe de l'homme l'avait rendue rose et brillante ; et cette douleur, combinée avec l'autre, lui avait rappelé, la journée durant et le lendemain, la chose épouvantable qui lui était arrivée. Mais elle n'avait pas peur. Pas peur de l'homme qui, s'il ne semblait pas totalement manquer de pertinence, n'était pas ce qui lui occupait l'esprit ; ni de l'événement lui-même, qu'elle avait laissé se produire à quatre reprises. Car ces extraordinaires marques d'attention réjouissaient – comblaient presque – quelque chose en elle.

Elle entendit alors un autre non-mot, aussi précis dans sa signification. L'homme voulait toucher sa poitrine, était même en train de tripoter les boutons de son chemisier, d'écarter le vêtement. Il colla sa bouche sur les seins naissants et en perpétuel changement. Elle ne voyait pas son visage, ne le souhaitait pas – les yeux clos, le cou plissé, les rides crasseuses. Car il était préférable de faire cette chose dans l'intimité, en détournant le visage et les yeux.

Son corps se détendit et son ventre frémit. Elle était humide entre les jambes, plus grosse à cet endroit qu'ailleurs. D'une secousse, l'homme remonta le long de son corps et se trouva un instant aux prises avec sa robe. Elle assimila cette succion à une saignée, et revit une photo de sangsues placées sous cloche, le verre traçant d'impeccables zébrures circulaires sur un dos de femme. L'homme enfonça un doigt en elle, puis deux, pressé désormais, un peu fou même. Elle se demanda si ce serait comme faire glisser son doigt dans les entrailles glissantes d'une cloche étroite. Un ongle s'accrocha à sa peau, elle tressaillit, mais il n'eut pas l'air de s'en rendre compte. Ensuite, ce n'était plus son doigt mais l'autre chose (elle n'avait jamais prononcé le mot à voix haute), et elle comprit que ce serait bientôt fini.

Elle tendit le cou pour regarder par la fenêtre qui se trouvait à la tête du canapé-lit. Un gros oiseau se tenait immobile sur le toit de la maison voisine. L'homme conclut, comme toujours, par un frisson convulsif et un léger hoquet. Et quand il s'écarta, elle sentit un peu d'humidité s'écouler d'elle doucement, un petit peu de liquide se répandre sur ses cuisses. Elle observa l'homme au moment où il s'assit à l'extrémité du lit, blanc, l'air méchant. Il remonta la fermeture Éclair de son pantalon et laça ses chaussures.

Elle ne reçut de lui aucun mot tendre, n'en voulait pas. Il se contenta de dire en se levant : « Ne raconte à personne ce qu'on a fait ici. »

Comme si elle allait le faire. Comme si elle allait le faire.

Dans l'église, ce souvenir la fit violemment trembler – il n'avait pas été ressuscité des années durant – jusqu'à ce que des paroles, rassurantes et réconfortantes, lui permettent de s'apaiser. Elle n'y était pour rien, se dit-elle. Et ça n'avait pas gâché son existence. La vie ne se résumait pas à des viols d'enfance, à des victoires d'enfance. La vie, c'était travailler, aimer quelqu'un d'autre, avoir des bébés ; la vie, c'était Vincent, Marcus, Maria. Mais dès que lui vint cette pensée, *Maria*, les tremblements reprirent. Vu à travers les yeux d'une mère, cet épisode était inexcusable et terrifiant. Il suffisait à Linda d'imaginer sa fille sur le canapé-lit pour être ivre de rage. À côté d'elle, les gens remontaient lentement l'allée centrale et certains jetaient un coup d'œil dans sa direction. La messe était finie ; elle ne s'en était pas rendu compte.

Linda inspira longuement, expira lentement. Vincent avait représenté un antidote à la mémoire. Sans lui, cessait-elle d'être protégée ? Et pourquoi cette image honteuse après tout ce temps ?

Linda retourna dans sa chambre – elle avait besoin de manger et de boire une tasse de thé – mais le voyant du répondeur clignotait. Assise sur le bord du lit, son imperméable toujours sur le dos, elle formula des questions et de probables réponses : Comment s'est passé le débat ? Dîner ? Tu es sûr ? Tu crois que ça ennuierait les autres ? Mais, lorsqu'elle écouta le message, elle constata que ce n'était pas Thomas mais David, le compagnon de Marcus, qui lui demandait de rappeler dès son retour. Côtoyer la douleur de l'autre l'affolait, elle se trompa deux fois en composant le numéro, lâcha « Merde » avant d'y arriver. Combien de temps s'était-elle absentée ? Une heure ? Deux heures ?

« Marcus s'est fait arrêter pour conduite en état d'ivresse », annonça David sans préambule.

Linda se pencha en avant, comme si elle n'avait pas bien entendu. « Quand ?

— Tôt ce matin. Vers cinq heures. »

Instinctivement, elle consulta sa montre. Ils avaient attendu douze heures pour la prévenir.

« Il a eu un accident, ajouta David.

— Oh, mon Dieu ! s'exclama Linda, incapable d'articuler des mots de plus d'une syllabe. Il va bien ?

— Il s'est bousillé le genou. On lui a fait une radio. Il se serait abîmé le cartilage.

— Quelqu'un d'autre est blessé ? demanda rapidement Linda, terrifiée d'avance par la réponse.

— Non. »

Elle soupira de soulagement. Dire qu'elle venait de faire une prière pour Marcus. « Il est là ? Je peux lui parler ? »

Impossible de se méprendre sur le sens de ce silence intentionnel à l'autre bout du fil. Linda imagina David – grand comme Marcus mais plus râblé ; cheveux tirant sur le roux et yeux pâles ; quelque chose de négligé malgré des vêtements fort bien ajustés – debout dans la cuisine de leur appartement de Brookline. À moins qu'il ne se trouve avec son fils dans la chambre ?

« Madame Fallon », reprit David (David qui ne pouvait apparemment pas l'appeler Linda, même après y avoir été invité à de nombreuses reprises ; David qui s'était dit incapable de lire de la poésie et qui espérait qu'elle ne s'en offusquait pas). « Je crois que Marcus et moi devons gérer le problème ensemble. »

Exclue, Linda se tut.

« Mais, bien sûr, reprit aussitôt le jeune homme pour amortir le choc, si son truc au genou s'aggrave, je vous appelle tout de suite. »

Linda fut surprise de ne pas se sentir plus amère.

« Et je pense, continua David en faisant une nouvelle pause, je pense que nous devrions discuter de la possibilité, pour Marcus, d'entreprendre une cure de désintoxication.

— Une cure de désintoxication ? À cause de l'alcool, tu veux dire ? C'est vraiment nécessaire ?

— Je crains que oui. Marcus boit depuis des jours. Il a raté mon concert hier soir. Il s'est endormi comme une masse et ne s'est pas réveillé, jusqu'à ce que je rentre. On s'est violemment disputés et il est parti. Et ce matin, il m'a appelé depuis la prison de Nashua.

— Nashua ? Dans le New Hampshire ? Que faisait-il là-bas ?

— Je n'ai pas l'impression qu'il le sache lui-même. »

Oh, Marcus, se dit Linda. Oh, mon pauvre, pauvre Marcus. Elle l'avait vu ivre le jour de Thanksgiving, puis de nouveau à Noël, mais n'avait pas réellement pris conscience de la situation. À moins qu'elle n'ait purement et simplement refusé de voir ?

« Tu envisages une thérapie familiale ? C'est le terme qu'ils emploient ?

— Je ne crois pas que ce soit nécessaire, répondit David d'un air pensif, ce qui prouvait qu'il avait réfléchi à la question. Du moins, je l'espère. Il a juste besoin d'un bon coup de pied dans le derrière. Et il l'a reçu à Nashua. Il a vraiment la trouille.

— Tu penses à un endroit en particulier ?

— Je ne sais pas trop. Il faut que je passe quelques coups de fil. Il paraît qu'il n'y a pas mieux que le centre de Brattleboro. »

Linda eut un mouvement de recul en imaginant son fils dans ce genre d'endroit. Elle se pinça les lèvres. Si c'était aussi sérieux que ce qu'avait dit David – et bien sûr, ça l'était, Marcus avait eu un accident –, quelle autre preuve une mère pouvait-elle exiger ?

« J'aimerais vraiment parler à Marcus, répéta-t-elle.

— Il dort. Ils lui ont donné quelque chose à l'hôpital.

— Je vois. » Linda respira pour contenir sa colère. Éloigner une mère de son petit était pervers. Même si, soyons justes, Marcus n'était pas précisément un petit.

« Si c'est aussi sérieux que tu le dis, les derniers mois ont dû être durs pour toi. » Linda essayait de se montrer bonne.

« Je l'aime. »

Cette déclaration, trop directe, évoquait un homme nu dans la rue, quelque chose qu'il fallait couvrir. La mort de Vincent avait libéré Marcus. Un mois plus tard, il annonçait son homosexualité à sa mère et à sa sœur. Un an plus tard, il rencontrait David.

« J'étais loin de soupçonner qu'il était aussi malheureux.

— Je ne sais pas jusqu'à quel point le bonheur a quelque chose à voir là-dedans. »

Qu'est-ce qui fait qu'on devient alcoolique ? se demanda Linda. Un manque d'amour maternel ? De mauvais gènes ? Notamment un, néfaste, souvent présent chez les Irlandais ? Linda avait à peine connu son père, en revanche elle avait connu ses oncles, tour à tour sombres et exubérants, des brutes parfois. Et sa suffisance à elle, que le succès de ses enfants avait autrefois fait jubiler : Maria à Harvard, aujourd'hui étudiante en médecine à l'université Johns Hopkins ; Marcus à Brown, aujourd'hui en troisième cycle à l'université de Boston. Combien de fois avait-elle glissé ces noms prestigieux dans la conversation ? Et maintenant, il faudrait ajouter : mon fils est alcoolique. Mon fils, Marcus, est alcoolique.

L'était-elle elle-même ? Sa propre relation à l'alcool vue sous un autre angle.

« La voiture est bousillée, dit David. Ils l'ont remorquée. » Autre pause. « Ça va lui coûter son permis.

— Oh, je m'en doute. » Linda étouffa une plainte naissante. « Nous devons prendre un avocat. »

Elle entendit le « nous », trop tard.

David, qui maintenant jouait le rôle du parent, attendit patiemment. « On en a un, madame Fallon. Un de nos amis. Il est très compétent. »

Assise sur le lit, Linda porta à son front une main que toutes ces nouvelles avaient rendue moite. « Tiens-moi au courant. » Elle s'efforçait de ne pas prendre une voix hystérique. « Donne-moi de ses nouvelles et dis-moi ce que tu as fait. Ce que vous avez décidé. »

Elle fut certaine d'entendre un soupir à l'autre bout du fil. « Bien sûr », répondit David.

Linda se renversa sur le lit. Marcus souffrait – la honte, les genoux meurtris. Et allait souffrir davantage, au tribunal, et certainement pendant sa cure de désintoxication, dont elle ignorait tout. Le sevrage provoquait-il des douleurs physiques ? Était-ce affreusement ennuyeux ? Elle tenta de se rappeler toutes les fois où elle avait vu Marcus boire. À Brown, il y avait de la bière dans son réfrigérateur. À la plage, il se mettait parfois au gin-tonic dès trois heures de l'après-midi. Elle y avait vu quelque chose de gai, de festif, un simple enjouement estival. Mais elle le savait, non ? Elle le *savait*. Et elle avait pardonné à son fils avant même que le mot « problème » puisse s'inscrire en elle, presque aussi rapidement qu'elle avait essayé de moduler ses espérances à la nouvelle de son homosexualité. Et, à l'époque, elle le savait aussi. Bien sûr qu'elle le savait.

Désespoir et irritation s'accrurent également. Linda regarda la chambre vide, ces nouvelles familiales en effaçaient le luxe. Elle se leva et se mit à arpenter la pièce, les bras croisés sur la poitrine. Elle parla toute seule, s'adressa à Marcus et à Vincent, ces discussions, de pâles imitations de ce dont elle avait besoin. Elle arpenta la pièce jusqu'à épuiser tous les mots, puis se dit : Il faut que je sorte de cette chambre. Ou je vais devenir folle.

La configuration des lieux semblait différente quand, assez tardivement, Linda y entra ; il était presque l'heure de se rassembler pour le dîner. La salle était plus bruyante que la veille – les gens buvaient-ils davantage en cette soirée de clôture ? Non, il s'agissait d'autre chose : un sentiment d'importance jusque-là absent avait élevé la température festive de la pièce d'un degré ou deux. Une minuscule femme à la peau d'un brun grisâtre se trouvait au centre du groupe le plus important. Un flash se déclencha, Linda fit un effort pour voir ce qui se passait, mais se sentit peu encline à se joindre à la foule, un manque d'assurance naturel l'emportant sur la curiosité. Elle se dirigea vers le bar et commanda une bière, puis se souvint de Marcus et changea d'avis. Elle préféra manger – fromage et biscuits salés accompagnés de pickles. Elle avait la bouche pleine de brie quand l'Australien, désormais délaissé, surgit à ses côtés et lui adressa la parole.

« On vous a appris la nouvelle.

— Quelle nouvelle ? » Linda se tamponna la bouche avec une serviette en papier.

L'homme avait l'air le plus sain de tous : en pleine forme, hâlé, il faisait plutôt penser à quelqu'un qui gagne sa vie en se débattant avec des chevaux, pas avec des mots. Dans son propre pays, c'était l'automne.

Bien sûr, la nouvelle la surprit : tandis que Thomas et elle étaient à bord du ferry, la minuscule femme à la peau d'un brun grisâtre gagnait un prix prestigieux.

« Coup de pot pour la manifestation », observa aimablement l'Australien. Linda se retourna et remarqua pour la première fois les bouteilles de champagne disposées dans des seaux sur la table.

« Je ne crois pas avoir jamais entendu parler d'elle.

— Vous n'êtes pas la seule. Arrachée de l'obscurité. Elle est censée être très douée, m'a-t-on dit. Elle doit l'être, non ? Je parie qu'il n'y a pas deux personnes dans la salle qui l'ont lue. »

Linda se déplaça pour mieux voir. Il y eut d'autres photographes, qui demandèrent aux premiers de se pousser.

« Elle emploie très souvent le mot merde », nota son interlocuteur.

Ce qui éveilla des souvenirs. Peut-être avait-elle lu cette poétesse après tout. « *L'Époque merdique* », dit Linda, bien qu'elle-même n'utilisât pas ce mot.

« Il y a déjà tellement de fleurs dans sa chambre qu'elle a dû demander au chasseur de les descendre à la réception. »

Linda ressentit une pointe de jalousie. L'Australien et elle se sourirent, chacun sachant ce qu'éprouvait l'autre. On ne pouvait pas s'avouer jaloux mais on pouvait muettement reconnaître cette jalousie. Sinon, c'eût été de la fourberie.

Le sourire de l'homme s'évanouit. À côté d'elle, Linda sentit une présence massive.

« Vraiment dommage que votre pote n'ait pas reçu le prix. » La bouche de Robert Seizek était humide et lippue, sa diction lâche et menaçante.

« Il ne m'appartient pas, et ce n'est pas un pote.

— Curieux, intervint l'Australien. Il y avait à peine une dizaine de personnes présentes hier pour sa séance de lecture. Et maintenant, ils tentent de la convaincre de se produire ce soir en public.

— Je suis contente pour elle, déclara Linda en essayant de ne pas prêter attention à Seizek.

— Elle est bibliothécaire. Originaire du Michigan. » L'Australien se montrait coopératif.

« Vous êtes très copine avec Thomas Janes », remarqua Seizek d'une voix trop forte, étant peu disposé à être congédié.

La colère, que Linda avait si bien réussi à comprimer juste quelques minutes plus tôt, se déploya dans sa poitrine – animal en cage devant le lion Seizek. Linda fit face à l'écrivain et fut intimidée (un instant seulement) par son énorme tête.

« Thomas Janes n'a rien publié depuis des années. » Linda s'efforçait de contrôler sa voix le plus possible. « Il ne peut donc même pas avoir éveillé l'attention d'un quelconque jury. Mais si vous avez assisté à son intervention hier soir, vous reconnaîtrez, j'en suis sûre, qu'une œuvre à venir pourrait être primée dans bien des pays.

— Et si vous avez assisté au débat cet après-midi, rétorqua Seizek qui ne laissait jamais passer une occasion, vous reconnaîtrez, j'en suis sûr, que votre pote s'est ridiculisé au plus haut point. »

Linda jeta un coup d'œil sur l'Australien ; il détourna les yeux.

Elle avait conscience de se comporter comme une écolière dont l'amie se serait fait injurier dans la cour de récréation. Mais elle ne pouvait pas s'en aller maintenant ; elle s'était engagée trop avant.

« Moi, en tout cas, je préfère les mots brillants d'un homme qui s'est, peut-être, ridiculisé en public à la prose édulcorée d'un soi-disant romancier qui boit et qui semble mourir d'envie de livrer une bataille que je ne lui concéderai pas. »

Alors Seizek dit, tout bas, pour avoir le dernier mot et n'être entendu que de Linda : « J'ignorais qu'une telle fougue puisse jaillir de quelqu'un dont l'apparence fadasse n'a d'égale que la platitude des poèmes. J'imagine qu'il y a des femmes pour lire ces trucs-là ? Le genre de femme qui lit régulièrement des romans à l'eau de rose. Ça doit rapporter, non ? »

Linda accorda sa voix au *sotto voce* de Seizek : « Arrêtez de m'emmerder ! » siffla-t-elle, testant le mot sur un inconnu.

L'espace d'un court instant, l'homme eut l'air déconcerté ; néanmoins, Linda y vit une victoire. Elle jeta un autre coup d'œil sur l'Australien.

Puis fit demi-tour et se dirigea vers la porte, posément, pour ne pas donner l'impression de fuir.

Elle aimait ce mot-là, se dit-elle en quittant la pièce. Il sonnait bien. Il lui faisait du bien.

Linda passa ce qui lui restait de colère sur le bouton de l'ascenseur, qui sembla user de représailles en refusant d'arriver. Un couple d'un certain âge survint et attendit à côté d'elle. Les bruits de l'amour leur parvinrent depuis une chambre, quelque part dans le couloir – grognements rythmés d'une femme, vigoureux, interminables. Gêné, le couple d'un certain âge se raidit. Linda eut de la peine pour eux et voulut dire quelque chose d'intelligent, mais leur gêne devint contagieuse. En se dirigeant vers les escaliers, elle se demanda : Quel réservoir de culpabilité Thomas a-t-il percé ?

5

L'appartement de Vincent à Boston ne ressemblait en rien à tout ce que la jeune femme avait vu – architectural et sans ornement, telle une salle de classe, l'élément central, une table à dessin qu'on abaissait à l'aide d'une manivelle. Vincent avait accroché aux murs des photos en noir et blanc, photos de sa prodigieuse famille (Linda mettrait des mois à connaître tous les noms), ou bien de fenêtres ayant captivé son imagination : fenêtres austères et coloniales à petits carreaux ; immenses vasistas sophistiqués profondément enchâssés dans la brique ; modestes fenêtres latérales près d'une porte à panneaux. L'appartement était propre et masculin, curieusement adulte et étrangement calviniste dans sa radieuse rectitude morale. Le week-end, quand Vincent s'absentait de courts moments, Linda s'installait parfois à sa table à dessin avec un bloc et un stylo, et elle écrivait de simples paragraphes, lettres adressées à elle-même que Vincent ne verrait jamais. Vincent ne la savait pas inquiète car elle riait quand il l'avait rencontrée ; et Linda comprit qu'elle n'avait nul désir de souiller le bonheur qu'elle connaissait auprès de lui avec de sordides récits de son passé récent. En conséquence – et en partie pour répondre à l'attente de Vincent –, elle parvint à devenir cette image qu'il avait d'elle : une jeune femme raisonnable et pratique (ce qui était vrai dans une large mesure), indolente et à l'aise au lit, encline à rire des marottes des autres comme des siennes. La première fois que Vincent l'amena chez lui, il lui prépara à dîner – spaghettis marinara –, lui faisant bien comprendre qu'il était italien et non pas, comme elle, d'origine irlandaise. La sauce, épaisse et onctueuse, n'avait pas grand-chose à voir avec toutes les tomates que Linda avait pu manger. Et elle, qui s'était négligemment privée de nourriture, mangea voracement, renforçant l'impression qu'elle donnait d'être une femme ayant des appétits, impression inchangée au lit où Linda (qui là aussi avait connu la privation) répondit à son nouvel amant avec une gloutonnerie presque animale. (Était-ce la peau lisse et brillante de Vincent qui lui fit penser à des phoques ?) Et ce n'était pas un mensonge, cette présentation d'elle-même comme quelqu'un de sain, car avec Vincent elle voulait être, et donc était. Et Linda se dit que ce n'était sans doute pas à ce point insolite d'être une autre avec un autre, puisque tous les rôles se trouvaient authentiquement à l'intérieur, attendant que telle ou telle personne, tel ou tel concours de circonstances les incite à sortir, et il lui plut de faire cette découverte. Si bien qu'au terme de ce premier et merveilleux week-end, la jeune femme rentra dans son appartement de Fairfield et recula à la vue de la baignoire surélevée et de l'unique assiette en mélamine posée sur l'égouttoir. Aussitôt, elle sortit s'acheter d'autres assiettes à mettre sur l'égouttoir et un tissu Marimekko pour son lit, histoire de ne pas faire fuir Vincent et de ne pas se laisser à nouveau engloutir.

Quand il vint chez elle pour la première fois, il se tint sur le seuil, regarda autour de lui et adapta le décor à la personne qu'il connaissait (c'était comme faire le plan d'une maison, se dirait Linda plus tard, mais en sens inverse). Et elle aussi se mit à percevoir autrement ce cadre – simple plutôt que dépouillé.

Maria était venue facilement mais Marcus (prophétiquement) dans la douleur et la difficulté. À l'époque, ils habitaient une maison de Belmont, dont le moindre recoin défiait Vincent car elle avait été mal construite et conçue sans originalité. (Vincent, fils d'entrepreneur, reconnaissait une moulure à onglet mal assemblée quand il en voyait une). Linda n'enseignait pas et Vincent avait ouvert un cabinet d'architecte ; il réinvestissait tout l'argent qu'il gagnait dans l'entreprise (ce qui était normal, s'était-elle dit), en laissant peu pour la maison ; s'ils connurent des périodes de tension, elles correspondaient aux moments où bébés et factures impayées leur dérobaient leur bonne humeur. Mais, dans l'ensemble, Linda conservait de bons souvenirs de ces premières années. Assise dans leur petit jardin de Belmont (le gril, la balançoire, la piscine en plastique en forme de tortue), Linda regardait son mari planter des tomates avec les enfants et s'émerveillait de constater que, contre toute attente, cela lui avait été offert, que Vincent et elle avaient construit cette famille. La jeune femme ne pouvait pas imaginer ce qu'elle serait devenue autrement, car l'autre choix possible lui évoquait de longs élancements dans la tête dont elle n'aurait été que rarement soulagée.

Un matin, alors que Marcus était au lit et Maria à l'école Montessori, Linda s'assit à la table de la cuisine et écrivit non pas une lettre adressée à elle-même, mais un poème, un autre type de lettre. Il parlait de fenêtres, d'enfants, de vitres, de petites voix étouffées, et les jours suivants Linda remarqua que lorsqu'elle écrivait et retravaillait les images et les expressions, le temps s'écoulait différemment, il avançait en faisant des embardées, si bien qu'en regardant l'heure la jeune femme s'étonnait souvent de voir qu'elle était en retard pour aller chercher Maria, ou que Marcus avait dormi trop longtemps. Son imagination commença de s'activer et, même quand elle n'écrivait pas, Linda se surprenait à griffonner des vers métriques et d'étranges paires de mots ; en général, elle avait l'air préoccupée. À tel point que Vincent s'en rendit compte et le lui dit. Elle, qui avait, des mois durant, écrit dans le secret, sortit sa liasse de papiers et les montra à son mari. Quand il les lut, elle fut folle d'inquiétude : sa poésie révélait un aspect de sa personnalité que Vincent ne connaissait pas et ne voudrait peut-être pas connaître (pis encore, serait-il curieux de savoir qui avait connu cette Linda-là, car certains poèmes parlaient de Thomas, même quand ils n'en donnaient pas l'impression ?). Mais Vincent ne posa pas de questions, déclara qu'il les trouvait très beaux, et parut vraiment impressionné de découvrir que son épouse avait secrètement cultivé ce talent dont il ignorait tout. Linda y vit un cadeau et se remit à écrire avec une énergie redoublée, non seulement quand les enfants étaient absents ou endormis, mais tard dans la nuit, répandant des mots sur le papier et les refaçonnant en petits objets qu'on pourrait garder en mémoire. Et jamais Vincent ne lui dit : N'écris pas sur un autre homme (ou plus tard, sur lui-même), la libérant ainsi de la censure la plus puissante qui soit, la crainte de blesser.

Le soir, Linda participait à un atelier de poésie et fut stupéfaite (et secrètement encouragée) devant le travail des autres – il était ennuyeux et tenait trop de la confession. Enhardie, elle envoya des poèmes à de petites revues littéraires, mais aucune, les premiers mois, n'accepta de la publier (un jour, elle reçut une lettre qui ne lui était pas adressée, et elle put affirmer sur le ton de la raillerie qu'on se mettait à lui refuser des textes qu'elle n'avait même pas écrits). Pour tenir à distance un sentiment d'échec, Linda, en plaisantant, affirmait pouvoir tapisser sa salle de bains avec ce courrier, et elle choisit de voir dans ces refus non pas une incitation à l'abandon mais une invitation à l'action. Puis, un après-midi, la jeune femme reçut la lettre d'un éditeur qui aimait l'un de ses poèmes et désirait le publier. Il ne pouvait pas la rétribuer, ajoutait-il, mais espérait qu'elle lui ferait l'honneur d'être le premier à imprimer ces vers. Loin de s'inquiéter à l'idée de n'être point payée, Linda fut trop excitée pour parler ; lorsque Vincent rentra ce soir-là, elle serrait toujours la lettre contre sa poitrine. Des mois plus tard, quand un poème fut accepté par une revue qui payait ses auteurs, Linda et Vincent fêtèrent l'événement en allant dîner au restaurant ; Vincent nota que le chèque de l'éditeur couvrait le prix des cocktails.

Par la suite, les vers surgirent comme de l'eau, inondant la chambre dans laquelle la jeune femme écrivait. C'était comme si Linda était restée confinée, et que des années de poésie aient eu besoin de la traverser. On la publiait régulièrement (la liste des œuvres antérieures provoquait un effet de synergie), et quand Maria eut douze ans, le premier éditeur, avec lequel Linda entretenait de très cordiales relations, lui annonça par courrier qu'il partait travailler dans une maison d'édition new-yorkaise – l'autoriserait-elle à publier un recueil de poèmes ?

« Tu y es arrivée ! s'exclama Vincent lorsque sa

femme l'appela à son travail pour lui apprendre la nouvelle.

— Je crois que je ne fais que commencer. »

Linda se remémorait tout cela en descendant l'escalier de l'hôtel. Elle ouvrit la porte de la cage d'escalier (qui empestait le tabac – des femmes de chambre en train de prendre leur pause ?), sans être sûre du numéro de Thomas. Elle le croyait au septième étage ; avait-il parlé du 736 ? À moins qu'elle ne confonde avec une chambre qu'elle aurait précédemment occupée dans un autre établissement ? Il lui suffisait de retourner dans sa propre chambre et d'appeler. Non, ça n'irait pas. Elle voulait voir Thomas, lui parler. Elle frappa au numéro 736, avec assurance, bien qu'elle se préparât à voir un homme d'affaires à demi vêtu et surpris se manifester pour dire à une employée que non, il n'avait pas besoin qu'on lui prépare son lit pour la nuit. Dans le couloir, une grande femme en perles et talons hauts passa à côté d'elle sans la regarder : Linda ressemblait-elle à une épouse éconduite par un mari furieux ? Elle frappa encore, mais toujours aucune réponse. Farfouillant dans son sac à main, elle dénicha un minuscule bloc et un stylo. Ces missives, songea Linda en écrivant – de bonnes vieilles habitudes, un écho.

« Mon fils est alcoolique, écrivit Linda. Comment se l'expliquer ? »

Une fois de plus, elle se laissa embarquer dans un car et déposer devant un restaurant – japonais cette fois-ci, la seule cuisine qu'elle n'aimait pas, n'ayant jamais pris goût aux sushis ou aux légumes enrobés de farine et de graisse. Mais mieux valait dîner dehors que demeurer seule dans une chambre d'hôtel et devoir résister à la tentation d'appeler Marcus ou Thomas, bien qu'elle fût terriblement curieuse de savoir où l'un et l'autre se trouvaient exactement. Marcus était-il parti pour Brattleboro ? Thomas, rentré chez lui ? Linda voulut demander à Mary Ndegwa, avec qui elle dînait, si elle savait ce que Thomas avait bien pu faire pendant le débat pour scandaliser à ce point un auditoire qu'elle croyait immunisé ; mais elle craignit qu'une telle question ne provoquât une discussion sur le passé de Thomas, sujet qu'elle refusait d'aborder en cet instant précis. Mary Ndegwa et Linda ne s'étaient jamais rencontrées de façon formelle, mais elles avaient une histoire commune et le repas fut nostalgique, Linda prenant plaisir à entendre les rythmes évocateurs de l'accent kikuyu même quand elles parlèrent de la libération de l'époux de Mary, de l'interdiction de ses propres écrits au Kenya, des effroyables conséquences des élections de 1997 et du terrible attentat à la bombe contre l'ambassade des États-Unis. Le pays était devenu plus dangereux aussi, observa Mary Ndegwa, et bien que Linda choisît de se rappeler les chatoyantes plantations de thé vert des Highlands et les boutres blancs de Lamu, elle se souvint également des askaris en pardessus armés de leur coupe-coupe et des épouvantables bidonvilles de Nairobi. « Il faut retourner là-bas. Vous vous êtes perdue depuis trop longtemps », lui dit Mary Ndegwa avant de brusquement éclater de rire en couvrant de sa main l'écart entre ses dents. Mary Ndegwa, comme toujours, trouvait les Américains mystérieusement désopilants.

Au cours du repas, Linda remarqua que Seizek gardait ses distances, ce qui lui fit très plaisir ; quant à l'Australien, il lui sourit à deux reprises, le complot ayant fait d'eux plus que de simples connaissances. Il y eut un moment, durant cet interminable dîner (peu habituée à rester assise en tailleur, Linda avait mal aux genoux), où elle songea que, eût-elle été disponible pour une courte aventure, elle en aurait peut-être vécu une avec le romancier aux allures de cow-boy. Mais les passades ne l'avaient jamais tentée (si peu d'investissement malgré le profit passager ; et c'était l'investissement qui comptait, non ?), et Linda réfléchit au mot « disponible », médita sur son sens. Était-elle réellement indisponible ? Si tel était le cas, envers qui ou quoi se sentait-elle obligée ? La mémoire de Vincent ? Son histoire avec Thomas ? Elle-même en tant qu'unique propriétaire de son corps ?

Sur le chemin du retour, le car s'arrêta plusieurs fois, et seuls Linda et un biographe canadien assez âgé débarquèrent devant l'hôtel, Linda légèrement (et honteusement) gênée d'être ainsi associée à la vieillesse ; peut-être descendit-elle du car d'un pas un peu plus vif que ce que justifiait la situation.

Quand Linda passa la porte à tambour, Thomas était assis dans un fauteuil face à l'entrée. Il se leva, ils s'observèrent le temps d'une seconde gênée, seconde pendant laquelle ils auraient pu facilement s'étreindre. Mais, ayant laissé passer l'instant, ils ne le pouvaient plus. Derrière eux, des couples en tenue de soirée franchissaient la porte.

« Je sais que c'est vraiment déplacé, commença Thomas, mais aimerais-tu prendre un verre ?

— Oui, répondit Linda simplement. Beaucoup. »

L'acajou était brillant, sans traces de doigts. Linda aperçut une pile de nappes blanches sur une haute étagère. Le barman était un professionnel, ses mouvements experts, aussi fluides que ceux d'un danseur. Il prépara un éblouissant gin-vodka que Linda compara à un paquet qu'elle aurait craint d'abîmer en l'ouvrant. Elle avait pensé commander un scotch en souvenir du bon vieux temps, mais se savait désormais incapable de supporter cet alcool fumé, et en s'asseyant, elle s'étonna d'avoir pu, des années plus tôt, en avaler des verres comme s'il se fût agi de jus d'orange. (Sa propre relation à l'alcool vue sous un autre angle…) Quand elle était arrivée avec Thomas, des individus installés au comptoir l'avaient jaugée ; mais Linda se demanda si ces coups d'œil lui avaient effectivement été adressés : n'était-ce pas plutôt Thomas qui avait attiré leur attention ? (Sans doute n'avaient-ils même pas conscience de leur attitude, songea-t-elle, tant ce besoin de regarder était ancré.)

« Tu t'es fait couper les cheveux. » C'est elle qui le jaugeait.

Thomas, peu habitué au toucher de son crâne, frotta ses courts cheveux gris, raides et hérissés.

« C'est charmant. Même au lycée tu n'avais pas les cheveux en brosse.

— Je me disais que tu m'aimerais davantage, dit carrément Thomas.

— Tu veux que je t'aime davantage ? » Oser flirter un peu.

« En fait, oui. »

Ensemble, comme prévu, ils trinquèrent.

« Veux-tu parler de ton fils ?

— Un peu plus tard. J'ai besoin d'une minute. De vide. »

Thomas, qui comprendrait qu'on puisse avoir besoin de minutes de vide, s'assit près d'elle sur un tabouret. Ils échangèrent des regards dans la glace située derrière le comptoir.

« On aurait pu croire qu'au bout de tout ce temps, ta tante t'aurait pardonné, observa Thomas. N'est-ce pas ce qu'enseigne l'Église catholique ? Le pardon ?

— Elle va à la messe. Je ne suis pas sûre qu'elle pardonne nécessairement. »

Sa tante passait ses journées assise sur un canapé recouvert d'un tissu écossais rugueux, dans une pièce exiguë et sombre que la famille avait toujours surnommée « l'antre ». Deux fenêtres tendues de rideaux de dentelle ; la télé, l'élément central de la pièce. Un sac au crochet et un missel posés sur la table en érable à côté du canapé. Linda était reconnaissante de ces excursions quotidiennes à l'église : au moins, sa tante sortait un peu et marchait.

« Ça m'ennuie. Dès que je la rencontre, je veux lui demander de tes nouvelles et je ne peux pas. »

Linda garda le silence.

« Et comment vont Michael, Tommy, Eileen et toute la bande ? » demanda Thomas, qui s'était vu refuser des renseignements sur Linda. Il picora des cacahuètes disposées dans un petit bol. Thomas devait surtout se rappeler le prénom de ses cousins et y associer un visage, même s'il avait joué au hockey avec Michael et éprouvé de l'affection pour Jack. Mais comment réduire à six phrases six existences complexes, six vies différentes faites de douleur, de réussite, de honte ? Linda réfléchit un instant puis compta sur ses doigts.

« Michael vit à Marshfield avec une femme qui a deux fils. Ils en ont vu de dures financièrement. Tommy, qui n'est pas allé à l'université, a acheté des titres Cisco quand l'action était à dix-sept dollars et aujourd'hui il est millionnaire. Il ne s'est jamais marié. Eileen est probablement la plus heureuse. Son mari est avocat à Andover. » « C'est ce qui la rend heureuse ? » glissa

Thomas. « Vincent et moi, on la voyait assez souvent avec son mari et ses enfants. Elle en a trois, ils ont tous fini leurs études. Patty travaille dans une banque, à New York. Elle ne s'est jamais mariée, ce qui contrarie ma tante. Erin vit en Californie. Elle a eu des problèmes de drogue. En fait, elle a fait de la prison. » Linda marqua un temps d'arrêt et scruta le visage de Thomas, empreint de stupeur ; il ne se souvenait que d'une jolie préadolescente en robe rose. « Tu ne sais donc pas pour Jack », ajouta-t-elle doucement.

Thomas se tourna vers elle. Lui qui devait toujours s'attendre au pire désormais. À moins qu'il n'eût remarqué qu'elle avait parlé d'une voix entrecoupée.

« Il est mort... » Linda s'arrêta, surprise par ces larmes qui menaçaient de couler. « De leucémie, à quarante ans. Ma tante ne s'en est jamais remise. C'était son petit dernier. » Linda prit une serviette en papier au cas où elle en aurait besoin. « Dire que le plus jeune d'entre nous a été le premier à partir. Il a laissé une femme et deux bébés, des jumelles. »

Thomas secoua la tête. « Je lui avais appris à patiner, se souvint-il, incrédule.

— Je me rappelle. » D'autres souvenirs la firent cligner des yeux. « Une mort affreuse. Parfois, ça me fait du bien de me dire que Vincent est parti de cette façon-là. Si vite. Il ne s'est peut-être même pas rendu compte de ce qui lui arrivait. » Linda se tut en se rappelant les prières de Thomas pour Billie. Elle se moucha, se redressa. « Voilà, tu sais tout. »

Thomas hocha lentement la tête.

« Quelles sont les chances pour que six enfants parviennent jusqu'à la vieillesse ? se demanda Linda à voix haute. Sans doute pas très bonnes.

— Meilleures qu'avant.

— J'ai dîné avec le groupe. Tu as mangé ?

— Non. Je n'ai pas faim.

— Qu'as-tu fait aujourd'hui pendant le débat ? Des bruits couraient à ton sujet. »

Thomas, confus, se cacha les yeux. « J'ai tout gâché. » Cet embarras n'était que feint.

« Que s'est-il passé ?

— Dans le public, une femme m'a pris à partie en disant que j'exploitais la mort de... » Thomas s'interrompit. « Ce n'était pas bien grave. Mais Robert Seizek, qui participait aussi au débat, l'a soutenue, et je tremblais presque à l'idée qu'un romancier, un putain de romancier, puisse raconter ce genre de conneries. Alors, disons que... » Thomas s'interrompit à nouveau.

Son col était ouvert, sa cravate desserrée. Sa chemise blousait sur sa ceinture qui retombait plus bas que d'habitude.

« Tu as l'air content de toi.

— C'était barbant. »

Linda rit.

« J'ai acheté un de tes livres aujourd'hui et j'en ai relu des passages chez le coiffeur. J'ai même relu la jaquette.

— Vraiment ? » Cet aveu ébranla Linda plus qu'elle n'était prête à le montrer. Quand Thomas avait-il trouvé le temps ? Elle caressa nerveusement le pied du verre. Même si la vodka commençait à produire un léger effet, à lui réchauffer le ventre.

« Tu enseignes la littérature ou l'écriture ? lui demanda Thomas.

— Je dirige surtout des ateliers d'écriture. »

Il grogna par solidarité. « J'ai déjà essayé. Je n'étais pas bon du tout. Je ne pouvais pas cacher mon mépris pour le travail des étudiants.

— C'est plutôt problématique. » Linda se tourna

légèrement vers lui et croisa les jambes. Coupe de chemisier différente ce soir, mais jupe identique. Thomas verrait l'uniforme pour ce qu'il était.

« C'est comment, la fac ? Je n'y suis jamais allé. »

Linda lui décrivit la cour en forme de croix avec une chapelle à un bout et, si incongru que cela puisse paraître, un hôtel à l'autre. Les bâtiments en pierre, les porches, les fenêtres à tout petits carreaux, pour faire ancien à l'image d'Oxford et de Cambridge, mais datant des deux décennies précédentes. Une université que rien de particulier ou de laid ne distinguait, rien de *nouveau*, ce qui n'aurait sans doute pas été le cas d'une institution ayant véritablement évolué. Un univers qui avait jailli de terre entièrement ajusté sans avoir payé les droits dus à l'âge. (« Comme l'Amérique », constata Thomas.) Parfois, cela ressemblait à un décor de théâtre, bien que les drames qui s'y jouaient fussent réels : nombre anormalement élevé de liaisons entre élèves et professeurs, absorption massive d'alcool lors des soirées organisées par les associations d'étudiants, quasi-épidémie d'entailles au rasoir (surtout chez les filles), interminables machinations d'un corps enseignant jaloux. « Je vois mon travail comme un encouragement. C'est difficile d'apprendre à écrire à quelqu'un.

— Tu encourages les médiocres ?

— Il le faut.

— Tu ne crois pas que tu leur fais perdre leur temps ? Et que tu perds le tien ?

— C'est pour ça que je suis là. J'imagine que si j'avais affaire à un cas vraiment désespéré, je proposerais des solutions alternatives. À condition de croire l'étudiant capable de gérer la situation. Mais quand il s'agit de critiquer, je suis plutôt lâche. Et je suis coulante au niveau des notes. »

Thomas sourit.

« J'ai dîné avec Mary Ndegwa.

— Je l'ai à peine vue.

— Elle parle de façon très pittoresque de ce qui lui a manqué.

— C'est au cœur de toute sa poésie.

— Son fils, Ndegwa, travaille au ministère des Finances. »

Thomas secoua encore la tête – c'était un homme qui s'était grandement isolé et que le changement aveuglait ; un homme pour qui la vie d'une enfant s'était arrêtée à cinq ans. « Bébé Ndegwa, fit-il avec une espèce de respect craintif. Je n'ai jamais été capable d'écrire sur le Kenya. On dirait qu'il ne fait pas partie de moi.

— Nous n'étions que de passage. »

Dans une autre salle, un homme se mit à jouer du piano. Le bar se remplissait rapidement. Pour s'entendre, Thomas et Linda durent élever la voix.

« Il m'arrive de penser à Peter, déclara Thomas. Et de vouloir l'appeler pour m'excuser. »

Linda but une petite gorgée de son cocktail. « Je ne me rappelle pas lui avoir fait l'amour. Je veux dire, les détails. Je sais que ça a eu lieu, mais je suis incapable de me représenter quoi que ce soit. Et je ne comprends pas comment, après avoir été si proche de quelqu'un, je peux ne pas avoir conservé de souvenir viscéral de cette vie commune. J'ignore si c'est simplement de l'oubli ou si c'est que je ne prêtais à l'époque aucune attention particulière à cette relation. » Linda fit une pause, secoua la tête. « C'est horrible à dire ! Je mourrais à l'idée d'avoir si peu compté pour quelqu'un à qui j'ai été mariée. »

Thomas se taisait. Peut-être essayait-il de résister à

l'envie de demander à Linda si elle se souvenait des relations sexuelles qu'ils avaient eues ensemble.

« Tu sais que nous n'avons fait l'amour que quatre fois ? demanda-t-il. Durant toutes ces années ? Quatre fois.

— En théorie.

— Rich baisait ma femme. Je les ai vus aux jumelles. Il a nié mais je ne l'ai jamais cru. C'est une source constante d'irritation entre nous depuis des années. Si j'ai raison, je ne pourrai jamais lui pardonner, et il le sait. Si j'ai tort, il ne me pardonnera jamais de l'avoir cru capable de ça. Quoi qu'il en soit, on est plutôt dans la merde. »

Linda attendit que Thomas en dise davantage sur Rich mais il se tut. Elle remarqua que sa bouche était différente ; les lèvres un peu plus serrées, qui lui donnaient l'air plus circonspect. Et elle se demanda : le respect humain existe-t-il ?

« Merci pour le verre. Mais je dois retourner dans ma chambre. Je m'inquiète pour mon fils. Son ami va l'emmener dans un centre de cure ce soir, si Marcus accepte. » Linda fit une pause. « Mon fils est homo. »

Thomas ne parut pas choqué, mais cette information sembla presque l'épuiser comme si le poids, le poids de tous ces faits, était quasi insupportable. « Cela a été dur pour toi ?

— Ça ? Non. Pas vraiment. » Linda se laissa lentement glisser du tabouret. « Mais ça va l'être. »

Il n'y avait aucun message de personne. Quand Linda tenta de joindre Marcus, une voix, celle de David, annonca : « Vous êtes bien à l'heureux domicile de

David Shulman et Marcus Bertollini. » Linda eut un mouvement de recul en pensant à son fils.

« Ça peut vouloir dire qu'ils sont en route pour Brattleboro », expliqua-t-elle à Thomas qui s'était assis dans un fauteuil, dans un coin de la chambre. Linda se cala un oreiller dans le dos et s'installa, les jambes allongées sur le couvre-lit. D'un coup de pied, elle se débarrassa de ses chaussures, et Thomas retira sa veste.

« Qu'est devenu Donny T. ? demanda-t-elle subitement.

— Qu'est-ce qui te fait penser à lui ?

— Je ne sais pas. Il était toujours au bord de la folie.

— Du désastre, tu veux dire.

— Ou d'un succès fou.

— Le succès l'a emporté. C'est une espèce de banquier et il vaut des millions. Sans doute des milliards aujourd'hui. »

Linda sourit et secoua lentement la tête. Elle revoyait Donny T. sur la banquette arrière de la Bonneville d'Eddie Garrity, en train de compter des billets à la faible lumière de l'unique réverbère de la jetée. Peut-être, tant d'années plus tôt, la fascination n'avait-elle pas été pour la prise de risque, mais simplement pour l'argent.

« J'ai envie de te parler de Billie. » Linda sursauta, mais en observant Thomas, elle comprit que cela avait été au centre de ses pensées depuis le début ; et elle se dit que son besoin de raconter cette histoire encore et encore n'était probablement pas si différent de celui d'une femme qui vient d'accoucher et qui ressent la nécessité de décrire cette rude épreuve en détail à qui veut bien l'écouter. Elle-même avait agi de la sorte.

« Je n'arrête pas de jouer et de rejouer la scène dans ma tête, commença Thomas. J'imagine toujours qu'il me suffirait de mettre le doigt sur un minuscule détail, un simple fait, et de le tordre pour facilement tout changer. » Il se laissa glisser dans le fauteuil et posa ses pieds sur un coussin. « Primo, c'était un reportage bidon. Le *Globe* avait envoyé Jean prendre des photos d'un lieu où deux femmes avaient été assassinées il y a cent et quelques années. En 1873. Sur les îles de Shoals. Tu connais ? »

Linda fit oui de la tête. « Mais je n'y suis jamais allée.

— Comme c'était l'été, Rich s'était dit qu'on pourrait combiner ce reportage avec quelques jours de vacances. Rejoindre les îles en voilier, en faire le tour et peut-être remonter jusqu'au Maine. » Thomas marqua un temps d'arrêt. « Je déteste la voile. La voile a toujours été l'affaire de Rich. » Il secoua la tête. « Il avait amené une femme avec lui, une femme avec laquelle il sortait, que j'avais rencontrée quelques mois plus tôt lors d'une soirée. Elle s'appelait Adeline, et elle était absolument charmante, ravissante même, mais de manière totalement inconsciente, elle était dangereuse. Tu as déjà ressenti ça vis-à-vis de quelqu'un ? Qu'il ou elle était dangereux ? »

Linda réfléchit un instant. Seulement vis-à-vis d'elle-même, des années plus tôt.

« Aujourd'hui, je me dis qu'Adeline était une espèce de catalyseur. De quelque chose de tordu qui se jouait entre nous trois – Jean, Rich et moi. » Thomas se tut. « En fait, Adeline me faisait penser à toi. Elle ressemblait exactement à la personne que tu étais en Afrique. Je ne t'avais pas vue depuis et donc, dans mon souvenir, tu n'avais pas changé. Et, le plus troublant, c'est qu'elle portait une croix. » Plongé dans ses souvenirs, Thomas rapprocha ses doigts. « Je ne pouvais pas la quitter des yeux. En plus, elle connaissait mes poèmes. En parlait de manière très flatteuse. Et je n'ai jamais très bien su feindre d'être insensible à la flatterie.

— Comme tout le monde.

— Jean s'en est rendu compte – comment aurait-elle pu ne pas le voir ? – et ça l'a rongée, comme cela aurait rongé n'importe qui. Je ne crois pas que Jean ait été quelqu'un de particulièrement jaloux de nature. C'est juste que, sur ce bateau, on ne pouvait pas s'échapper ; tout ce qui se passait à bord, il fallait s'en accommoder. Tu te le prenais en pleine gueule des heures et des heures durant.

— Rich aussi l'avait remarqué ? demanda doucement Linda.

— J'imagine que oui. Sinon, pourquoi aurait-il pris la décision de baiser ma femme, juste pendant ce voyage ? Jean et lui se connaissaient depuis des années. D'après moi, il n'y avait jamais eu quoi que ce soit entre eux avant. » Thomas rentra en lui-même, fouillant le passé. « Non, j'en suis sûr. Je pense que je l'aurais senti. »

Linda hocha la tête.

« On était tous tendus. Et Jean et moi... » Thomas détourna le regard un court instant. « Dire que nous avions des problèmes peut sembler banal. Et ça l'était, banal. Mais ce n'était pas des problèmes en ce sens qu'on peut définir un problème, tenter de le résoudre et avancer. Non, disons plutôt que la structure même du couple s'était détraquée. »

Thomas soupira.

« Et tu fais quoi de tout ça ? Tu as avec ta femme une superbe fillette de cinq ans. Vous vous entendez suffisamment bien. Il n'y a pour ainsi dire pas de crise. Vas-tu briser un mariage parce que quelque chose a l'air de clocher ? Et, bien sûr, tu n'es pas certain que la relation se soit irrémédiablement détériorée. Une partie de toi espère toujours pouvoir arranger les choses.

— Tu veux dire quoi par là ?

— C'est bien le problème ! Dans un couple, on essaie toujours d'atteindre quelque chose mais sans jamais savoir quand on y arrive. Si tant est qu'on y arrive. Et tu n'arrêtes pas de te demander : Faut-il encore aller plus loin ? »

Thomas fit glisser sa cravate, la plia. La posa sur l'accoudoir. « Jean et moi ne couchions pas ensemble. En tout cas pas souvent. Et donc il fallait gérer ça aussi, parce que c'était partout autour de nous. Le sexe. Le matin, on entendait Rich et Adeline baiser dans la cabine avant. Je l'ai déjà dit. »

« Baiser », un mot si dur, se dit Linda. Sa colère devait être encore violente. Implacable.

« Je sais que pendant des années Jean a cru que je l'avais utilisée. Juste après notre rencontre, j'ai connu une phase étrange au cours de laquelle je me suis remis à écrire après une longue période de sécheresse. Pendant des années, j'avais eu la hantise de la page blanche. Jean a pensé que j'étais avec elle à cause de ça, qu'elle avait été une espèce de muse pour moi. Et je n'ai jamais réussi à la détromper. » Thomas passa sa main sur cette tête qui lui était encore peu familière. « Et les choses se compliquaient du fait que plus tôt, avant notre mariage, je lui avais parlé de toi. Elle savait que je t'aimais. » Thomas respira à fond. « Ça posait problème. »

Linda croisa les bras sur sa poitrine. Pourquoi cette information la perturbait-elle tant ?

« Comment retirer ça de l'équation ? Comment résoudre ce genre de difficultés ? »

Linda respira lentement, régulièrement. Il faisait froid dans la chambre, et elle se frictionna les bras.

« Le deuxième jour, Jean et Rich ont rejoint l'île où les meurtres avaient été commis. On mouillait juste au large – l'île portait un nom horrible : Smuttynose [1] – et Adeline et moi sommes restés seuls à bord. À discuter. Elle avait perdu sa fille dans un sale divorce et elle me racontait tout ça. » Thomas se frotta encore la tête. « Quelle ironie ! Dire que je la réconfortais et qu'à peine quelques heures plus tard ce serait moi qui perdrais une fille. » Il se prit un instant la tête dans les mains puis leva les yeux. « J'ai aperçu par hasard des gens sur l'île et j'en ai conclu qu'il s'agissait de Rich et Jean. Je me suis dit que j'allais leur faire signe. J'ai pris les jumelles et je les ai vus s'étreindre. Jean était seins nus. »

Linda en eut le souffle coupé. L'image était choquante, même dans un monde d'images choquantes.

« Je les ai observés un moment jusqu'à ne plus pouvoir le supporter. Puis j'ai jeté les jumelles par-dessus bord. Adeline n'arrêtait pas de demander : "Qu'est-ce qui se passe, Thomas ? Qu'est-ce qui se passe, Thomas ?" Mais j'étais incapable de parler. Et j'ignore pourquoi ça me tracasse autant, encore aujourd'hui. Après tout le reste… »

Thomas se laissa aller en arrière dans le fauteuil.

« Il s'agissait de ton frère, dit Linda. Et de ta femme. »

Il hocha la tête.

« C'était biblique », remarqua-t-elle.

Thomas hocha encore la tête. « Et puis, qu'est-ce que le sexe ? Est-ce que le fait de retirer sa chemise devant son beau-frère est du sexe ? En théorie ? Où fixes-tu les limites ?

— Il n'y en a pas.

1. Littéralement, « nez noir de suie ». *(N.d.T.)*

— Non, bien sûr que non. » Thomas respira profondément. « J'étais devenu fou. Je n'avais pas les idées claires. Ça me préoccupait sacrément. Et puis, à leur retour… » Il fit une pause. « Une tempête menaçait. Une violente tempête. Je ne suis pas marin, mais même moi je savais que c'était sérieux. Je n'avais pas du tout le temps d'affronter Rich ou Jean. » Désormais, Thomas ne cessait de secouer la tête en parlant. « Et dans cette ambiance, la tempête, la tension, aucun de nous n'était très attentif. »

Il se leva brusquement, comme s'il rassemblait son courage pour ce qui allait suivre. Et marcha jusqu'à la fenêtre. « On croyait que notre fille était en sécurité auprès d'Adeline. Adeline avait le mal de mer et elle était allongée dans la cabine avant avec Billie, qui commençait aussi à se sentir nauséeuse. Rich, Jean et moi tentions de stabiliser le bateau et d'atteindre le rivage. » Thomas se frotta les yeux comme seul un homme peut le faire : avec énergie, violence même. « Adeline a laissé Billie et elle a traversé l'écoutille avant pour aller prendre l'air. Et vomir aussi, sans doute. Je sais qu'elle pensait que Billie resterait au lit. »

Thomas se mit à marcher de long en large. Jusqu'à la porte-fenêtre qu'il franchit pour entrer dans le salon. Il s'empara d'un petit vase puis le reposa. Et revint dans la chambre. « Jean et moi avions essayé de faire enfiler à Billie son gilet de sauvetage. On croyait probablement y être arrivés, à moins qu'on n'ait été interrompus, je ne m'en souviens plus. Mais on aurait dû le savoir. Billie refusait de porter ce gilet, et nous savions mieux que quiconque combien elle pouvait être têtue. On aurait dû l'y contraindre et ne pas la quitter des yeux. L'atteler au voilier, au besoin. »

Linda ferma les yeux. Il suffisait d'un moment

d'inattention. Sortir de l'allée en marche arrière sans remarquer que votre enfant s'est fourré derrière la voiture. Se disputer avec son mari sans voir que le bébé est grimpé sur le rebord de la fenêtre. Il suffisait d'une seconde. Pas plus.

« Adeline est passée par-dessus bord. J'ai sauté dans l'eau pour la secourir. Rich s'efforçait de maintenir le bateau d'aplomb. Jean était dans tous ses états. Et puis... Et puis c'est Rich, je crois, qui a été le premier à s'en apercevoir. » Thomas leva les yeux vers le plafond. « Oh, mon Dieu, c'est notre châtiment, n'est-ce pas ? Ces souvenirs. Un pic à glace dans le cœur. Le corps sait déjà, même si la tête ne l'accepte pas encore. "Où est Billie ?" a-t-il demandé. »

Thomas se tut. Il regarda Linda. « Et voilà. Ce fut la fin de l'existence telle que je l'avais connue.

— Thomas. »

Aucun autre mot, eux qui inventaient des mots et exploitaient leur richesse.

« Pendant des mois, j'ai été fou. Dément. Je me réveillais en hurlant au beau milieu de la nuit. Rich débarquait en courant dans la chambre – il vivait tout le temps chez moi à l'époque – et il devait me clouer sur le lit.

— Thomas. »

Il prit appui contre le chambranle de la porte, les mains dans les poches, le pan de sa chemise mystérieusement sorti de son pantalon. « Ça me paraissait important de te raconter cette histoire. »

Leurs regards se croisèrent, ni l'un ni l'autre ne parla. La Terre aurait pu accomplir une révolution tant ce silence dura.

« Je ne te ferai pas l'amour alors que tu attends des

nouvelles de ton fils, finit par déclarer Thomas. Bien que j'en aie envie. »

Linda replia les genoux et baissa la tête pour que Thomas ne voie pas son visage. Il ne fit pas un geste pour la toucher, comme il l'avait dit.

Les détails rendent tout cela insupportable, songea-t-elle.

Elle pressa son front de toutes ses forces contre ses cuisses. Elle savait que n'importe quel mouvement dans n'importe quelle direction exprimerait tout ce qu'il y avait à dire. Si elle se levait et marchait vers la fenêtre, chacun d'eux saurait qu'aucune histoire ne pouvait être ressuscitée, aucun avenir sauvé. Alors Thomas prendrait sa cravate et sa veste, s'enquerrait peut-être de l'heure de son vol, l'embrasserait peut-être même sur la joue, bien que c'eût été un geste vide de sens, sans aucune valeur, sans même la curiosité de ce qui aurait pu être. Car le fait de se lever et de marcher jusqu'à la fenêtre oblitérerait à jamais tout prodige.

« Je n'aurais pas dû dire ça, reprit Thomas.

— Tu peux dire tout ce que tu veux.

— Sexe et douleur. Il y a un lien que je n'ai jamais compris. »

Un certain besoin de rester en vie, pensa Linda sans le lui suggérer.

« J'y vais », fit-il depuis la porte.

Linda retint son souffle. Elle ne l'arrêterait pas. Mais ne voulait pas non plus le voir partir.

Elle entendit Thomas traverser la pièce. Se figea, croyant qu'il allait la toucher. Puis perçut le frôlement de ses bras contre la doublure soyeuse de sa veste. Et attendit le doux déclic de la porte extérieure.

Linda leva les yeux, ayant peine à croire que Thomas fût vraiment parti. Elle attendit, pensant qu'à tout moment il allait revenir, lui dire qu'il avait changé d'avis ou qu'il avait d'autres choses à lui raconter. Mais il ne revint pas et la vacuité de la chambre se présenta à elle : vacuité qui pouvait éternellement durer. Un fugace sentiment de soulagement – ils ne s'étaient pas caressés, n'avaient pas eu à adopter un comportement particulier – fit place à une rage sourde, désolante. La rage, peut-être, de se sentir abandonnée, atrophiée ; la rage, sans doute, devant le non-dit. Linda vacilla un instant entre cette colère grandissante et une infinie compassion.

Dehors, une forte pluie s'était mise à tomber. Plus qu'une forte pluie – des trombes d'eau cinglaient ses fenêtres. Linda se sentit aussi instable que le temps. Elle s'obligea à demeurer sur le lit, s'obligea à laisser Thomas s'éloigner. Mais quelque extraordinaire élan – destructeur et séduisant – la propulsa vers la porte.

Elle le trouva debout devant l'ascenseur. Il tenait toujours sa cravate à la main. Et avait l'air complètement vidé, légèrement hébété, tel un homme revenant dans sa chambre après avoir fait l'amour.

« Pourquoi m'as-tu quittée ce matin-là, en Afrique ? »

Cette question le stupéfia, elle le vit. Dans le silence, elle entendit des Klaxon et une sirène de police de l'autre côté de la fenêtre située au bout du couloir, une sirène au timbre différent, plus européen qu'américain. Un garçon d'étage poussait un chariot et appuya sur le bouton de l'ascenseur, qui – Linda venait juste de le remarquer – n'était pas allumé. Thomas n'avait pas appelé l'ascenseur.

« Il le fallait », finit-il par articuler.

Elle eut besoin d'inspirer. « Pourquoi ? Pourquoi le

fallait-il ? » Sa voix montait, déplacée dans ce couloir. Le garçon d'étage examinait son chariot.

« Regina, dit Thomas, affolé, comme s'il ne comprenait pas pourquoi la réponse évidente n'était pas la bonne. Regina était…

— Était quoi ?

— Linda, que se passe-t-il ?

— Était quoi ? » Sa voix était trop forte maintenant, totalement déplacée.

« Regina était éperdue. Elle affirmait qu'elle allait se tuer. Elle n'arrêtait pas de dire que j'aurais alors tué deux personnes. Je savais que je ne pouvais pas la laisser seule en Afrique.

— Tu m'as laissée seule en Afrique.

— C'était ton choix.

— Mon choix ? » Linda entendit une voix intérieure lui souffler : Fais attention. Ça s'est passé il y a des années. Mais elle n'était pas sûre de pouvoir stopper les mots. Et comprit, légèrement surprise, que certaines blessures ne cicatrisaient pas.

« Je croyais que tôt ou tard on trouverait le moyen d'être ensemble. » L'ascenseur arriva mais Thomas ne le prit pas. Reconnaissant, le garçon d'étage leur échappa.

« Et tu t'y es employée, hein ? remarqua Thomas, incapable de réprimer une note de sarcasme.

— Toi-même, tu n'aurais pas fait quelque chose ? demanda-t-elle d'un ton acerbe. Tôt ou tard ?

— Si, bien sûr. Je t'ai toujours aimée. Je te l'ai déjà dit. Mais en l'occurrence, dans la réalité de cette nuit-là, il était inconcevable que je laisse Regina seule. Tu le sais aussi bien que moi. »

Effectivement, elle le savait. La vérité était toujours réjouissante, se dit-elle.

« On était anéantis, ajouta Thomas. On avait tout anéanti. On avait omis d'imaginer le chaos.

— Je comparerais bien mes souffrances à celles de Regina. »

Cette controverse paraissait décontenancer Thomas. Linda savait que, plus tard, c'est ce qui l'ennuierait le plus : que sa colère l'ait rendue quelconque. Que, l'espace d'un instant, elle se soit réinventée dans la peau d'une mégère.

« Ça ne valait donc pas le coup ? poursuivit-elle. Ça ne méritait pas le mal qu'on se donnait pour se voir ? Dis-moi que tu ne croyais pas qu'on aurait dû vivre ensemble. »

Ses questions la confondaient autant qu'elles semblaient le surprendre. Pourquoi les posait-elle ? Regrettait-elle vraiment le moindre des choix qu'elle avait faits et qui l'avaient amenée à avoir des enfants ? Le moindre coup du sort qui avait créé Maria et Marcus ? Aurait-elle souhaité ne pas rencontrer Vincent, ne pas l'épouser ? Bien sûr que non.

« À part Billie, je n'ai guère pensé à autre chose pendant trente-quatre ans », déclara doucement Thomas.

Linda examina le tapis à motifs. Elle pria pour que Thomas ne traverse pas le couloir, ne vienne pas la serrer dans ses bras. Ne les réduise pas à cela. Elle pensa le dire tout haut, le lui interdire.

Elle était certaine que Thomas allait la quitter maintenant, la quitter afin d'effacer le souvenir de ces dernières minutes. De tout le week-end, si nécessaire. Thomas qu'elle n'avait pas rencontré, pas vu, depuis tant d'années.

Elle n'était plus assez résistante.

Linda entendit un téléphone sonner quelque part dans

le couloir. Il sonna deux fois, puis trois fois, avant qu'elle comprenne. Alors, avec l'instinct d'une mère, qui jamais ne sommeille, elle parcourut rapidement le couloir, tout ouïe, jusqu'à sa chambre. Il s'agissait bien de son téléphone. Merde, songea-t-elle. C'était sûrement Marcus. Elle essaya d'appuyer sur la poignée.

Évidemment. Elle s'était enfermée dehors.

« Je descends chercher une clef, proposa Thomas dès qu'il arriva près d'elle.

— On ne t'en donnera pas. De toute façon, il sera trop tard. » La sonnerie persistait. Ce doit être important, se dit Linda. Elle était sûre qu'il s'agissait de Marcus. « Comment ai-je pu être aussi stupide ? » Elle secoua encore la poignée.

Thomas restait immobile. Le téléphone continuait de sonner. Linda souhaita qu'il cesse. Leur dispute était désormais déplacée.

« En fait, observa Thomas. C'est plutôt drôle. »

Linda leva les yeux vers lui. Il se frotta la joue pour tenter de réprimer un sourire. Il a raison, pensa-t-elle. C'est plutôt drôle. Tout ce *Sturm und Drang* puis la scène bouffonne de la porte verrouillée.

« Une farce, au fond », dit-elle.

Linda entendit du mouvement derrière eux. « Veuillez m'excuser, avez-vous besoin d'une clef ? » Sur la table roulante de la femme de chambre se trouvaient des menus pour le petit déjeuner et des chocolats Godiva.

Une fois à l'intérieur, Linda courut jusqu'au téléphone en priant pour que la sonnerie ne s'arrête pas avant qu'elle y parvienne. Elle écouta la voix à l'autre bout du fil. Sa main libre monta en spirale et virevolta maladroitement. Thomas, à côté d'elle, tint cette main errante.

« Je suis tellement soulagée d'entendre ta voix », dit Linda dans le téléphone, moitié riant moitié pleurant. Elle s'assit pesamment sur le lit. Thomas lui lâcha la main et s'assit près d'elle.

Linda se tourna vers lui et murmura : « Ça va. C'est Marcus.

— Je suis désolé pour David. » Marcus avait l'air remarquablement lucide. « Je sais qu'il peut être un sale con. J'étais trop sonné pour protester. Je voulais te parler mais il était…

— Protecteur.

— Ouais.

— Où es-tu ?

— Ici. À Brattleboro. » Il y eut un silence. « Maman, ça va ?

— J'ai couru pour décrocher. J'étais bloquée à l'extérieur. C'est une longue histoire. Je suis heureuse que tu aies laissé sonner aussi longtemps.

— On n'a droit qu'à un seul coup de téléphone. Comme en prison. Je ne savais pas trop s'ils m'auraient permis de réessayer.

— Comment vas-tu ?

— Je devrais sans doute avoir une sacrée pétoche mais, sincèrement, je ne ressens que du soulagement.

— Oh, Marcus. »

Linda couvrit le combiné. « Marcus est à Brattleboro, expliqua-t-elle à Thomas.

— Maman ? Tu parles à qui ?

— À un homme, Marcus. Un homme que je connaissais bien. Avant ton père.

— C'est vrai ? Ça m'intrigue. »

Linda se tut.

« Je n'ai pas le droit de parler plus de cinq minutes.

C'est ce qu'on m'a dit. Et je ne peux passer que deux coups de fil par semaine.

— David est là ?

— Non, on lui a demandé de partir. Pratiquement tout de suite. Je crois que leur théorie, c'est que les proches mettent le patient en danger. Ils veulent les voir partir le plus vite possible. »

Elle, bien sûr, était une proche.

« Mais les visites sont autorisées. Vous êtes invités à venir. En fait, je crois qu'ils vont insister pour que vous veniez. Ils organisent des séminaires d'une journée pour que vous sachiez comment vous y prendre avec moi à ma sortie. »

Linda sourit. Cette ironie chez son fils lui permettrait peut-être de s'en sortir. À moins qu'elle ne fasse partie du problème ?

« Il faudra que tu viennes avec David, ajouta Marcus, non sans hésitation.

— J'aime bien David.

— C'est faux. Parfois, je ne suis même pas sûr de l'aimer. On peut aimer quelqu'un et par moments se demander pourquoi on est avec lui, tu ne crois pas ?

— Si.

— Il va falloir que j'y aille. Il y a un type à côté de moi qui me demande de raccrocher. Je ne peux pas appeler Maria. J'ai passé l'unique coup de fil auquel j'avais droit…

— Je l'appellerai, promit Linda, soulagée de se voir confier une tâche. Ne t'inquiète pas pour ça.

— Je t'aime, maman. »

L'incroyable facilité avec laquelle il avait prononcé ces mots.

— Tu fais ce qu'il y a de mieux à faire, Marcus. Tu fais quelque chose de formidable.

— Maman, juste une question. Tu savais ? Tu savais que j'étais… alcoolique ? »

Ne pas dire la vérité en cet instant eût été désastreux. « Oui, affirma-t-elle.

— Oh. Je me demandais juste. »

Ce n'était pas le moment de débattre des raisons pour lesquelles elle s'était refusée à concevoir le mot, à le dire à voix haute. « Moi aussi, Marcus, je t'aime », préféra-t-elle déclarer.

Linda tint le combiné un long moment après que son fils eut coupé la communication. Elle essaya de se représenter Marcus à Brattleboro mais ne vit qu'une prison avec un gardien debout à ses côtés. Ni lui ni elle ne pouvaient savoir à quel point ce serait difficile.

« Tu dois ressentir un certain soulagement à le savoir hors de danger. »

Linda hocha la tête pour marquer son assentiment, bien qu'elle sût que Thomas aurait facilement pu ajouter, avec la même compassion : Aucun de nous n'est hors de danger.

Ils restèrent un moment assis sur le lit, à penser au coup de téléphone, sans parler. C'est elle qui, finalement, se tourna vers lui. Elle prononça son prénom. Non pas pour entretenir le prodige, mais simplement en guise de réconfort, comme deux personnes perdues dans la montagne se serreraient l'une contre l'autre pour se tenir chaud. Linda posa une main sur sa chemise, et Thomas, dont l'espoir éclairait le visage, répondit par son prénom. Non pas Marie-Madeleine cette fois-ci, mais Linda, faisant ainsi tomber tout artifice pour que seule la clarté demeure.

Et puis, comme ils auraient pu s'y attendre, comme ils

auraient pu le savoir, le geste de Linda devint sexuel. Tel un animal, Thomas respira ses cheveux et elle, dans un même mouvement, fut ébranlée par l'odeur de sa peau. Il y avait tant à reconnaître, et pourtant tout était différent. Linda ne pouvait plus sentir comme avant les os du dos de Thomas, et elle retint son souffle quand il promena sa main sur son ventre et lui caressa les seins. L'espace d'un instant, elle eut l'impression d'un acte illicite et dut se rappeler que rien ne l'était plus. Cet état de fait lui parut si surprenant qu'elle faillit l'exprimer à voix haute, comme on laisse échapper une vérité soudaine. Linda tourna la tête sur le côté quand Thomas lui embrassa le cou et la clavicule. Quand avait-il fait l'amour à une femme pour la dernière fois ? Des années plus tôt ? La semaine dernière ? Elle ne voulait pas le savoir.

Sans qu'il fût besoin de parler, ils se levèrent et ôtèrent leurs vêtements, chacun évitant d'examiner l'autre, même s'ils rabattirent ensemble les couvertures comme aurait pu le faire un couple marié. Ils se glissèrent l'un contre l'autre entre les draps soyeux, et Linda songea qu'ils n'avaient pas eu de lit les premières années ; et que, plus tard, les lits, comme les minutes passées ensemble, avaient toujours été volés, ne leur avaient jamais appartenu. Cette pensée laissa entrer un flot d'images qui lui avaient échappé, petits moments oblitérés par tout ce qui avait suivi. Elle sentit l'odeur salée d'une jetée humide et froide, sa combinaison imprégnée d'eau de mer. Elle vit une chambre dans un pays étranger, dont le toit s'ouvrait sur le ciel. Un garçon qui se tenait timidement dans un vestibule avec, à la main, une boîte qu'il a lui-même emballée. Linda sentit le souffle de Thomas sur son cou ainsi qu'un relâchement de tout son corps. Elle vit des reflets sur l'eau et deux adolescents, assis sur une colline dominant l'Atlantique, brûlant de posséder la lumière comme s'il se fût agi d'eau ou d'aliments qu'ils pourraient mettre en réserve pour leur subsistance.

Thomas chuchotait à son oreille. Linda tendit le bras, effleura la cicatrice et fit courir ses doigts sur toute sa longueur. Elle se demanda quelles étaient ses images à lui, ce qu'il voyait. Ou était-ce plus simple pour un homme ? Nourri de désir, la caressant comme il le faisait avec ce sens exquis du rythme, cette oreille absolue, Thomas avait-il le sentiment d'accomplir une mission ?

« Je t'ai toujours aimée. »

Linda posa ses doigts sur les lèvres de Thomas. Elle qui, d'habitude, avait soif de mots, rampait si besoin jusqu'à eux, n'en voulait pas. En cet instant, en cet instant même, se dit-elle, le corps pouvait tout exprimer. Il y avait certains détails – des petites choses comme la taille flasque de Thomas, ses cheveux clairsemés – sur lesquels elle ne s'étendrait pas. Le déni avait un rôle essentiel dans les relations sexuelles ou amoureuses, songea-t-elle. Thomas laissa traîner ses lèvres le long de ses côtes, c'était très agréable, et elle se réjouit que cela ne fût pas perdu.

Une voix dans le couloir réveilla Linda et elle s'efforça de voir derrière les stores. Il faisait encore noir, c'était le milieu de la nuit. Elle sentit le souffle de Thomas sur son épaule. Et se dit aussitôt qu'ils s'étaient unis de manière archaïque et primitive. Bien sûr, après coup, cela semblait prédestiné. Et, pour la première fois depuis la mort de Vincent, Linda fut soulagée de penser qu'elle était seule au monde et qu'il n'y avait rien eu de sournois ou d'illicite dans cet acte d'amour.

Un de ses pieds s'était engourdi et elle tenta de le dégager de l'enchevêtrement de leurs jambes et de leurs bras sans réveiller Thomas ; mais il se réveilla quand même et l'attira immédiatement contre lui, comme si elle s'apprêtait à le quitter.

« Ne pars pas, lui dit-il.

— Il n'en est pas question, répondit-elle d'un ton apaisant.

— Quelle heure est-il ?

— Je ne sais pas. »

Il l'embrassa.

« Tu es… ? » Thomas s'arrêta, incapable – ce qui ne lui ressemblait guère – de trouver ses mots.

Linda sourit. Comme tout homme, Thomas avait besoin d'être rassuré.

« Je me sens merveilleusement bien. »

Alors, rassuré, il s'étira contre elle.

« Dans la vie, il y a plus d'expériences que tu ne crois pour lesquelles il n'existe aucun mot, observa-t-il.

— Je sais. »

Ils étaient allongés, face à face, les yeux ouverts.

« Je ne te demanderai pas à quoi tu pensais, dit Linda.

— Tu peux me demander tout ce que tu veux.

— Eh bien, je repensais au jour où on est restés assis au sommet d'une colline qui surplombait l'eau.

— C'est la toute première fois que je te voyais pleurer.

— Ah bon ?

— Tu pleurais à cause de la beauté du paysage, comme les enfants. »

Linda rit.

« Je ne ressens plus cela. L'impact immédiat de la beauté sur moi a en grande partie disparu. Étouffé.

— En fait, je pensais à cette soirée sur la jetée où tu as sauté dans l'eau en combinaison.

— Mon Dieu, je ne te connaissais même pas !

— Ça m'avait vraiment plu ! » Thomas serra Linda dans un bras et, de l'autre, remonta les couvertures. « Écoute, je veux dormir avec toi. Mais tu dois promettre de ne pas me quitter pendant mon sommeil.

— Je promets », affirma-t-elle. Même si tous deux savaient que les promesses ne pouvaient plus désormais, avec certitude, être tenues.

Les tables étaient recouvertes de nappes blanches, de grands plats saumon et de lourds couverts en argent. Linda perçut le vrombissement assourdi d'un aspirateur. Une trentaine de tables étaient vides, néanmoins elle dut attendre pendant qu'une serveuse bossue consultait un plan. Au moment où on la conduisit à une table, un pager retentit.

Elle aimait l'anonymat du petit déjeuner, la licence qui était donnée d'observer les autres. À côté d'elle, une vieille dame et sa fille entre deux âges parlaient de la chimiothérapie d'une troisième femme. Linda toucha la nappe et se demanda si le linge de maison était lavé et empesé tous les jours.

Thomas se tenait à l'entrée de la salle à manger ; il sortait de la douche et portait une chemise blanche et un pull gris avec un col en V. Il n'avait pas encore repéré Linda et elle put l'examiner un instant. Il lui parut plus grand et plus soigné que la veille, mais peut-être n'était-ce dû qu'à sa posture. Il avait également l'air mieux coiffé et plus détendu. Ou plus heureux. Oui, c'était peut-être du bonheur.

« Tu es rapide », fit-il remarquer en parlant du temps

qu'elle avait mis à se doucher et s'habiller. Il déplia sa serviette et la posa sur ses genoux. La serveuse bossue apporta aussitôt une autre tasse de café.

« J'avais faim, dit Linda.

— J'ai une faim de loup. »

Elle sourit. La situation était sans doute délicate. N'était-ce pas le moment des arrangements, des ébauches de promesses ? L'un aurait dû dire : On pourrait se revoir ? Et l'autre se serait senti obligé d'affirmer : J'aimerais te revoir. Linda se demanda s'il était possible de vivre de façon épisodique, sans faire de projets, sans même s'autoriser à penser de manière consciente à l'avenir. Bien que de telles pensées pussent s'avérer nécessaires et primitives, besoin de concevoir des vestiges datant de l'époque où on accumulait et emmagasinait en vue des mois de vaches maigres.

« À quelle heure est ton vol ? demanda Thomas.

— Je dois m'en aller tout de suite après le petit déjeuner.

— Je partirai avec toi.

— Et le tien ?

— Pas avant cet après-midi. Mais je ne veux pas rester ici. Je préfère être à l'aéroport. »

Ils rentreraient chez eux sur des vols différents. Quel gâchis, toutes ces heures d'enfermement, séparés l'un de l'autre.

Linda et Thomas commandèrent à profusion, et il était impossible de ne pas voir dans cet excès comme une commémoration. Quand la serveuse s'éloigna, Thomas prit la main de Linda, la tint légèrement du bout des doigts. Les hommes en chemise de golf assis à la table voisine ressemblaient à des gamins à côté de lui. Ils n'étaient pas vêtus avec l'élégance requise. Étaient mal élevés.

« Hull n'est pas loin de Belmont, fit timidement observer Thomas.

— Nous pourrions nous retrouver à Boston pour dîner un de ces jours, suggéra-t-elle.

— Tu pourrais, en théorie, venir voir ta tante à Hull. »

Linda sourit. « Oui. En théorie, je pourrais le faire.

— J'aimerais rencontrer tes enfants.

— À l'heure actuelle, ils se trouvent tous les deux dans un établissement. »

Thomas leva un sourcil.

« Je veux juste dire que Maria est interne à Johns Hopkins. »

Thomas hocha la tête. De l'autre côté de la salle, Linda aperçut l'homme qui s'était débarrassé de son parapluie à l'entrée de l'hôtel. Il déjeunait seul et lisait un journal. À côté d'eux, elle entendit la fille d'un certain âge demander : Et ton traitement, maman, il reprend quand ?

« J'adore les framboises, dit Thomas en songeant à leur rareté dans cette ville du Nord en avril. Surtout quand elles sont cuites. Jean faisait de ces muffins ! Avec du son d'avoine, des framboises et des pêches. Dieu que c'était bon ! »

Une sensation, comparable à un frisson, parcourut rapidement Linda. Et avec ce frisson elle eut la rare impression d'être exactement là où elle devait être. De représenter une idée, un souvenir, une parfaite éventualité parmi une infinité d'autres. Inventait-elle cette idée par besoin ou était-ce simplement une vérité flottant dans l'univers, Linda était incapable de le dire. Et refusait de se poser la question. Thomas et elle iraient ensemble à l'aéroport, une course en taxi dont elle se souviendrait jusqu'à la fin de sa vie qui, décida-t-elle, serait longue.

Ils se dirent au revoir devant la porte d'embarquement sans attacher trop d'importance à cet adieu, car cela aurait pu laisser supposer une certaine irrévocabilité dont aucun ne voulait.

« Je t'appellerai », promit Thomas, et Linda ne douta pas qu'il le ferait. En fait, il l'appellerait le soir même, déjà contrarié de passer une nuit loin d'elle. « Dire que… », commença-t-il, et Linda hocha la tête, son visage proche du sien. Elle lui tenait fermement la main, comme si elle était en train de couler, et cette impuissance parut émouvoir Thomas. Il l'embrassa si longuement qu'elle eut la certitude qu'on les observait. Thomas resta à la porte pendant que Linda empruntait la passerelle, et elle ne put s'empêcher de se retourner pour voir s'il avait attendu.

On avait attribué à Linda un hublot, bien qu'elle préférât normalement le couloir. Elle s'assit et, en rangeant ses affaires, remarqua que l'individu qui s'était débarrassé de son parapluie (il serait toujours pour elle l'homme au parapluie) était installé devant, en première classe. Linda se demanda brièvement où il habitait et pour quelle raison il se rendait à Boston. Elle le vit comme un leitmotiv dans sa propre existence, passant de temps à autre à côté d'elle – en taxi, ou à pied, dans une rue animée, tout juste hors d'atteinte. Linda se demanda s'il avait déjà fait partie de sa vie sans qu'elle s'en rendît compte : par exemple en Afrique, dans un hôtel. Ou dans un restaurant de Hull. Et il était impossible de ne pas imaginer que si le sort en avait décidé autrement, c'eût pu être lui qui aurait attendu avec elle à la porte d'embarquement, lui qui l'aurait embrassée si longuement. On ne pouvait pénétrer aucun de ces mystères. S'en faire une idée, sûrement. Croire en eux, oui. Mais les pénétrer, non, en aucun cas.

Linda sortit un livre de sa serviette et l'ouvrit, bien qu'elle se sentît trop distraite pour lire. Avec son imperméable, son chemisier blanc et sa jupe noire, on aurait pu la prendre pour une avocate au retour du tribunal ; ou une épouse rentrant chez elle après une visite à des proches. De l'autre côté du hublot, les nuages se rapprochaient du sol, et automatiquement Linda se dit que les décollages étaient plus sûrs que les atterrissages. Une hôtesse de l'air ferma la porte, et peu après l'avion avança. Comme à son habitude, Linda fit une prière, puis elle songea que Vincent avait été privé de bien des années et que Marcus allait devoir travailler dur pour se libérer de sa dépendance. Elle pensa au besoin qu'avait Maria de vivre sa vie, et à sa tante assise à côté de son missel. À Donny T. avec ses dollars, et à une femme qui s'appelait Jean et qu'elle n'avait jamais rencontrée. À Regina à qui elle avait fait du tort et à Peter, quasiment oublié. À Billie, volée au-delà des mots. Et finalement à Thomas, son bien-aimé Thomas, arraché à l'arrogance par un malheur accablant.

Que restait-il sinon le pardon ? Sans lui, Linda en fut soudain convaincue, sa vie ne serait que torture, jusqu'à l'agonie en maison de retraite.

Un timbre retentit puis ce fut le silence. Et, au milieu de ce silence, un mot prit forme. Puis une phrase. Puis un paragraphe. Linda chercha un stylo dans son sac à main et se mit à écrire dans la marge de son ouvrage. Elle écrivit d'un côté puis de l'autre, livre rendu illisible par un autre. Elle écrivit jusqu'à ce que sa main lui fasse mal et qu'une hôtesse lui apporte un repas léger. Linda posa alors son stylo et jeta un coup d'œil par le hublot. C'est miraculeux, se dit-elle. L'avion émergeait de la brume et pénétrait dans un univers de ciel bleu et de nuages gros comme une montagne.

Deuxième Partie

Vingt-six ans

6

La mangue était un fruit étrange et charnu qui lui rappelait un corps de femme, bien qu'il ne pût dire quelle partie. La couleur passait du rose saumon au vert gazon, palette bigarrée qui pouvait varier du jour au lendemain si vous laissiez le fruit sur le rebord de la fenêtre. Changeante, comme Regina. La peau épaisse, dure, difficile à percer ; la chair fibreuse et succulente, chatoyante de jus. La saveur divine. Il n'avait pas encore attrapé le coup pour manger ce fruit, cette manière de l'éplucher, de retirer le noyau et de découper des tranches présentables à disposer sur une assiette de porcelaine blanche ; le mieux qu'il pût faire était de sucer la chair au-dessus d'un évier. Il aimait imaginer Regina nue dans une baignoire, le jus coulant de ses mamelons. Le fantasme s'évanouissait dans la minute : Regina ne mangerait jamais nue dans son bain. Ne souffrirait pas un tel gâchis.

Dieu que ça puait sur le marché ! C'était la viande, couverte de mouches, dans les *duka* adossés aux murs. L'odeur, celle du sang, proie récente, carcasse encore suintante. Pis, les relents de viande en train de cuire, en rien semblable à tous ces steaks et côtelettes qu'il avait toujours mangés. De la viande de cheval, il en était sûr, même si tout le monde le niait. Une femme, pieds nus, avec dans le dos un enfant maintenu par un *kitenge*, se tenait près de lui, la main ouverte. Muette, se contentant d'attendre, la main tendue. Il fouilla dans la poche de son short et en sortit une poignée de shillings. La femme marmotta : « *Ahsante sana* » et poursuivit sa route. Désormais, il venait au marché les poches pleines de pièces. Il ne s'agissait pas uniquement de culpabilité, bien qu'il y eût beaucoup de cela – mais c'était vraiment toute une histoire de refuser. De continuer d'avancer en faisant semblant d'être préoccupé, tandis que le mendiant persistait à vous suivre en marmonnant : « *Tafadhali* ». S'il vous plaît, monsieur. Plus facile d'avoir les poches pleines d'argent. Céder à ces gens-là agaçait énormément Regina, qui manifestait une patience à toute épreuve, comme si elle devait répéter des instructions déjà données une centaine de fois. Ça ne sert à rien, affirmait-elle ; ça ne résout pas le problème.

Ça ne résout pas *mon* problème, se disait Thomas.

Nous et Eux. C'était toujours là. Il résidait dans le pays depuis bientôt un an, et il y avait toujours Nous, toujours Eux. Autant qu'il pouvait en juger, le Nous était condescendant, incompétent, et sa gravité collective le rendait vaguement ridicule. Thomas n'avait pas rencontré un seul Américain – Regina comprise – qui, à ses yeux, eût tenté d'aborder le problème, même si cela supposait qu'un problème existât, que l'Afrique elle-même fût un problème. C'était un débat épuisant et sans fin : le Kenya avait-il réellement besoin de la présence américaine ? La souhaitait-il réellement ? Oui à la première question. Non à la seconde. Même si cette position était absolument indéfendable. Il fallait avoir une vision limitée des choses. Comme Regina. Lui, Thomas, n'avait aucune vision des choses, ni limitée ni autre. La texture l'intéressait. Le monde physique. La possibilité de ravissement dans l'instant présent. Le sexe, thème sous-jacent. Et les mots. Toujours les mots. Le jeune homme se méfiait d'un avenir qu'il ne pouvait appréhender. La chute brutale depuis la terre. L'écran vide.

Il déposa la mangue dans le panier de paille. Thomas était censé acheter les fruits et Regina la viande. Elle lui en voulait de ne pas l'avoir fait plus tôt dans la semaine et de l'obliger à s'en charger pendant son jour de repos. Regina, qui voyait des cas atroces de dysenterie amibienne et de schistosomiase, des enfants mourant de faim sous ses yeux. Regina et sa lucidité. Elle parlait déjà de revenir après son diplôme.

Non, les courses n'étaient pas faites, car il avait passé la semaine à écrire, avait-il expliqué à sa femme. Et Thomas avait perçu, autour de sa bouche, l'effort qu'il lui en coûtait de ne pas dire (sourcil levé, sourire désabusé) « Toute la semaine ? ». Le soutien de Regina commençait à pâtir sérieusement de l'absence de revenus, de succès. Pis encore, tous les poèmes écrits en Afrique revenaient sans cesse sur Hull. Fallait-il une décennie pour que le vécu s'infiltrât dans les mots ? Thomas rentrerait-il à Hull pour n'écrire que sur Nairobi ? Non, il ne le croyait pas. L'Afrique résistait à tout entendement. Incapable d'esquisser une compréhension de ce pays, Thomas ne pouvait pas en rêver. Et quand on ne peut rêver d'une chose, il est impossible d'en parler. Si Thomas avait été capable d'écrire sur l'Afrique, se dit-il, Regina lui aurait peut-être pardonné.

Ce qu'elle ne lui pardonnait pas, Thomas le savait, c'était le plaisir que lui procurait l'écriture : sensuel et tactile, une secousse qui le parcourait quand ça marchait. Il écrivait en permanence dans sa tête ; lorsqu'il participait à une soirée, il mourait d'envie de se retrouver derrière un bureau. Thomas se disait parfois que c'était là l'unique voie honnête le reliant au monde qui l'entourait, toutes les autres tentatives, même son mariage (Dieu, surtout son mariage !), étant perdues dans l'excessive circonspection qui découlait d'offenses et d'espoirs déçus. Mais le plaisir mettait à l'épreuve l'idée que Regina se faisait du travail, selon laquelle il fallait se sacrifier et toujours légèrement souffrir. Pour apaiser sa femme, Thomas évoquait parfois le « supplice » que constituait l'acte d'écrire, la « lutte » à engager pour surmonter l'angoisse de la page blanche. Se portant malheur, il en était certain, en provoquant l'assaut final.

Thomas écrivait dans la chambre de la maison qu'ils louaient à Karen, villa en stuc et pierres irrégulières, faite pour avoir l'air britannique avec ses parquets et ses fenêtres à petits carreaux. Une voûte de bougainvillées pourpres et fuchsia s'accrochait aux eucalyptus, tous entrelacés pour former un immense parasite aux couleurs éclatantes. Un jardin de cactus avait été planté derrière la maison, festival de grotesque : longs projectiles glissants, verts et jaunes, munis d'armes semblables à une dague pouvant tuer un homme ; arbres portant au bout de leurs branches des espèces de poires que les oiseaux arrachaient avant que vous puissiez les atteindre ; souches laides et bulbeuses qui, de temps à autre, se transformaient en ravissantes fleurs veloutеuses rouge sang ; géantes euphorbes brunes aux bras de suppliants, par centaines, tendues vers le bleu du ciel équatorial. Le long de l'allée caillouteuse menant en ville, des dizaines de jacarandas se balançaient, se rencontraient. En novembre, leurs pétales lavande formaient un épais tapis que Michael, le jardinier, balayait pour en faire des tas qu'il brûlait. Leur senteur ressemblait à celle de la marijuana, en plus doux, et pouvait faire croire à Thomas qu'il était défoncé, même quand ce n'était pas le cas. La nuit, d'autres fleurs tombaient, et à son retour de la *duka*, tôt le matin, avec un paquet de Players (et du lait pour ses céréales, s'il y pensait), Thomas foulait ce nouveau tapis pourpre dans un état proche de la félicité.

Il se réveillait avec les oiseaux, écoutait des sons qu'il n'avait jamais entendus : trilles des minuscules tisserins ; gémissement des paons, proche du miaulement ; cri strident des ibis ; plainte rythmée de quelque chose qu'il ne savait nommer mais qui n'était peut-être qu'une colombe. Une fois, par la fenêtre de la chambre, Thomas avait assisté à la stupéfiante floraison d'un arbre. Ses feuilles étaient d'un gris bleuté, et ce jour-là, il avait donné naissance à une explosion de petites boules jaunes et bouffies, de la taille d'une bille, des milliers et des milliers à la fois, si bien que presque aussitôt une vapeur citron avait envahi la pièce. L'un de ces petits miracles que Thomas en était venu à espérer en Afrique. L'un de ces modestes spectacles divins.

Le spectacle était partout : guerrier massaï, vêtu seulement d'un pagne rouge pour cacher sa nudité, appuyé sur sa lance en attendant l'ascenseur de l'Intercontinental, sans cesser de tapoter sur sa calculette ; Mercedes dernier modèle garée devant une case en clayonnage et pisé ; professeur de chimie à l'université ignorant sa propre date de naissance et jusqu'à son âge, et que l'importance qu'y attachaient les autres amusait toujours un peu. Même le paysage présentait des contradictions. Thomas pouvait se réveiller dans l'air raréfié de Nairobi sous son sac de couchage en duvet (il gelait bougrement la nuit), prendre sa voiture et, à cinquante kilomètres à l'ouest, se retrouver dans un désert dont la chaleur accablante ne permettait qu'aux épineux de pousser. Autoprotecteurs à l'extrême, ceux-ci offraient le plus bel exemple de sélection darwinienne que Thomas eût jamais vu.

À la mangue, il ajouta une papaye et un fruit de la Passion, puis tendit le panier de paille à un frêle Asiatique installé derrière un comptoir de fortune. Thomas ne marchanderait pas, bien que l'homme dût s'y attendre. Regina mettait un point d'honneur à marchander, composante de l'expérience culturelle kényane. Ne pas marchander contribuait à développer l'inflation, argumentait-elle. En plus, cela faisait passer les Américains pour des proies faciles. Ce qu'ils étaient, répondait Thomas. Alors pourquoi prétendre le contraire ? Et, d'ailleurs, quel mal y avait-il à être une proie facile ? Jésus n'en était-il pas une ? Mais Thomas, qui n'était pas croyant, avait beaucoup de mal à soutenir cette discussion.

Le Kenya était avant tout un pays de contradictions – déconcertant, parfois déchirant. Un dimanche, peu de temps auparavant, Thomas avait parcouru la route menant à l'hôpital psychiatrique de Gil Gil en compagnie de Regina qui devait s'y rendre pour ses recherches et, au volant de la Ford Escort, il avait négocié les virages en épingle à cheveux jusqu'au fond de la Rift Valley, les roues arrière flottant furieusement sur le chemin de terre ondulé. Regina portait une robe qu'il aimait particulièrement – fine robe-chemisier d'un rouge violacé moulant seins et hanches. Regina était voluptueuse, ce qu'elle détestait. Et que Thomas avait jadis adoré. Une adoration qui aurait pu perdurer si la haine qu'éprouvait la jeune femme vis-à-vis de son propre corps ne l'avait souillée.

Regina avait d'épais cheveux noirs bouclés, rebelles, qui devenaient plus raides autour du visage. Des petits yeux et de profondes rides verticales de concentration entre ses épais sourcils. Mais ce jour-là, dans la voiture, avec ses lunettes de soleil, elle était presque ensorcelante. Fait rare, elle s'était mis du rouge à lèvres, d'un rose brillant qui troublait énormément Thomas.

L'hôpital consistait en une succession de bâtiments en ciment et tôle ondulée disposés comme des baraquements militaires. Des hommes étaient allongés ou assis dans la cour goudronnée, vêtus de chemises et shorts bleus en loques, leurs seuls vêtements. L'hygiène corporelle semblait à peu près exclue, et il se dégageait du lieu une puanteur quasi intolérable à cause de la chaleur. Au passage de Thomas et Regina, les hommes avaient tendu les bras pour les toucher, sifflant lorsqu'ils y parvenaient, comme si la peau blanche les avait brûlés. Dans le pavillon des malades violents, certains s'étaient accrochés nus aux barreaux des fenêtres. Ils étaient schizophrènes ou tuberculeux, lépreux ou syphilitiques ; et le guide – un Luo en costume à très fines rayures et chemise blanche comme neige (ce qui était impensable dans ce paysage de poussière et d'hallucinations) – avait appris au couple que tous ces patients étaient officiellement déclarés psychotiques. Avec un rire aimable, leur hôte leur avait indiqué la cuisine, qui puait les déchets en état de putréfaction. Un individu psalmodiait pour lui-même et se balançait en essuyant le sol avec un chiffon presque noir. Autorisés à se servir d'un couteau, les coupeurs d'ananas étaient enfermés dans des cages pendant le travail. Dans le pavillon des femmes, les malades portaient des robes droites de couleur verte, et on leur rasait le crâne une fois par semaine. La plupart, apathiques ou endormies, étaient allongées sur le macadam noir et brûlant. L'une d'elles, qui avait remonté sa robe au-dessus de sa tête, était nue jusqu'à la ceinture. Une fois la visite terminée, leur hôte leur avait offert le thé dans de délicates tasses en os, dans une pièce décorée de meubles anciens d'origine anglaise – rencontre froide et formelle entrecoupée de nombreux silences tendus. Même Regina s'était tue, effrayée par cet excès de souffrance, déconcertée par la nonchalance distinguée du directeur. De retour chez eux, ils s'étaient traînés au lit, trop épuisés pour parler. Ni l'un ni l'autre n'avait mangé pendant plusieurs jours.

Sur le marché, Thomas regarda autour de lui pour tenter de repérer sa femme, et il se sentit soulagé de ne pas la trouver – ce qui le culpabilisa. Il vérifia l'heure. Il irait mettre les fruits dans la voiture, marcherait jusqu'au New Stanley et boirait en vitesse une Tusker. Le soleil lui faisait mal aux yeux, et il farfouilla à la recherche de ses lunettes. Encore une parfaite journée de ciel bleu et de nuages de bande dessinée. Le gamin qu'il avait engagé pour surveiller l'Escort était assis sur l'aile. Ces gamins vous arnaquaient comme s'ils se trouvaient à la tête d'un racket. Donnez-leur quelques shillings et ils garderont votre voiture, signe pour les voleurs (c'est-à-dire pour d'autres voleurs) de ne pas approcher. Refusez-leur cet argent et ils se tiendront à proximité, comme pour témoigner de sa disponibilité.

D'une chiquenaude, Thomas lui donna un billet de dix shillings pour une heure supplémentaire. Moins cher qu'un parcmètre, quand on y pensait. Il acheta un journal à un vendeur installé à l'extérieur du marché et jeta un coup d'œil sur la manchette. UN DÉPUTÉ DÉCLARE : PORT DU PANTALON OBLIGATOIRE PENDANT

DÉBATS. Il prendrait un verre, ne resterait pas plus d'un quart d'heure et, en repartant, achèterait à Regina une livre de noix de cajou. Ensemble, ils rentreraient chez eux en voiture passer la fin du week-end.

Thomas avait refusé de croire que le Kenya était un pays dangereux, et regimbé devant cette idée lors des sessions de formation qui n'avaient cessé de mettre l'accent sur la survie, comme si Regina et lui étaient des soldats engagés dans une guérilla. Ce qu'ils étaient, bien sûr, au sein de cette guerre particulière née de la pauvreté et non de la politique. Dans ce pays, l'écart entre riches et pauvres était tel que des voyageurs étaient parfois frappés à mort à coups de *panga*. Des askaris vêtus d'immenses manteaux et armés d'une épée montaient la garde devant les habitations d'Européens. Les touristes étaient si souvent dévalisés dans les rues et les bus que la blague concernant leur contribution au PIB devenait éculée. La corruption se propageait comme une onde au sein du gouvernement, s'épanouissant au sommet. Thomas n'y avait pas cru à l'époque, mais désormais il y croyait. Il avait déjà été volé à sept reprises, on lui avait pris deux fois sa voiture. Un jour, des cambrioleurs avaient entièrement vidé leur maison et emporté jusqu'aux rideaux et au fil du téléphone. Regina avait été bouleversée par la perte de son étoffe Maridadi et de ses sculptures en pierre de savon de Kisii, et lui s'était affolé en pensant à ses poèmes avant de se rendre compte qu'il les avait tous mémorisés, sans exception.

Ne portez jamais de sac à dos, vous expliquait-on lors des sessions de formation. Ne vous arrêtez jamais à un croisement pour consulter une carte (vous devenez aussitôt un touriste). Ne portez jamais de bijoux ou de lunettes de soleil tape-à-l'œil. Ayez l'air aussi pauvres que possible. Facile pour Thomas, qui était toujours en short kaki et chemise blanche, sauf le mardi, jour où Mama Kariuki venait laver le linge dans la baignoire. Et si, effectivement, on vous vole un portefeuille ou un sac à main, veillez à ne pas hurler : « Arrêtez le voleur ! » Car d'autres Kényans poursuivraient alors le suspect et, s'ils parvenaient à l'attraper, chercheraient à le battre à mort, horrible tentative d'exécution devant un public largement passif, que Thomas, impuissant, avait plus d'une fois observée.

Thomas s'assit au Thorn Tree, le café de l'hôtel New Stanley situé en plein air, et commanda une bière. Il ouvrit le journal et y jeta encore un coup d'œil. RAVAGES DE LA MALARIA DANS LA PROVINCE DU NORD. UN CHEF D'ÉQUIPE DÉCHIQUETÉ PAR UN LION MEURTRIER. Son regard survola un article sur des conflits territoriaux. Il aperçut le mot « frère » dans un autre à propos d'un homme d'affaires luo assassiné par son propre frère, ce qui lui rappela le sien, Rich, qui arriverait un mois plus tard. Ils iraient ensemble faire un safari à Ngorongoro et dans le parc de Serengeti, et Thomas lui avait promis de l'emmener sur la côte, où l'on pouvait se procurer la dope la plus incroyable qu'il ait jamais fumée. À Malindi, même les femmes chiquaient de la *miraa*, plante dont la tige était une sorte d'amphétamine naturelle. Il ne parlerait pas à Rich du *banghi*, de la *miraa*, ni même des prostituées qui étaient bon marché, superbes et dangereusement malades.

Une ombre traversa la table. Thomas crut à un improbable nuage, mais en levant les yeux il vit un homme qui tournait autour de lui, le sourire aux lèvres, dans l'attente d'être remarqué.

« Ah, Mister Thomas, tu t'es perdu. »

Thomas se leva. « Non, Ndegwa, c'est vous qui étiez perdu mais maintenant vous êtes retrouvé. »

Ndegwa, son professeur, son jumeau, gloussa. Les efforts que faisait Thomas pour imiter le parler africain n'avaient jamais manqué de l'amuser, même tout au début, quand Thomas avait suivi un cours de poésie à l'université de Nairobi, seul étudiant blanc dans une salle remplie d'Africains et d'Asiatiques plus jeunes que lui. Dans son for intérieur, Thomas avait jugé médiocre la qualité de leur travail, même s'il avait été le premier à reconnaître qu'il était impossible de critiquer l'art produit dans une autre culture. Si on les avait interrogés, les autres étudiants auraient sans nul doute affirmé que les poèmes de Thomas reflétaient une certaine complaisance, qu'ils manquaient de contenu politique. Mais Ndegwa n'avait pas eu cette impression. En effet, il avait presque montré une préférence pour Thomas, insigne exploit d'impartialité littéraire, eu égard, notamment, aux opinions marxistes de l'enseignant.

Thomas serra la main à l'imposant Kikuyu dont le corps massif était légèrement incliné vers l'avant dans un costume gris très ajusté, sa peau d'un noir violacé empoussiérée d'une patine qui n'était pas du tout de la poussière mais plutôt de la couleur ajoutée à la couleur. C'était un homme aux larges épaules et au gros ventre, quelqu'un qui, bien sûr, semblait avoir davantage l'étoffe d'un homme politique ou d'un financier que celle d'un poète.

« Tu sais ce qu'ils racontent sur cette bière ? » demanda Ndegwa.

Thomas sourit et fit non de la tête.

« Assieds-toi mon ami, et je vais partager avec toi mon histoire de la Tusker. »

Thomas s'assit, et l'Africain se pencha vers lui avec un air de conspirateur.

« Quand tu es dans mon pays le premier jour, tu regardes dans ta Tusker et tu trouves un ver. Tu es dégoûté et tu donnes la bière au trottoir. »

Sachant qu'une blague n'allait pas tarder, Thomas sourit. Ndegwa était sensuel, avec de lourdes paupières. Il portait une chemise, une cotonnade rêche et épaisse que Thomas avait souvent vue dans le pays.

« Quand tu es dans mon pays depuis un mois, tu regardes dans ta Tusker et tu trouves un ver. Alors tu dis : “Il y a un ver dans ma bière.” Tu le prends calmement, tu le poses sur le trottoir et puis tu bois ta bière. »

Ndegwa gloussait déjà, ses dents colorées de rose. Autour d'eux, des touristes allemands et américains buvaient, le niveau sonore montant au fur et à mesure qu'approchait midi. Thomas aperçut un individu – un Norman quelque chose – qu'il avait connu dans un journal londonien.

« Mais, au bout d'un an, mon ami, tu regardes dans ta Tusker, tu vois le ver et tu dis : “Il y a un ver dans ma bière.” Tu le prends et tu le manges pour les protéines. Et puis tu bois ta bière et tu ne donnes rien au trottoir. »

Ndegwa rit bruyamment de sa propre plaisanterie. Thomas fit semblant de regarder dans sa bière, et les rires du Kikuyu redoublèrent.

« Il est temps de manger le ver, mon ami. Tu es dans mon pays depuis combien de temps ?

— Juste un peu plus d'un an.

— Tant que ça ? »

Malgré sa corpulence, Ndegwa avait une certaine élégance, même assis sur la minuscule chaise métallique du café. Le samedi matin, Kimathi Street était envahie de personnes faisant leurs courses. Le Kikuyu jeta un coup d'œil sur les femmes africaines tandis que Thomas observait les Blanches. Mais une jeune fille – peau cacao, cou de gazelle, crâne rasé – passa devant eux, et Thomas ne put s'empêcher de l'examiner. Elle était vêtue à l'européenne, avec des talons aiguilles rouges, et des anneaux dorés lui enserraient le cou. Elle ressemblait à une esclave exotique bien qu'elle n'eût certainement pas plus de quatorze ans. L'Asiatique qui l'accompagnait était petit et grassouillet, son costume taillé avec soin. Au Kenya, la prostitution enfantine était épidémique.

« Et comment allez-vous ? demanda Thomas une fois que l'adolescente fut partie.

— Oh, je vais bien. Je n'ai pas de malchance. » Éprouvant la foi qu'il avait en cette déclaration, Ndegwa haussa les épaules, le sourire s'évanouit. Brillant professeur, il pouvait, d'un rapide coup de stylo, alléger les vers de Thomas même quand celui-ci l'observait. « Mais mon gouvernement me dit que je ne peux plus écrire de poèmes », ajouta-t-il.

Thomas avala une rapide gorgée de bière, songea au ver. « Pourquoi ? »

Ndegwa se frotta les yeux. « Ils me disent que mes poèmes ridiculisent notre gouvernement et nos dirigeants. »

Ce qui, bien sûr, était le cas.

« Et donc je suis prévenu. »

Brusquement, Thomas se départit de sa suffisance. Ndegwa était meilleur enseignant qu'écrivain, malgré une œuvre obsédante, cadencée, qui vous pénétrait jusqu'aux os, comme la musique. Et même s'ils étaient eux-mêmes rarement inoubliables, les rythmes marqués de sa poésie s'enfonçaient dans votre tête.

« Vous n'êtes pas sérieux.

— Je crains d'être très sérieux. »

Thomas fut désorienté par le calme de son interlocuteur. « Et si vous cessiez quelque temps d'écrire ? »

Ndegwa soupira, se passa la langue sur les dents. « Si on te disait que tes poèmes ne peuvent plus être publiés parce qu'ils révèlent des vérités désagréables sur ton gouvernement et que ton gouvernement veut les cacher à son peuple, cesserais-tu d'écrire ? »

Une décision que Thomas ne serait jamais contraint de prendre. Qu'il n'avait jamais eu à considérer. Des écrits désagréables sur son propre pays, quasiment un passe-temps national.

Ndegwa tourna de côté son corps massif et regarda fixement la foule. Le poète avait un profil bantou. Bizarrement, il portait une montre de femme.

« Dans mon pays, on te donne un avertissement pour que tu puisses régler tes affaires. Et puis on t'arrête. L'avertissement est un prélude à l'arrestation. »

L'homme buvait calmement sa bière. Après l'arrestation, que se passait-il ? se demanda Thomas. La prison ? la mort ? Sûrement pas.

« Vous vivez ça ?

— Je suis en train de le vivre.

— Et votre femme ? Et votre bébé ?

— Ils sont partis chez les miens.

— Mon Dieu !

— Dieu ne m'aide pas trop.

— Vous pourriez fuir. » Thomas, qui pensait comme un Américain, s'efforçait de trouver une solution : on pouvait résoudre tous les problèmes à condition d'être capable d'imaginer la solution.

« Où ? Chez les miens ? Ils me retrouveront. Je ne peux pas quitter le pays. À l'aéroport, ils me confisqueront mon passeport. Et en plus, mon ami, si je m'en vais, ils arrêteront ma femme et mon fils, et menaceront de les tuer si je ne rentre pas. C'est classique. »

Un vendredi, à midi, vers la fin du trimestre, Thomas avait traîné dans la classe tandis que Ndegwa lisait – et peaufinait – un dernier extrait de son œuvre pour ses étudiants. Puis il avait jeté un coup d'œil sur sa montre et déclaré qu'il devait attraper un bus pour Limuru. Son épouse avait donné naissance à leur premier fils un mois plus tôt, et il désirait passer le week-end avec eux dans la *shamba* familiale. Souhaitant repousser le plus possible la légère brume de tension qui allait assombrir le paysage de son week-end avec Regina, Thomas offrit de l'y conduire en voiture, offre que l'enseignant accepta avec joie. Ils pénétrèrent dans les Highlands, longèrent les plantations de thé en empruntant une route qui courait parallèlement à un chemin de terre. Des hommes vêtus d'un costume à fines rayures et des femmes âgées, ployant sous des fagots, regardèrent le véhicule, comme si Thomas et Ndegwa étaient des envoyés en mission diplomatique. En chemin, ils découvrirent qu'ils étaient jumeaux, nés le même jour, la même année. Si Thomas avait été un Kikuyu, précisa Ndegwa, ils auraient été circoncis ensemble à douze ans, isolés de leur famille pendant plusieurs semaines, le temps de devenir des hommes, et de nombreuses cérémonies auraient consacré leur retour au sein de la communauté. Thomas aimait ce concept : dans sa propre culture, ce passage à l'âge adulte était quelque chose de très vague, que nul rituel ne soulignait ni même la conscience de l'événement, défini, si tant est qu'il le fût, par chaque individu selon ses propres critères. Premier verre ? Premiers rapports sexuels ? Obtention du permis de conduire ? Service militaire ?

Parvenus à la fin de la route, Thomas gara la voiture.

Puis ils parcoururent le long et sinueux *murram* menant à un bâtiment rectangulaire au toit bleu en tôle ondulée, bâti en pisé. À part une petite parcelle de terre complètement desséchée devant la maison, tout le terrain était cultivé. La maison se dressait sur une hauteur, et le soleil aveuglant obligea presque Thomas à fermer les yeux. Une femme assez âgée, un *kitenge* noué autour de son corps et une autre étoffe enroulée autour de la tête, surgit de la maison. Ndegwa présenta Thomas à sa mère. Plus tard, il lui expliquerait qu'elle avait un grand trou au niveau de la mâchoire inférieure car on lui avait délibérément arraché six dents à l'adolescence pour rehausser sa beauté. La femme s'avança, serra la main de Thomas et cligna les yeux en écoutant son nom. Derrière elle, les sœurs de Ndegwa sortirent timidement l'une derrière l'autre et le saluèrent exactement comme leur mère l'avait fait. Un feu brûlait d'un côté de la porte d'entrée, et un chevreau était couché sur le dos, la gorge tranchée. En tant qu'hôte, Ndegwa entreprit d'écorcher l'animal. Il n'avait même pas retiré son pardessus. Thomas souffrait de narcolepsie à cause de l'altitude, et la vue du chevreau lui donnait mal au cœur. Il regarda le couteau de Ndegwa faire la première entaille dans la patte et détacher un morceau de peau ensanglanté, puis il se détourna pour examiner les bananiers. Une des femmes, en tailleur-pantalon bleu et chaussures à semelles compensées, s'approcha et se présenta – Mary, l'épouse de Ndegwa. Elle portait une grosse bague en strass. Thomas n'était pas certain d'avoir jamais vu des seins aussi gonflés. Les semelles de Mary s'enfonçaient dans la boue à cause de son poids, mais elles réussirent à franchir l'étroite bande d'herbe qui séparait les bananiers des champs de maïs.

La maison était entourée d'un jardin d'ipomées et de

frangipaniers au parfum tellement enivrant que Thomas désira s'allonger à même le sol. Le paysage légèrement vallonné était morcelé en cultures aux motifs complexes : les nuances de vert suffisaient à elles seules à étourdir le jeune homme. Sur les coteaux, se trouvaient d'autres cases en pisé et tôle ondulée, le ciel était de cet intense bleu de cobalt que Thomas avait fini par attendre dans ce pays. Une journée kényane ordinaire, songea-t-il, serait une occasion de fête à Hull.

Mary ordonna à un enfant de faire bouillir de l'eau sur un réchaud à charbon de bois, puis elle invita Thomas à entrer dans la case.

Un canapé en vinyle rouge et deux fauteuils assortis décoraient la pièce centrale. Au milieu, une petite table en plastique, qu'il dut enjamber pour s'asseoir. Le sol était en terre battue, et Thomas se demanda ce qu'il arriverait en cas de forte pluie. Dehors, de l'autre côté de la porte, le soleil éclairait un paysage aux couleurs si éblouissantes qu'elles faisaient mal aux yeux. Le jeune homme savait qu'il ne serait jamais capable de les décrire : elles avaient quelque chose à voir avec la lumière équatoriale et la qualité de l'air – excellente. Si vous ne pouviez pas décrire les couleurs d'un pays, que vous restait-il ?

Des affiches publicitaires Coca-Cola encadrées et des photos de groupe représentant des membres de la famille en train de poser, le regard sévère, étaient accrochées aux murs. Si improbable que cela pût paraître, une voix américaine, suave et nasillarde, s'élevait d'un électrophone à piles : « *Put your sweet lips a little closer to the phone.* » On proposa à Thomas un verre de bière qu'il but d'une traite. Mary éclata de rire et lui en versa un autre. Le jeune homme s'efforça de ne pas se montrer trop surpris quand elle lui apprit qu'elle aussi était poète et avait obtenu un diplôme de médecine légale à l'université de Kampala. Elle s'était retirée dans la *shamba* familiale pour la naissance de leur premier enfant, qui avait un mois. Elle demanda à Thomas la raison de son séjour dans le pays. Il y était, expliqua-t-il, car Regina avait reçu une bourse pour étudier les répercussions psychologiques des maladies subsahariennes sur les enfants kényans âgés de moins de dix ans. La bourse lui avait été accordée par l'Unicef. Thomas remarqua que, de temps à autre, Ndegwa s'isolait derrière la maison pour discuter avec des hommes venus spécialement le voir, et il pressentit qu'il devait être question de politique.

« Mon mari dit que vous êtes un merveilleux poète.

— Votre mari est très aimable.

— Dans votre pays, écrire des poèmes n'est pas un travail dangereux ?

— Dans mon pays, écrire des poèmes n'est pas considéré comme un travail.

— Dans mon pays, ce peut être très dangereux. Mais vous n'écrivez pas sur mon pays ?

— Non. Je ne le connais pas suffisamment bien.

— Ah, fit Mary, énigmatique, en donnant à Thomas une petite tape sur le genou. Et ce sera toujours le cas. »

Deux sœurs apportèrent une *sufuria* pleine de morceaux de chevreau brûlés. Un tibia dépassait. À l'aide d'une machette, Ndegwa découpa la viande noire et croquante sur une table en bois et fit passer dans la pièce des jattes remplies de cette chair brillante. Thomas garda son assiette sur ses genoux jusqu'à ce qu'il voie Mary manger avec les doigts. La graisse sur le faux diamant produisait un effet incroyable.

Ce fut une expérience douloureuse. Ndegwa présenta à Thomas un saladier rempli de morceaux de choix réservés à l'invité d'honneur. Il lui expliqua qu'il s'agissait des organes de l'animal – cœur, poumons, foie, cervelle – et qu'ils étaient savoureux. Pour encourager son ami, le Kikuyu but le sang qui s'était répandu quand la bête avait été abattue. Thomas, qui était au Kenya depuis six mois, savait déjà qu'il ne pouvait qu'accepter ce mets délicat, sous peine d'être lui-même embarrassé et de faire injure à son hôte. Il ne se souciait pas de sa propre gêne mais se refusait à offenser Ndegwa. Son cœur se souleva. Thomas plongea les doigts dans le récipient, ferma les yeux et mangea.

Autre expérience africaine qui, il l'avait aussitôt deviné, resterait à jamais indescriptible.

Au bout d'un moment, Mary se leva et pria tout le monde de l'excuser – elle ne se sentait pas très bien et devait aller nourrir le bébé. Ndegwa rit et ajouta : « Ses seins sont si gros, elle est devenue un arbre qui ploie. »

Les adieux, Thomas s'en souvenait, avaient duré une heure.

« Maintenant que tu sais où nous trouver, tu reviendras, dit Ndegwa au moment du départ.

— Oui, merci.

— Ne disparais pas.

— Non. Promis.

— Nous mangerons deux chevreaux la prochaine fois.

— Parfait. »

« Quand aura lieu l'arrestation ? demanda Thomas.

— Dans une semaine ? Deux semaines ? Cinq jours ? Je l'ignore. » Ndegwa balançait rapidement la main d'avant en arrière.

« Un poème mérite-t-il que l'on meure pour lui ? »

Le Kényan se lécha les lèvres. « Je suis un symbole pour beaucoup de gens qui me ressemblent. Je suis un symbole plus fort si on m'arrête, car mon peuple entendra parler de moi, lira des choses sur moi, que si je m'enfuis. »

Thomas, qui essayait de saisir l'acte politique, hocha la tête. Tenter de comprendre le raisonnement d'un homme prêt à mettre en danger sa vie et celle des siens pour une idée. L'histoire était faite de gens morts pour des idées. Tandis que Thomas ne pouvait songer à une seule idée qui valût la peine qu'on meure pour elle.

Il voulut dire à Ndegwa que son œuvre était remarquable, qu'elle ne devait pas être sacrifiée à la politique. Mais pour qui se prenait-il ? Dans ce pays à ce point éprouvé, qui pouvait se payer le luxe de s'adonner à l'art ?

« Venez vivre à la maison, offrit-il. On n'ira jamais vous chercher à Karen. »

— Nous verrons », répondit Ndegwa. Sans s'engager, s'étant engagé ailleurs. Déjà arrêté, pour ainsi dire.

L'homme corpulent se leva. Bouleversé, Thomas se leva aussi. Un sentiment d'impuissance le submergea. « Dites-moi ce que je peux faire. »

Ndegwa détourna un instant les yeux. « Tu iras rendre visite à ma femme.

— Oui. Bien sûr.

— Tu vas me le promettre.

— Oui. » Thomas décela-t-il alors, sur le visage de Ndegwa, la plus infime lueur de peur ?

Thomas paya les consommations et quitta le Thorn Tree. Il se sentait étourdi, désorienté. La bière sur un ventre vide. Ou les nouvelles que Ndegwa venait de lui donner. Un individu avec pour seul vêtement un sac en papier s'approcha de lui. Le sac était fendu sur les côtés pour laisser passer les jambes, et l'homme maintenait les deux ouvertures fermées avec ses poings. On aurait dit qu'il portait une couche. Ses cheveux étaient sales et pleins de bouts pelucheux de différentes couleurs. Il se planta devant Thomas – l'Américain, la proie facile. Celui-ci vida ses poches dans une bourse que l'homme avait suspendue à son cou.

Il devait trouver Regina.

Thomas longea la rue qui menait à l'hôtel Gloria, dans lequel sa femme et lui avaient passé leur première nuit kényane sans comprendre qu'il s'agissait d'un bordel. Une substance marron – que Thomas n'avait pas voulu examiner – bouchait l'évier, et à leur réveil leurs corps étaient couverts de puces. Puis Thomas croisa une femme portant dans le dos un enfant aux yeux voilés de mouches. Il avait envie d'un verre d'eau. Les couleurs paraissaient désormais plus voyantes, plus criardes ; les sons plus hardis, plus éclatants qu'une heure auparavant. Thomas se rappela la première fois qu'il avait vu une longue colonne rouge de fourmis brillantes, se rendant compte trop tard qu'elles grimpaient le long de sa jambe. À Gil Gil, une femme nue était étendue, immobile, sur les pavés asphaltés de la cour. Des hommes nus s'étaient accrochés aux barreaux des fenêtres. Ils avaient craché sur ses pieds. Pourquoi y avait-il tant de gens nus dans ce pays ? La vision de son œil droit était en train de se transformer en centaines de points brillants en mouvement. Oh, non, pas la migraine, se dit-il. Pas maintenant. UNE ÉCOLIÈRE MEURT APRÈS EXCISION. Thomas se souvint du rapide de nuit à destination de Mombasa, le rythme des rails sexuellement grisant. Regina et lui avaient partagé une étroite couchette, une nuit de tendresse, comme une trêve. Il lisait *Maurice* de E. M. Forster. Où avait-il laissé le livre ? Il aurait aimé le relire. Les Kényans détestaient les homosexuels, n'en parlaient jamais, comme s'ils n'existaient tout simplement pas. Rich allait venir et peut-être Thomas lui permettrait-il de chiquer. Qu'avait écrit sa mère ? On faisait des queues épouvantables devant les pompes à essence. TROIS AMÉRICAINS DÉCAPITÉS. La voiture serait-elle encore là ? À moins qu'il n'eût pas donné assez d'argent au gamin ? Marmites et vêtements étaient en vente dans la rue. Dans une devanture, une publicité Cuisinart. Regina devait être sérieusement inquiète. La veille, au Norfolk, Thomas avait mangé un toast au fromage, il en avait encore le goût dans la bouche. En réalité, il avait un goût de bière dans la bouche. Les mots. Ils le hantaient la nuit. Un jour, vingt lions étaient passés devant lui. Thomas s'était figé, à côté de sa voiture, incapable même d'ouvrir la portière pour monter dedans. Regina, à l'intérieur, hurlant en silence. À leur arrivée à Keekorok, la batterie était à plat et les quatre pneus complètement usés. Le levier de changement de vitesse lui était resté dans la main. Une autre fois, à l'occasion d'un safari, après que tous les autres eurent quitté le camp, Thomas s'était attardé pour écrire. Des babouins l'avaient attaqué, et il avait dû les repousser à l'aide d'une cuillère en bois et d'un pot en métal. RUGBY : UN SORCIER SOUDOYÉ. UN HOMME TOMBÉ DANS UN PIÈGE À ZÈBRES. Lors d'une réception à l'ambassade, une femme en tailleur blanc l'avait pris pour un espion. À Karen, l'atmosphère avait un goût de champagne. C'était encore mieux dans les Ngong Hills. Thomas désirait ardemment retrouver leur fraîcheur, leur couleur verte. Il appuya la tête contre le mur d'un bâtiment, ciment chaud et rugueux, qui ne l'apaisa pas. Regina avait certainement le médicament dans son sac à main. Si seulement il avait pu trouver un endroit calme. Il se rappela une grotte remplie de milliers de chauves-souris, et Regina, terrifiée, tombant à genoux. Thomas l'avait suppliée de bouger pour finalement devoir la prendre à bras-le-corps et l'obliger à sortir. *Je vais bien. Je n'ai pas de malchance.* Une plaisanterie, qui n'était pas censée être crue. Ndegwa jouait vraiment de malchance. À moins, tout simplement, qu'il ne la provoquât ? RAVAGES DUS AUX PLUIES. DES PAUVRES REGARDENT LEURS MAISONS DÉTRUITES AU BULLDOZER. DÉCOUVERTE D'UNE AMBULANCE PLEINE D'IVOIRE. Regina allait d'abord être furieuse, indignée qu'on l'ait fait attendre. Mais elle s'adoucirait en constatant qu'il avait la migraine.

Sur le marché, Thomas laissa ses yeux s'habituer à l'obscurité. La puanteur s'était encore accentuée, et il s'efforçait de respirer par la bouche. Les gens et les étals prenaient forme, photos surgies d'un bain de révélateur. Il vit une femme en *kanga*, l'étoffe bien enroulée autour des hanches. Elle avait un adorable cul musclé. Ndegwa avait observé les Africaines tandis que lui, Thomas, était en train de remarquer la longue taille fine d'une Blanche, la manière dont son chemisier en coton blousait sur le *kanga*. Il se sentit alors tellement oppressé qu'il dut aspirer l'air fétide.

Ce n'est pas possible, se dit-il. Même s'il savait que ça l'était.

La douleur persista, mais ses idées se remirent en place. Sa vue s'améliora. La jeune femme lui tournait le dos, long dos mince. Un panier sous le bras. Légèrement penchée au-dessus d'un étalage d'ananas dont elle étudiait la maturité. À son poignet droit, une longue succession de bracelets d'argent tintinnabulaient dès qu'elle bougeait la main. Ses jambes étaient nues des chevilles jusqu'à mi-mollet. Thomas examina la fine jambe bronzée, le talon couvert de poussière, les sandales de cuir, usagées. Pouvait-il faire erreur ? Impossible. Là-dessus, il ne pouvait pas se tromper. Les cheveux, un miracle, plus blonds que dans son souvenir. Lâchement noués sur la nuque.

La femme était en train de payer les ananas. Elle se retourna et marcha vers lui. Un instant, elle eut l'air perplexe, le panier de paille dans une main, le porte-monnaie dans l'autre. Son visage était plus maigre, pas aussi rond que l'image qu'il en avait gardée. Même dans l'obscurité du marché, Thomas put voir la croix en or. Et il entendit le cri étouffé.

« Thomas ! »

Elle avança d'un pas.

« Est-ce bien toi ? »

Il enfonça les mains dans ses poches, craignant qu'elle ne le touche par mégarde. Sa présence, une grenade, détonante.

« Linda. »

Sa bouche déjà sèche.

La jeune femme sourit timidement et releva la tête. « Que fais-tu ici ? »

Ce qu'il faisait en Afrique ? La question semblait fondée.

« Je suis là. Depuis un an.

— C'est vrai ? Moi aussi. Presque, en tout cas. »

Linda détourna les yeux juste une seconde, et le sourire réapparut brièvement. Elle n'avait encore certainement jamais vu la cicatrice.

« Comme c'est étrange », fit-il.

Un homme assez âgé vêtu d'une veste bleu roi

s'approcha du jeune homme et le tira par la manche. Thomas était raide, incapable de bouger, de peur de briser en mille morceaux quelque chose d'important. Il regarda Linda sortir des shillings de son porte-monnaie. Calmé, le mendiant s'éloigna.

Assaillie par l'une des odeurs qui flottaient à travers le bâtiment, elle porta la main à son nez. Il crut voir ses doigts trembler. Regina devait être quelque part, à l'attendre. Regina. Il s'évertua à dire quelque chose de sensé.

« Ma femme travaille pour l'Unicef. »

Les mots « ma femme », impossibles, se dit-il. Pas ici. Pas maintenant.

« Je vois. »

Thomas jeta un coup d'œil sur les doigts de Linda en quête d'une alliance. De quelque chose à sa main gauche ressemblant à une bague.

« Tu vis à Nairobi ?

— Non. Je suis coopérante pour le Peace Corps. À Njia.

— Ça me surprend.

— Pourquoi ?

— Je ne t'aurais jamais imaginée travaillant pour eux.

— On change.

— Sans doute.

— Tu as changé ? »

Thomas réfléchit. « Je ne crois pas. »

Le jeune homme avait les lèvres sèches et dut les humecter avec sa langue. Sa respiration était trop superficielle, il avait besoin d'air. La douleur aux tempes était atroce. Regina avait sûrement le médicament dans son sac à main. Thomas porta la main à son front et prit aussitôt conscience de son geste.

« Tu as la migraine. »

Abasourdi, il regarda Linda.

« C'est ce pincement autour de tes yeux. »

Elle qui avait vu ça des dizaine de fois.

« Je n'en ai plus aussi souvent qu'avant. Le médecin me dit que, lorsque j'aurai cinquante ans, elles auront disparu. » Thomas, voulant faire croire à un soupir, inspira une grande quantité d'air.

« Difficile de penser vivre aussi longtemps, dit-elle légèrement.

— J'ai toujours cru que je mourrais à trente ans.

— Comme nous tous. »

Linda avait de longs cils blonds et des yeux d'un bleu délavé où de légères rides rayonnaient déjà au coin. Le visage tanné, ocre. Après l'accident, ils n'avaient pas pu se revoir. La tante et les oncles de la jeune fille le lui avaient interdit. Thomas avait assiégé sa maison des jours durant. Jusqu'à ce qu'on finisse par éloigner l'adolescente. Il ignorait toujours où on l'avait envoyée.

Thomas lui avait posté quatre lettres, toutes restées sans réponse. Puis ce fut l'automne, et il s'était inscrit à Harvard. Linda avait choisi Middlebury. Alors il s'était astreint à renoncer, à considérer le silence de la jeune fille comme une punition.

Une décennie l'avait changée. Désormais, elle avait l'air d'une femme. Ses seins étaient libres sous son corsage et Thomas lutta pour ne pas les regarder.

« Nous vivons à Karen », l'informa-t-il.

Elle hocha lentement la tête.

« C'est à l'ouest d'ici. » Il agita la main dans une direction qui pouvait être l'ouest.

« Je connais.

— Je n'ai jamais eu l'occasion de te dire combien j'étais désolé. J'ai essayé de t'écrire. »

La jeune femme détourna les yeux. Sa gorge était rouge à l'endroit laissé nu par le profond décolleté en V du chemisier.

« Pour l'accident, reprit Thomas. C'était impardonnable. Si je n'avais pas conduit si vite. Si je n'avais pas bu. »

Les yeux de Linda se posèrent rapidement sur lui.

« J'étais là. J'étais autant responsable que toi de ce qui s'est passé.

— Non. C'est moi qui conduisais. »

Elle lui toucha le poignet. Contact à ce point électrique qu'il tressaillit.

« Thomas, n'en parlons plus. C'était il y a des années. Tout est différent maintenant. »

Son *kanga* ne consistait qu'en une seule pièce d'étoffe dont elle s'était ceint la taille comme les Africaines. Il aurait suffi de tirer légèrement dessus pour qu'il glisse jusque sur ses sandales. Thomas ne pouvait pas y penser, ce n'était pas le moment.

« Je veux juste savoir où on t'a envoyée. Je me suis toujours posé la question. »

Linda retira sa main. « Je suis partie vivre chez Eileen à New York. »

Il hocha lentement la tête.

« Puis je suis allée à Middlebury. »

Il respira longuement.

« Il y a tant de choses à rattraper », fit observer Linda. Comme n'importe quelle femme aurait pu le faire. S'efforçant, Thomas le savait, de donner aux choses une certaine normalité.

« Comment va ta tante ? » s'enquit-il, allant dans son sens.

Elle se pinça les lèvres. Haussa les épaules. Ses

relations avec sa tante seraient toujours compliquées. « Comme d'habitude, j'imagine.

— Pourquoi n'as-tu pas répondu à mes lettres ? » demanda-t-il trop vite, incapable, finalement, de maintenir une certaine normalité.

Linda porta une main à sa tempe et fit passer une mèche de cheveux derrière son oreille. « Je n'ai jamais reçu de lettre.

— Tu n'as pas reçu mes lettres ? »

Elle secoua la tête.

Thomas eut l'impression que son cœur se comprimait.

« Alors », reprit la jeune femme. Disparition d'un léger froncement de sourcils. « Tu fais le marché ?

— Oh ! » fit-il. Désorienté. « J'ai fait les courses. Enfin ma part. Mais je dois encore acheter des noix de cajou. » Avec l'espoir qu'elle ne remarquerait pas que son haleine sentait la bière. Il n'était même pas midi.

Du coin de l'œil, Thomas vit Regina approcher. Dans ses bras, un panier de paille rempli de nourriture. La panique enfla en lui. Il lui semblait important de parler à Linda avant que son épouse ne les rejoigne.

« Linda », commença-t-il, mais il s'arrêta. Les mots, cruels et volages, lui manquaient.

Elle leva rapidement les yeux vers lui, et Thomas soutint son regard.

Regina se tenait à côté d'eux ; s'ensuivit un horrible silence. Linda sourit à la jeune femme.

« Bonjour. Je suis Linda Fallon. »

Thomas luttait pour refaire surface. Il jeta un coup d'œil sur son épouse et se demanda si ce nom provoquerait une réaction. En espérant que non.

« Linda, voici ma femme, Regina. »

Regina posa son panier et serra la main de Linda. Son

chemisier rose sans manches était taché sous les bras, ses cheveux en bataille lui collaient au visage. Elle regarda Thomas, ses mains vides. Elle portait un short, et, perfide, il se sentit gêné pour elle.

« Tu n'as pas acheté les fruits ? » demanda Regina. Une légère plainte, même à ce moment-là.

« Ils sont dans la voiture. »

Elle l'observa attentivement. « Tu as la migraine ? »

Linda détourna les yeux.

Thomas s'efforça de prendre une voix normale, en vain. « Linda est une vieille amie. De Hull. »

Regina se tourna vers l'inconnue. « Ah bon ? Vous faites un safari ?

— Non. Je travaille pour le Peace Corps.

— À Nairobi ?

— À Njia.

— Ah bon. Et que faites-vous ?

— J'enseigne.

— Ouah ! » Le « ouah » automatique, dépourvu d'émotion. Derrière Linda, le marchand remballait ses fruits.

« Ils ferment », constata Thomas. Torturé entre son désir de voir les deux femmes se séparer au plus vite et celui de faire éternellement durer sa conversation avec Linda. Il avait tant de questions à lui poser, des questions qu'il ressassait depuis des années.

Linda, ostensiblement, regarda l'heure. « Je dois me sauver. Peter m'attend pour aller déjeuner. »

Ce prénom, un coup violent en plein cœur. Qu'un Peter existât était sans doute prévisible, mais le prénom bouleversa quand même Thomas.

Linda se tourna vers Regina. « J'ai été très heureuse de faire votre connaissance. » Elle jeta un coup d'œil sur Thomas. Ne trouva rien à lui dire. Préféra sourire.

Thomas la regarda s'éloigner, tout le sang qui coulait dans ses veines la suivait.

Il se pencha pour prendre le panier de Regina. Se trouver quelque chose à faire pour cacher le vide en lui. Sa femme se tut tandis qu'ils avançaient entre les étals, en plein sous le soleil de midi.

« Elaine et Roland veulent nous avoir à dîner. »

Roland, le directeur de thèse de Regina, était un sale con, mais la perspective de cette réception soulagea le jeune homme. Il ne se sentait pas capable de supporter une longue soirée seul avec son épouse dans le cottage. Pas ce soir-là.

« Ce n'est pas la fille avec qui tu es sorti quand tu étais au lycée ? »

Faire un suprême effort pour avoir l'air désinvolte, lassé même. « Pendant deux ou trois mois.

— Et tu n'as pas eu un accident de voiture avec elle ?

— Elle était dans la voiture. »

Regina hocha la tête. « Je m'en souviens maintenant. Tu me l'as raconté. »

Thomas mit le panier dans le coffre. Il ouvrit la portière du côté du conducteur et se glissa à l'intérieur, le siège chaud au point de lui brûler les cuisses. Dans l'attente d'un pourboire, le gamin l'observait. Thomas baissa sa vitre, et en un clin d'œil le garçon fut près de lui.

Regina s'installa à côté de son mari.

« Les blondes ne devraient pas s'exposer autant au soleil. Tu as remarqué comme sa peau est abîmée ? »

7

Thomas se tenait sur la véranda, chez Roland, un verre de Pimm's à la main, et le cœur dilaté par une sensation qu'il croyait être de la joie – il n'avait rien éprouvé de semblable récemment. Une sensation qui le parcourait jusqu'aux cuisses. En début de soirée, arrivé au milieu d'un tourbillon d'apartés effrontés mais paradoxalement accueillants – *Roland, tu ne trouves pas bizarre cette façon qu'ont les Américains de se rendre partout à pied ? Et cette robe que j'aime* –, le jeune homme, avare de cette attention qu'on arrachait de lui contre son gré, avait donc cherché refuge sur la véranda, où il pouvait être seul.

Thomas se rendait compte qu'il était amoureux. À supposer, bien sûr, qu'il l'eût jamais été. Depuis ce jour de 1966 où une fille en jupe grise et chemisier blanc avait franchi le seuil d'une salle de classe. Comme si, toutes ces années, il s'était simplement laissé distraire, ou lassé de ne chérir que des souvenirs. Puis, contre toute attente, il était revenu à un juste état. Qui lui était non pas rappelé mais restitué. Comme un aveugle, jadis capable de voir, apprendra à s'accommoder à cette condition, à s'adapter à son univers obscur, et des années plus tard, quand il recouvrera la vue – événement stupéfiant –, comprendra combien ce monde passé avait été resplendissant. Et tout cela à partir de rien, d'une rencontre fortuite et de l'échange d'une dizaine de phrases – petits miracles en eux-mêmes.

La véranda donnait sur un jardin d'hibiscus et d'ipomées, et de ces dernières émanait une lueur spectrale provenant des lampions suspendus aux arbres. À l'équateur, le soleil se couche à six heures l'année durant, lumière qui s'éteint sans excuse ni déclin, ce qui déconcertait Thomas. La lente filtration des soirées d'été lui manquait, et même le lever du jour dont il avait rarement été témoin. À sa grande surprise, la neige aussi lui manquait et, de temps à autre, le jeune homme en rêvait. Ayant maintenant devant les yeux un avocatier lourd de fruits – si proche qu'en se penchant il aurait pu cueillir l'une de ces poires vertes et squameuses –, Thomas se rappela qu'il n'avait jamais mangé d'avocat avant d'entrer à l'université, fruit trop exotique pour la table calviniste de sa mère.

Roland avait insisté pour lui offrir un Pimm's, cette boisson douceâtre à base de gin, bien que Thomas eût préféré une simple bière. Roland, qui faisait de pressantes déclarations avec une assurance étonnante, était aussi autoritaire à la maison qu'au travail. Écoutez-le bien, une certaine anarchie tribale allait régner à la mort de Kenyatta. Si un Africain achetait une maison européenne, il fallait s'attendre à ce qu'elle tombe en ruine. Il était également évident qu'on ne pouvait jamais faire confiance à un Asiatique. Thomas, qui n'avait aucune opinion là-dessus, jugeait consternant ce racisme reconnu – non, *brandi* plutôt. Quant à Roland, il trouvait le jeune homme d'une naïveté désespérante, et le disait.

D'une naïveté amusante, en fait. Un Américain sérieux représentait un divertissement. Vous verrez, se plaisait-il à ajouter.

L'air de la nuit flottait autour des bras de Thomas, nus jusqu'au coude. Au loin, il perçut de la musique et un rire féminin qui s'évanouissait. De la fumée s'élevait du garage en ciment où vivait la domesticité, posant comme toujours la question du degré : cette réclusion dans un garage en ciment se distinguait-elle, si peu que ce fût, de l'esclavage ? Et sous-jacent à cette réflexion, le désir de savoir : où était Linda à présent ? Que faisait-elle en cet instant même ? Thomas l'imagina dans une case en pleine brousse – pourquoi ? Il aurait été incapable de le dire. L'idée qu'il se faisait du Peace Corps, sans doute, évocateur de bonnes œuvres et de douces souffrances. Ils auraient pu si facilement se rater sur le marché, et ne jamais savoir que l'autre vivait dans le pays. Cette pensée suffit à Thomas pour que ses genoux se dérobent sous lui. Il revit la légère courbe de la taille et des hanches, la façon dont les seins se balançaient sous le corsage. Un désir, qu'il n'avait pas ressenti depuis l'adolescence, lui fit mal aux os.

Les doigts de Linda avaient tremblé lorsqu'elle les avait portés à son visage ; Thomas était certain de l'avoir vu. Cependant, la jeune femme avait paru si calme, si extraordinairement tranquille. Cette rencontre fortuite avait-elle compté ou la considérerait-elle comme un moment de nostalgie, quelque chose à écarter si l'on voulait continuer à vivre ? Il semblait impossible qu'ils se fussent oubliés. Et pourtant, lui avait épousé une autre femme et elle était avec un homme qui répondait au nom de Peter. Thomas se représenta un universitaire anémique sans autre motif que de souhaiter qu'il en fût ainsi. Il se demanda s'ils vivaient ensemble, supposa que tel était le cas. Tout le monde n'en faisait-il pas autant aujourd'hui, surtout dans ce pays de licence et d'amours illicites ?

Thomas se tourna légèrement, s'appuya sur la balustrade et, par les fenêtres à battants, regarda à l'intérieur d'une pièce qu'Elaine appelait la salle de réception, autre exportation britannique anachronique dans un pays où presque tout le monde vivait dans une case. À cette seule soirée, Thomas pouvait dénombrer trois liaisons dont il connaissait l'existence, mais qui aurait su dire combien d'autres se cachaient derrière ce modeste chiffre ? Roland lui-même, couchait avec Jane, la meilleure amie d'Elaine, et le plus curieux, d'après Regina, c'était qu'Elaine était au courant et s'en fichait. D'où la question : avec qui couchait Elaine ? Elaine majestueuse, qui n'aurait pu s'en passer. Elaine dégingandée, au visage sévère, au teint noisette, et aux cheveux presque platinés par toute une existence passée à l'équateur. Elaine arrogante, née au Kenya, et qui un jour avait déclaré à Thomas d'un ton froissé qu'elle était citoyenne kényane (ce qui, pour autant, ne paraissait pas l'avoir transformée en Africaine, s'était dit le jeune homme). Elle élevait des chevaux, avait des cuisses de cavalière. Une beauté exceptionnelle, mais une personnalité aussi dure que son visage. Pire que Roland lorsqu'il s'agissait de cacher son mépris pour les Américains. À cet instant, Elaine leva les yeux et vit que Thomas la fixait. Le jeune homme détourna aussitôt le visage. Elle pourrait mal interpréter ce regard, pourrait même flirter avec lui plus tard.

Mon Dieu, songea-t-il en se tournant vers la balustrade. Il ne manquait plus que ça.

La migraine avait duré des heures et Thomas avait apprécié l'obscurité de la chambre. Regina bricolait dans la cuisine avant d'aller lire sur la véranda. Dans l'intimité de la pièce, il connut la joie, même en cet instant, même à travers l'écœurant brouillard de la douleur. Et lorsque l'insupportable s'éloigna, le bonheur le rendit presque euphorique. Le jeune homme rejoua encore et encore la conversation qu'il avait eue avec Linda sur le marché, la répétition des phrases semblable à un poème qu'il tentait de mémoriser.

Est-ce bien toi ?
Comme c'est étrange.
Tu as changé ?
C'était il y a des années. Tout est différent maintenant.

Thomas perçut derrière lui le léger déclic de la porte donnant sur la véranda. Il adressa au ciel une rapide prière pour que ce ne fût pas Elaine.

« Notre rimailleur à demeure. »

Roland, un verre généreusement rempli d'une boisson dorée à la main, se glissa jusqu'à lui et s'accouda à la balustrade en fer forgé, une position qui avait l'air, mais ne pouvait être, confortable. Ses bras étaient emmaillotés dans quelque tissu pour chemises synthétique, tissu, vous informait-il, envoyé spécialement de Londres.

« Je ne rime pas.

— Ah bon ? Je ne m'en étais pas rendu compte. »

L'homme but une petite gorgée avant d'écarter de son front une mèche de cheveux gras. Émanait de lui une forte odeur dominée par celle de l'eau de Cologne. Sans parler de sa redoutable haleine, perceptible à un mètre. Les Britanniques ne prenaient qu'un ou deux bains par semaine ; eh bien, ici, personne n'en prenait.

« Mais où peut-on se procurer vos livres ?

— Il n'y a pas de livres. »

Thomas était convaincu qu'ils avaient déjà eu cette conversation des mois plus tôt.

« Oh, quelle déception ! »

Le pantalon de Roland, également du synthétique, lui serrait les cuisses et faisait des plis sur ses chaussures. Il portait un gros bracelet-montre en argent trop large pour lui.

« Brochures ? Canards ? s'enquit Roland, avec une apparente insouciance.

— Magazines littéraires, répondit Thomas qui regretta aussitôt la note d'orgueil.

— J'imagine qu'il y a un marché pour ce genre de choses aux États-Unis ? »

Thomas se demanda où se trouvait la maîtresse de Roland ce soir. Jane, dont le mari organisait des safaris et qui, de façon fort opportune, était souvent absent. Dont le mari, lors de soirées, se plaignait bruyamment de n'être plus autorisé à tirer le gibier.

« Aucun.

— Pas possible ! s'exclama Roland, légèrement consterné. Regina doit bien s'en sortir alors ? » Il voulait dire financièrement.

Thomas réfléchit, puis lui donna tort en révélant qu'il permettait à sa femme d'étudier.

« Il y a un Ougandais ici, y dirige une revue, y pourrait vous être utile, déclara son interlocuteur, l'air revêche, en se penchant tel un conspirateur vers le jeune homme. Bien sûr, c'est une petite revue minable, remarquez, et le type est plutôt un pauvre mec, mais j'imagine qu'il vaut mieux être publié là que de ne pas l'être du tout ? »

L'homme s'adossa à la balustrade et embrassa du regard l'ensemble de ses invités.

« Et pourquoi nous isoler sur la véranda, si je peux me permettre ? » s'enquit-il, s'autorisant à poser la question. Il sourit, avala une petite gorgée. Sa condescendance était intolérable. Le « nous » mit Thomas à cran.

« En fait, je pensais à Jane », lâcha ce dernier.

Mélange de mobilier arabe en provenance de la côte et de meubles anciens anglais pour donner à la pièce un style surchargé qui aurait eu besoin d'être retravaillé ; malgré la présence d'un superbe secrétaire que Thomas avait déjà admiré et qu'il admirait encore ce soir. Le jeune homme examina les livres posés derrière les vitrines à tout petits carreaux. Aucune surprise, rien que des classiques : Dickens et Hardy, T. E. Lawrence et Richard Burton. Il demanderait peut-être à Roland de lui prêter le Burton. Un Africain en uniforme blanc prit son verre et lui demanda, avec un mélodique accent kikuyu, s'il désirait un autre Pimm's. Thomas secoua la tête, le médicament contre la migraine se mélangeait à l'alcool ; il se sentait paf et groggy. Avec une terrible envie de dormir.

Dans un coin, Regina parlait à un petit garçon. Ses cheveux étaient nattés, une coiffure que Thomas affectionnait, elle le savait. La robe rouge sans manches laissait voir ses bras hâlés par de longs après-midi passés dans des dispensaires en plein air. Son cou était moite de chaleur, minuscules grains d'humidité sur la peau. Autrefois, Thomas avait ressenti le besoin impérieux de faire l'amour à sa femme. Le jour où ils s'étaient rencontrés dans une quincaillerie de Boston – elle, en T-shirt jaune et salopette, à la recherche d'une binette ;

lui, faisant la queue à la caisse, une ventouse à la main –, le jeune homme avait remarqué la peau fine comme de la porcelaine, les seins étonnants se dessinant sous le plastron de la salopette, et il avait irrésistiblement voulu attirer son attention. Il avait suivi Regina jusqu'à sa voiture, feignant un intérêt pour le jardinage qui n'avait pas survécu à la soirée. Au lit, cette nuit-là, dans l'appartement de la jeune femme (*vautrés* au lit, se dit-il maintenant), Thomas avait reconnu tout ignorer du jardinage, et elle avait ri en disant qu'il était transparent comme le verre. Avant d'ajouter qu'elle s'était pourtant sentie flattée, réflexion que le jeune homme ne saisit que des mois plus tard quand il comprit à quel point son épouse détestait son corps imposant. Mais il était alors trop tard. Thomas réfléchit à ces mots, « trop tard ». Une interprétation fatale qu'il n'avait jamais vraiment élaborée jusque-là. La rencontre fortuite avec Linda était déjà en train de réorganiser sa pensée.

Regina – cheveux fouettés et blondis par le vent et le soleil – se pencha vers l'enfant venu dire bonjour aux invités. Il semblait timide et malheureux, même si la jeune femme savait obtenir un sourire à force de cajoleries, ce qu'elle allait peut-être bientôt réussir à faire. Le gamin, à peine dix ans, avait l'air adorable. L'année suivante, son père l'enverrait en pension en Angleterre. Thomas y voyait une mesure éducative extrêmement sévère, la culture de Roland lui étant parfois aussi étrangère que celle des Africains. Regina fit signe à son mari de les rejoindre.

« Tu te souviens de Richard », dit-elle de cette voix enjouée que les adultes utilisent en présence des enfants.

Thomas tendit la main, et le garçonnet la lui serra, les os fins presque perdus dans la poigne de l'homme.

« Comment allez-vous ? demanda-t-il poliment, les yeux posés partout sauf sur Thomas.

— Très bien, et toi-même ? » Le jeune homme se pencha légèrement vers l'enfant, qui haussa les épaules. Ses bonnes manières n'allaient pas plus loin.

« Richard me racontait qu'il allait participer à un concours équestre demain à Karen. Il nous invite. »

Thomas pouvait à peine imaginer le garçonnet maîtriser un cheval, et encore moins courir. Même si, fils d'Elaine, il avait dû grandir au milieu des chevaux. Un jour, Regina et lui avaient été invités à participer à une chasse à courre à Karen, un anachronisme ou il ne s'y connaissait pas : les verres de sherry sur des plateaux d'argent, les manteaux écarlates, l'énorme bas-ventre des bêtes frôlant le dessus des haies. Les haies de Karen, songea Thomas. Elles en disaient long.

« Bonne idée », approuva-t-il en se demandant une fois de plus, alors même qu'il parlait : où se trouve Linda à présent ? En cet instant même ?

« Tu es plutôt silencieux ce soir. » Réflexion de Regina, une fois Richard parti, appelé par sa mère.

« Ah bon ?

— Tu te conduis presque grossièrement.

— Avec qui ?

— Elaine et Roland, pour commencer.

— Vu que Roland vient d'exprimer sa plus profonde compassion devant le fait que je suis un poète raté, entretenu par sa femme, je crois que je n'en ai rien à foutre.

— Thomas ! »

Derrière Regina, Elaine les observait très attentivement.

« C'est la migraine, reprit le jeune homme en

cherchant une explication acceptable pour son épouse. Du coup, cette journée ne m'a pas paru normale. »

Regina glissa un doigt entre les boutons de sa chemise. « Aucune de tes journées n'est normale. »

Thomas prit le doigt pour ce qu'il était. Une fois qu'ils seraient rentrés chez eux, Regina voudrait faire l'amour.

« Je sais que tu as eu la migraine, chuchota-t-elle. Mais c'est le soir ou jamais. »

Il eut un serrement de cœur.

« J'ai fait ma courbe », ajouta-t-elle, peut-être sur la défensive.

Thomas hésita juste une seconde de trop, puis s'efforça de passer un bras autour de sa femme. Mais elle s'écarta un peu, ayant déjà perçu de sa part une certaine distance ou une légère panique. Et Thomas eut l'impression que, trop souvent, il la blessait sans le vouloir.

« J'imagine que tu as appris la nouvelle. » Voix plus calme, baromètre en baisse, Regina détourna la tête et but une petite gorgée de rosé.

« Quelle nouvelle ? s'enquit son mari, que l'ignorance rendait circonspect.

— Ils ont arrêté Ndegwa. »

Thomas se contenta de regarder dans le vide.

« Cet après-midi. Vers cinq heures. Norman Machin Chose, ce journaliste de Londres, vient de me le dire. »

La jeune femme fit un geste en direction de Norman Machin Chose. Constata la surprise de Thomas. Il serait injuste d'affirmer que sa peine lui faisait plaisir.

« Impossible », répliqua-t-il. Démonté devant l'impossible, pour la seconde fois de la journée. « Je l'ai vu à l'heure du déjeuner. J'ai pris un verre avec lui au Thorn Tree. »

Regina, qui ignorait que son mari avait pris un verre au Thorn Tree, posa sur lui un regard sévère.

« Il s'est fait arrêter à l'université. Des gens manifestent en ce moment même. »

Écœuré, Thomas ne parvenait pas à assimiler la nouvelle.

« Il doit avoir un nombre incroyable de partisans, ajouta son épouse, désormais aussi attentive qu'Elaine.

— Mon Dieu ! » s'exclama Thomas, secoué par cette éventualité devenue réalité. Il songea à la désinvolture avec laquelle Ndegwa avait examiné les Africaines. À l'histoire du ver.

« Suffisamment important tout de même pour qu'on en parle à Londres », précisa Regina.

Thomas attendait dans la chambre, pièce uniquement éclairée par la lune, la lumière bleutée dessinant le contour des étranges meubles de femme qu'on leur avait prêtés après le cambriolage : la coiffeuse avec son volant de chintz ; le canapé d'un certain âge ; l'imposante armoire en acajou dont la porte ne fermait pas tout à fait, et dans laquelle ils rangeaient tous deux un nombre ridicule de vêtements. Thomas imagina cette armoire, à la décoration surchargée, transportée par bateau de Londres à Mombasa, puis acheminée depuis la côte sur une charrette. Le trésor d'une femme, un meuble sans lequel elle ne partirait pas en Afrique, avait-elle déclaré. Qu'était devenue cette femme ? se demanda Thomas. Était-elle morte en couches ? Avait-elle eu peur durant ces longues nuits pendant lesquelles son mari partait en safari ? Avait-elle dansé au Muthaiga Club tandis qu'il faisait l'amour à sa meilleure amie sur la banquette arrière de sa Bentley ? Avait-elle souffert de paludisme chronique dans ce lit même ? Ou avait-elle bruni, s'était-elle endurcie, comme Elaine, la langue acérée par l'ennui et la poussière ? La maison représentait un avantage en nature lié à la bourse de Regina, et son luxe inespéré les avait tous deux surpris à leur arrivée dans le pays. Au départ, la jeune femme avait regimbé à l'idée d'habiter Karen, mais les bougainvillées et la porte à double vantail de la cuisine l'avaient séduite avant même qu'ils aient pris leur gin-tonic sur la véranda. Maintenant, Regina adorait la maison et ne pouvait plus imaginer retourner aux États-Unis. Ne pouvait plus, d'ailleurs, imaginer vivre sans les domestiques : le cuisinier, le jardinier, et l'*ayah* qu'ils engageraient si seulement elle donnait naissance à un enfant.

Derrière la porte de la salle de bains, Thomas percevait le bruissement de bras et de jambes dans l'eau de la baignoire à pieds de griffon. Il savait que Regina allait bientôt enfiler la chemise de nuit noire en soie et dentelle qu'il lui avait achetée au cours d'une halte à Paris, cédant à un caprice dû au mal du pays, alors que le couple était en route pour l'Afrique. Une chemise de nuit que son épouse portait dès qu'elle se croyait féconde ; une chemise de nuit qui, désormais, exhalait un relent d'échec, son pouvoir de séduction depuis longtemps usé, comme un parfum de femme qui s'évanouit. Si seulement il avait pu, d'une manière ou d'une autre, signaler à Regina qu'elle ne devait plus mettre ce truc-là – curieusement, Thomas avait même songé à cacher la chemise de nuit – mais il était à peu près sûr qu'elle interpréterait mal cette remarque, se sentirait personnellement visée, croirait que son mari la trouvait trop grosse. Un mot que Thomas n'avait jamais employé, ni même suggéré, le dégoût que Regina ressentait pour son propre corps étant tel qu'à ses yeux tout le monde partageait cette image déformée. Cela lui avait gâché la vie, Thomas s'en rendait compte, de même qu'un bec-de-lièvre ou un membre difforme peut altérer l'avenir. Rien de ce qu'il pourrait dire ou faire n'effacerait l'image que sa femme avait d'elle-même, et le jeune homme estimait que le mal avait dû être fait quand elle était petite, même s'il jugeait vain d'en rejeter la responsabilité sur le père ou la mère.

Thomas se leva et se tint nu devant la fenêtre. Dans l'étrange lumière, il distinguait uniquement les jacarandas et les euphorbes, une odeur de jasmin flottait dans l'air. En rentrant de la soirée, légèrement soûl, il avait été assailli par une foule de souvenirs, morte-eau qu'il fut incapable de retenir, même quand Regina lui dit d'une voix rouillée : « Thomas, tu écoutes ? » L'incarcération de Ndegwa le préoccupait, avait-il allégué, assurément, bien que ce ne fût pas la raison de ce flot nostalgique. Dans la voiture, il avait vu une jeune fille – c'était effectivement une adolescente à l'époque – entrer, retardataire, dans une salle de classe qu'élèves et professeur emplissaient déjà, la démarche assurée, une déclaration, une surprise. La jupe anthracite ne lui arrivait qu'à mi-cuisse, longueur choquante au lycée. Bouche bée, tous les garçons, et même l'enseignant, avaient examiné les longues jambes (longues comme des verges, se disait maintenant Thomas) et la chemise de coton blanc, insuffisamment boutonnée, qui ouvrait sur un profond décolleté en V. (Aujourd'hui encore, un corsage de coton pouvait exciter Thomas, stimulus légèrement déconcertant dans un pays où jupe courte et chemisier de coton blanc étaient *de rigueur* [1] chez les lycéennes.) La jeune fille s'était immobilisée sur le

1. En français dans le texte. *(N.d.T.)*

seuil, manuels à la main, chewing-gum dans la bouche, et Thomas s'était attendu à ce que monsieur K. lui aboie l'ordre de le cracher. Mais même monsieur K. était devenu muet, tout juste capable de s'enquérir de son nom et de le cocher sur sa liste, les doigts tremblants. D'une façon ou d'une autre, Thomas avait déjà compris à l'époque que jupe, corsage et chewing-gum ne correspondaient pas à cette jeune fille, qu'elle se déguisait. Il se demanda aussitôt comment il avait pu ne jamais l'apercevoir ; il savait qu'il l'aurait alors suivie des jours durant jusqu'à l'obliger à lui adresser la parole. L'adolescente n'avait pas l'air effrontée mais plutôt circonspecte, et Thomas avait deviné que ce masque cachait peut-être la peur ; que c'était quelqu'un dont on pouvait facilement profiter. Il l'avait adjurée intérieurement de choisir la place située à côté de la sienne, l'une des six ou sept restées vides dans la salle (en fait, il avait *prié* : « Mon Dieu, faites qu'elle s'asseye à côté de moi »), et par miracle, comme s'il suffisait de vouloir ou de désirer, ou que Dieu Lui-même fût intervenu, la jeune fille avança, hésitante, et s'assit derrière lui. Thomas en avait ressenti un tel soulagement que, pour la première fois de sa vie, il s'était fait peur.

Il entendit la baignoire se vider dans la salle de bains. L'eau chaude aurait certainement rosi le corps de Regina. Il l'imagina nue et tenta de faire naître en lui quelque appétit, tout en se caressant sans enthousiasme. Jadis, le désir qu'il éprouvait pour sa femme était irréfléchi, automatique, mais aujourd'hui il devait oublier son froncement de sourcils, sa voix geignarde sur le marché, le fait qu'elle méprisait son propre corps. En cherchant à oublier, il ne réussit pourtant qu'à se rappeler – série d'images remplacée par une autre, projection de diapositives qu'il ne put contrôler. Une jeune fille sautant d'une jetée dans la nuit d'octobre. Un sac marin lancé haut et loin dans la mer. Un sombre dédale de pièces minuscules, sentant l'oignon et la lotion pour bébé. Faire glisser un corsage sur la douce protubérance anguleuse d'une épaule, une image qui avait conservé sur lui son pouvoir érotique pendant des années. Une petite fille portant un tricycle.

Regina ouvrit la porte de la salle de bains, et la lumière inonda la chambre. Elle n'avait pas mis la chemise de nuit mais portait un *kitenge* enroulé autour des hanches. Thomas ne saurait jamais s'il s'agissait d'un geste délibéré ou purement inconscient, et son cœur se souleva. Regina éteignit la lumière de la salle de bains et se tint, provocante, dans l'embrasure de la porte, ses seins tels des globes blancs au clair de lune. Le jeune homme ne disposait que de quelques secondes, et encore, avant que sa femme ne constate son hésitation et se couvre. Alors la nuit finirait dans les larmes et les excuses, les mots que tous deux regretteraient. Au loin, comme il lui arrivait parfois la nuit, Thomas entendit des tambours et des chants. Des Kikuyu catholiques, il le savait, de retour d'une messe de minuit. Un ibis réveillé croassa, et un singe, perturbé, poussa son gros cri horrible. Il s'avança vers Regina et se prépara à lui dire qu'elle était belle.

8

« Je ne comprends pas. On est dimanche.
— J'ai promis à Ndegwa.
— Promis quoi ?
— D'aller voir sa femme.
— Ça avancera à quoi ?
— Probablement à rien. C'est juste une promesse, Regina.
— Pourquoi ne pas m'avoir dit que tu avais pris un verre avec lui ? »

Thomas se dirigea vers sa voiture, une fois de plus surpris de la trouver encore dans l'allée. À l'intérieur de la maison, Regina rageait et serait sans doute toujours en train de rager lorsqu'il rentrerait dans la soirée. Le jeune homme avait proposé à son épouse de l'accompagner, mais – se montrait-elle entêtée ou devait-elle étudier – Regina avait décliné l'offre peu enthousiaste de son mari. Non sans pourtant lui avoir au préalable déclaré (bras croisés, moue affligée) qu'elle avait prévu d'aller pique-niquer dans les Ngong Hills, projet qui, de toute évidence, devrait être abandonné. Ce mensonge avait fait grimacer Thomas, mais il se sentit soulagé lorsqu'elle finit par reconnaître que le trajet était simplement trop long. Il mourait d'envie de se retrouver seul.

Thomas quitta l'allée ombragée de jacarandas et parcourut Windy Ridge Road en direction du centre-ville, s'émerveillant, comme il le faisait souvent, devant les haies de Karen – murs épais et impénétrables dérobant à la vue des moins privilégiés certains domaines. Karen, du nom de son habitante la plus célèbre, Karen Blixen (« *J'ai possédé une ferme en Afrique...* »), avait jadis été une enclave presque exclusivement blanche, espèce de mini-Cotswold Hills faite d'onduleuses exploitations, d'écuries aux clôtures blanches, et d'un penchant, chez les expatriés d'origine britannique, pour les courses de chevaux et la boisson. Des patronymes africains apparaissaient désormais, disséminés parmi les écriteaux placés à l'entrée des allées – Mwangi, Kariuki, Njonjo – où vivaient de riches Luo, Kikuyu ou Kalenjin, élite africaine, dont l'argent avait souvent été mystérieusement acquis par le biais de la politique. Et toujours, au bout de ces allées, le panneau omniprésent : *Mbwa kali*. Chien méchant.

L'Escort entra dans Nairobi en faisant des embardées sur Ngong Road, son pot d'échappement troué s'annonçant bruyamment à quiconque se trouvait sur l'hippodrome ou dans la Ngong Forest. Thomas traversa les rues de la ville, calmes en ce dimanche matin, et prit la direction de Limuru, le paysage s'identifiant à un journal qu'il aurait tenu dans le pays : l'Impala Club où il jouait au tennis avec le responsable kényan d'Olivetti ; l'arboretum où Regina et lui s'étaient un jour endormis après avoir fait l'amour ; la maison de l'administrateur de l'Unicef où, nostalgique, il s'était soûlé au whisky. Thomas n'était allé qu'une seule fois à la *shamba* de Ndegwa, et il espérait bien se souvenir de la route qui menait aux abords des Central Highlands, jadis baptisées « la Vallée du Bonheur » à cause de la licence sexuelle et de l'excès d'alcool des expatriés anglo-kényans à qui appartenaient les immenses plantations de blé et de pyrèthres. La révolte des Mau-Mau et l'indépendance avaient mis un terme à la fête, les vastes exploitations ayant été morcelées en lots sur lesquels poussaient maintenant bananes, manioc, haricots, pommes de terre et thé. La couleur des plantations de thé ne cessait d'impressionner Thomas : ce vert émeraude en apparence irisé, qui renfermait en lui à la fois l'essence de la lumière et de l'eau.

À Limuru, le jeune homme acheta un paquet de Players dans une *duka*, demanda au vendeur comment se rendre à la *shamba* de Ndegwa, remarquant au passage la facilité avec laquelle celui-ci le lui expliqua, comme s'il s'agissait d'une route très fréquentée menant à un lieu de pèlerinage touristique. Thomas se rappela le chemin lorsqu'il le vit, simple bordure sinueuse d'une colline en terrasses. Il se gara au milieu d'un déploiement de véhicules : bicyclettes noires avec garde-boue rouillé et panier d'osier, 504 Peugeot aux sièges recouverts de peau de mouton, fourgonnette blanche semblable à la camionnette d'un boulanger. Au-delà, un cercle d'hommes étaient assis avec nonchalance sur des bancs, tels des frères ou des oncles qu'au terme d'un repas les femmes restées dans la cuisine auraient expédiés dehors. Ils s'écartèrent pour laisser passer Thomas, présence insignifiante, sans cesser de converser, surtout en kikuyu avec des passages en swahili que Thomas reconnut, et même des expressions anglaises quand seule cette langue convenait. *Methyl bromide. Irrigation systems. Sophia Loren.* La plupart étaient des *mzee*, des anciens, vêtus d'une veste sport poussiéreuse chapardée à une vente de charité anglicane. Parmi eux se distinguait un Africain de haute taille qui portait de grosses lunettes cerclées d'or et un costume façon Nehru avec un col magnifiquement coupé. L'homme, le port imposant, bougeait à peine un muscle. Cette scène évoqua à Thomas une veillée mortuaire. De temps à autre, des femmes apportaient de la cuisine des plats de *matoke*, *irio* et *sukimu wiki*. Thomas refusa poliment la nourriture mais accepta une calebasse de *pombe*, cette bière à base de banane et de sucre à laquelle il avait déjà goûté. Des courants d'air frais dérivaient au-dessus des terrasses, et au loin, dans un autre précipice, de l'eau tombait silencieusement en cascade. L'étrangeté et la beauté du lieu, les couleurs chaudes et intenses, inspiraient au jeune homme une certaine crainte révérencielle. Un individu apparut sur le seuil de la maison et fut raccompagné jusqu'à la sortie par l'une des sœurs de Ndegwa. Elle regarda Thomas mais l'ignora au profit de l'Africain au port d'exception. Il comprit alors que les anciens, comme lui-même, souhaitaient être reçus par l'épouse du poète.

On fit attendre Thomas une heure et demie mais, curieusement, il ne s'impatienta pas. Il pensa à Linda, occupation sans fin, épuisant chaque détail de leur brève rencontre sur le marché : l'expression de surprise sur son visage au moment où elle l'avait aperçu, sa manière de détourner le regard quand Regina avait prononcé le mot « migraine », la façon dont ses doigts avaient tremblé. Le jeune homme but plusieurs calebasses de *pombe* et eut conscience d'être vraiment soûl, ce qui ne semblait pas de circonstance. Parfois, l'un des *mzee* africains se mouchait par terre, une coutume à laquelle Thomas ne s'habituait pas, même après une année passée dans le pays. Il tenta de composer un poème mais seules d'étranges images désincarnées lui vinrent qui, il le savait, ne se fondraient jamais pour former une seule entité. Quand il ressentit une envie pressante d'uriner, il demanda : « *Wapi choo* » à l'ancien installé à ses côtés. L'homme rit de son swahili et lui indiqua du doigt une petite cabane située à trente mètres de la maison. Thomas ne fut pas surpris de découvrir un trou percé dans un sol en ciment, et une puanteur telle qu'il dut retenir sa respiration. Content pour Regina qu'elle ne l'eût pas accompagné.

Lorsqu'il revint s'asseoir sur le banc qui lui avait engourdi les fesses, la sœur de Ndegwa l'attendait. Chose étonnante, Thomas la suivit d'un pas ferme jusque dans la case sombre, mais le passage de la lumière du soleil à la brusque obscurité l'aveugla presque. La jeune femme prit l'homme aveuglé par la main et le conduisit à sa place. Avant même de le voir, Thomas devina au toucher le vinyle rouge.

Il n'aurait pas reconnu l'épouse du poète. Une haute coiffure faite d'un *kitenge* pourpre et or cachait le contour de ses cheveux et de sa tête. Un cafetan aux couleurs identiques lui enveloppait le corps. Cependant, Thomas fut rassuré de voir les chaussures rouges à semelles compensées sous sa robe, et le faux diamant à son doigt. Mary Ndegwa se tenait assise – majestueusement, se dit-il –, un verre d'eau posé sur une table devant elle, et elle buvait de petites gorgées tout en parlant. La jeune Africaine ne ressemblait pas à l'épouse éperdue d'un martyr politique ni même à une femme médecin légiste contrainte de s'excuser à cause de la grosseur de ses seins. Elle se comportait plutôt comme quelqu'un ayant hérité trop tôt du manteau du pouvoir, tel le fils adolescent d'un roi défunt.

Thomas croisa les jambes et joignit les mains devant elle. Il se donna beaucoup de mal pour trouver des mots adaptés à la circonstance.

« Je suis désolé que votre mari soit en prison. J'ai bon espoir que les choses s'arrangeront vite. Si je peux faire quoi que ce soit.

— Oui. »

Ce « oui » neutre, comme si elle s'attendait à cette proposition.

« J'ai vu votre mari hier, poursuivit Thomas. Au Thorn Tree. Il m'a dit qu'il risquait d'être arrêté. Je ne pensais pas que ça arriverait si vite. »

Très calme, Mary Ndegwa se taisait. Thomas essaya d'imaginer son existence sur la *shamba* de sa belle-mère : existait-il une hiérarchie, une chaîne de commandement ? Les deux femmes réduites à un statut moindre dès que Ndegwa rentrait le week-end ?

« Il m'a demandé de vous rendre visite s'il se faisait arrêter.

— Je suis au courant. »

Désorienté, le jeune homme hocha lentement la tête. « Vous m'attendiez, alors ?

— Oh, oui. »

Pourtant, en début de journée, lui-même ignorait qu'il viendrait. Un lézard glissa sur le mur. Mary Ndegwa réinstalla sa forte corpulence sur le canapé.

« Comment va votre fils ? s'enquit Thomas, les seins lui rappelant l'enfant.

— Bébé Ndegwa va tout à fait bien. »

La *pombe* lui donnait déjà la gueule de bois. Et, chose incroyable, il avait encore envie d'uriner.

« Mon mari affirme que vous dites la vérité dans vos vers. »

L'espace d'un instant, ce compliment, suffisamment rare, encouragea le jeune homme.

« Votre mari est très généreux dans sa critique, mais je peux inventer la vérité quand ça m'arrange.

— La vérité peut être vue depuis différentes portes, Mister Thomas. »

On aurait dit que cette déclaration avait été répétée. Thomas imagina un coteau recouvert de cases, toutes portes ouvertes, avec des *mzee* debout sur le seuil, regardant une unique lumière sur une colline lointaine.

Ses yeux s'accoutumant à l'obscurité, le jeune homme vit les cernes sombres autour des yeux de son interlocutrice, qui trahissaient la lassitude. Il s'attendait à moitié à ce que, d'une minute à l'autre, le tourne-disque se mette en marche et joue un air de musique country.

« Vous a-t-on dit où se trouvait votre mari ?

— Ils le détiennent à Thika.

— Serez-vous autorisée à lui rendre visite ? »

Mary Ndegwa fit la moue comme pour dire : Bien sûr que non.

« Notre gouvernement ne le relâchera pas. Ils ne nous diront pas de quoi il est inculpé, pas plus qu'ils ne fixeront une date pour le procès.

— C'est un fait dont on devrait parler un peu partout, vous ne trouvez pas ? »

Minuscule pincement de cœur, instant d'illumination. Il comprit alors, comme il ne l'avait encore jamais fait, pourquoi on lui avait donné audience, pourquoi Ndegwa s'était assis avec lui la veille au Thorn Tree. L'homme allait-il à la pêche aux journalistes ? aux

Américains ? Ndegwa avait-il mis en scène sa propre détention ?

« Il s'agit d'une violation des droits de l'homme », s'insurgea la jeune femme.

Thomas avait chaud sous sa veste sport bleue, déformée depuis qu'elle avait été lavée par erreur dans la baignoire. Lui, le moins politique des hommes, même à l'époque des manifestations contre la guerre du Vietnam. Il y avait participé simplement pour être sur place et observer les gens autour de lui. Que les manifestations pussent être le moyen d'arriver à ses fins, il n'y croyait pas beaucoup.

« Notre gouvernement peut détenir mon mari pendant des années. Ce n'est pas juste.

— Non, bien sûr que non. Je serai heureux d'aider dans la mesure du possible.

— Mon mari et vous parliez de ces choses ?

— Hier, nous avons brièvement évoqué le fait qu'il puisse être emprisonné. Normalement, on parlait littérature. Et poésie. Mots. »

Mary Ndegwa s'avança sur le canapé. « Ils ont arrêté des manifestants à l'université. Cinquante sont maintenant emprisonnés en plus de mon mari. Pourquoi ces arrestations ? Je vais vous le dire, Mister Thomas. Pour les réduire au silence. Pour les empêcher de proférer des mots. »

Thomas promena ses doigts d'avant en arrière sur son front.

« La dissidence n'est que mots », ajouta-t-elle.

On dirait une espèce de catéchisme, songea Thomas. « Je dois avouer que je n'ai rien d'un politique.

— Qu'est-ce qu'un politique ? lança Mary Ndegwa d'un ton acerbe, une soudaine pétulance, jusque-là étonnamment absente, perceptible dans sa voix. Reconnaissez-vous l'existence de la souffrance ?

— Je l'espère.

— De l'injustice ?

— Encore une fois, j'espère que oui.

— Alors vous êtes un politique. »

Affirmer le contraire semblait inutile. Et, pour permettre à la jeune femme d'atteindre son but, Thomas se ferait politique et agirait selon ses désirs. Se hâter auprès de fonctionnaires d'ambassade ? Écrire des lettres convaincantes ? Convoquer la presse ?

Mary Ndegwa se leva péniblement. « Venez avec moi », dit-elle.

Nullement désireux de désobéir, Thomas la suivit. Ils sortirent par une porte située à l'arrière de la maison. La mère de Ndegwa, que Thomas n'avait pas vue ce jour-là, était assise sur un banc, sous un baobab. Elle se tenait la tête dans les mains et la secouait d'avant en arrière en fredonnant, une mélopée funèbre peut-être ; elle ne leur adressa pas la parole et n'eut même pas l'air de les remarquer. Seins de vieille femme et dents manquantes. Tremblant pour son fils premier-né.

Ils traversèrent un champ de manguiers et des buissons chargés de grains de café rouges bordant une terrasse escarpée. Mary Ndegwa retenait les pans de son cafetan tout en campant fermement ses chaussures rouges à semelles compensées sur le chemin de terre. Thomas s'aperçut qu'elles avaient récemment été cirées. La jeune femme s'arrêta sur un tertre.

« Mister Thomas, vous avez entendu parler de la révolte des Mau-Mau ?

— Oui, bien sûr.

— Voici l'endroit où le père de Ndegwa a été

exécuté. Des soldats britanniques lui ont tiré dans la nuque. »

Thomas examina le sol et se dit qu'un jour il avait été imprégné de sang.

« Avant de l'abattre, on l'a obligé à creuser sa propre tombe. On a fait sortir sa femme et ses enfants et on les a forcés à regarder. Ndegwa avait dix ans quand il a assisté à ça. »

Thomas observa la croix et l'inscription qu'elle portait : « Njuguna Ndegwa. Combattant de la liberté. Époux. Père. Va au ciel. »

Ndegwa, son ami, avait regardé un soldat fusiller son père alors qu'il n'avait que dix ans. Jumeaux. Dans sa propre enfance, se demanda Thomas, qu'avait-il connu de vaguement comparable ?

La jeune femme posa une main sur son bras. Il sut ce qu'elle allait dire avant même qu'elle ouvrît la bouche. Oui, voulut-il déclarer, il était un poète, debout sur le seuil d'une porte.

Une douzaine d'enfants, en shorts devenus gris à force d'avoir servi, s'agglutinaient autour de l'Escort – scrutant l'intérieur, tournant le volant, touchant à la radio. Thomas tapota les poches de sa veste et fut soulagé de constater qu'il n'avait pas laissé les clefs dans la voiture. Il aurait aimé emmener les enfants faire un tour mais se savait trop soûl ou trop hébété pour cela.

Le jeune homme s'éloigna lentement de la *shamba*, terrifié à l'idée de heurter un enfant, et il longea les terrasses escarpées, distrait par tant de pensées, sans suite, qui lui encombraient l'esprit et requéraient toute son attention. Il ne lui restait que des bouts de phrases, des histoires à moitié racontées, des images ricochant les unes derrière les autres. Regina, les bras croisés ; Mary Ndegwa et son chasse-mouches ; Linda penchée au-dessus d'ananas.

À Ruiru, Thomas parvint à un croisement, sans savoir exactement comment il y était arrivé. Avait-il pris une mauvaise direction ? tourné à gauche quand il aurait dû prendre à droite ? Il n'avait pas fait attention. Le panneau indiquait Njia au nord, Nairobi au sud. C'eût été mentir, il le savait, que d'affirmer qu'il s'agissait d'une erreur fortuite. Njia : quatre-vingts kilomètres. Avec un peu de chance, il y serait dans une heure. Il se mit sur le bas-côté, laissa le moteur tourner, et regarda un *matatu* – chargé au-delà du possible de gens, bagages, chèvres et poulets – avancer, téméraire, à côté de lui en faisant des embardées. Ces taxis collectifs représentaient de véritables dangers, vous expliquait-on lors des sessions de formation. Si vous étiez obligé d'en prendre un, il fallait vous asseoir à l'arrière et porter des lunettes de soleil pour vous protéger des éclats de verre lorsque le véhicule se renversait.

Dimanche après-midi, et Linda se trouvait peut-être en compagnie de cet homme qui répondait au nom de Peter. Le couple était peut-être assis sur une véranda ou (Thomas espérait bien que non) étendu sur un lit. Il préféra se représenter Linda en train de lire, assise seule sur le seuil d'une case en clayonnage et pisé. Le jeune homme ne se berça pas de l'illusion qu'il passait dans le coin, ou encore qu'il était tout à fait acceptable de faire un détour d'une heure pour rendre visite à une vieille amie des États-Unis. Quand il embraya et prit la direction du nord, il sut exactement ce qu'il faisait.

Il traversa de sombres forêts d'eucalyptus, entre des fourrés de bambous, puis passa le long de terrains marécageux avec leur traîne de brume pareille à un voile, avant de déboucher sur un paysage de collines d'un vert pastel et de larges vallées sur lesquelles, au loin, veillait le mont Kenya couronné de neige. Un buffle se tenait au milieu de la route, Thomas stoppa la voiture, et il s'en fallut d'un mètre pour qu'il heurte l'énorme bête. Il remonta les vitres, demeura assis sans bouger. Dans les sessions de formation, on vous apprenait que, de tous les animaux africains, le buffle était le plus meurtrier. Il pouvait tuer un homme en quelques secondes, l'encorner avec une précision extrême et, si l'individu n'était que blessé, le piétiner à mort. Vous étiez censé lui lancer des pierres, ce qui devait, en principe, le faire décamper ; mais pour Thomas, la seule stratégie consistait simplement à reculer lentement. Dans l'Escort, il ne bougea pas. Derrière lui, une file de voitures se forma mais personne ne klaxonna. Au bout d'un moment – quinze, vingt minutes ? – le buffle, à son propre rythme, majestueux, se remit en route. Le jeune homme redémarra. Il était couvert de sueur.

La ville de Njia était plus grande que ce qu'il imaginait. Il longea une rue appelée Kanisa, passa devant un clocher et un bar baptisé Purple Heart Pub. Il s'arrêta au Wananchi Café et demanda à la propriétaire – une vieille femme aux dents clairsemées et à l'œil malade – si elle parlait anglais. Ce n'était pas le cas mais elle consentit à parler swahili, ce qui contraignit Thomas à employer des mots et expressions impossibles à mettre en phrases. Il dit *mzungu*, et Peace Corps, et *manjano* (jaune) pour la couleur des cheveux de Linda, et *zuri* pour belle. La vieille femme secoua la tête mais lui fit signe de la suivre dans la *duka* voisine, où Thomas acheta une bouteille de Fanta, la nervosité ou le trajet en voiture lui ayant desséché la bouche. L'homme et la femme discutèrent dans leur propre langue tribale pendant un certain temps. Tandis qu'ils gesticulaient, le jeune homme écouta un groupe de musiciens des rues munis de bouteilles de soda et de capsules. L'atmosphère était fraîche et moite, tel un début de mois de juin dans son propre pays. La femme finit par se tourner vers lui et par expliquer, en swahili, qu'il y avait une *mzungu* tout près de Nyeri Road qui était maîtresse d'école. Thomas remercia le couple, termina le Fanta et les quitta.

Devant une petite église de Nyeri Road, il lui suffit de prononcer les mots « *mzungu* » et « Peace Corps » à un sacristain qui balayait les marches. De lui-même, l'homme ajouta l'adjectif « belle ».

L'itinéraire n'était pas si simple en fin de compte. La route divergea à deux reprises et, comme on ne lui avait donné aucune indication à l'église, Thomas dut deviner quelle était la bonne direction. Au fur et à mesure de sa progression, il se retrouva au milieu d'un paysage lavé par une récente averse. Des gouttelettes d'eau tombées d'arbres de macadamia s'abattaient parfois sur son pare-brise. L'air était si vif que le jeune homme stoppa la voiture et sortit pour le respirer, juste le goûter. Et ralentir le rythme effréné de son cœur. Il répéta des amorces de conversations, se préparant à toutes les éventualités. L'homme qui répondait au nom de Peter serait là. Ou Linda serait peut-être en train de partir. À moins qu'elle ne se montre glaciale, peu accueillante. J'étais dans le coin, répéta-t-il. Je comptais juste m'arrêter en passant. J'ai oublié de te demander. Regina et moi aimerions…

Ainsi galvanisé, il lui sembla que la route elle-même bourdonnait, vibrait. Par-delà sa destination, une toile de fond pourpre avançait, annonçant une pluie cataclysmique. Thomas avait déjà assisté à ce genre de déluge, la pluie qui tombe à verse comme si on avait simplement tiré une chasse d'eau et laissé un lac se vider. Derrière lui, le soleil éclairait des champs de chrysanthèmes, vastes et improbables plaines de jaune et de mauve, puis, au bout de la route, le stuc blanc d'une petite maison, géométrie lumineuse sur le ciel noirci. Un fanal, on pouvait le voir ainsi. Des tuiles rouille dessinaient un motif sur le toit, des frangipaniers et des jasmins encadraient porte et fenêtres. Une vieille Peugeot était garée dans l'allée, et Thomas laissa sa propre voiture derrière, s'annonçant à quiconque se trouvait à l'intérieur de ce cottage aussi isolé qu'un ermitage sur une falaise irlandaise.

Au moment où Thomas atteignait le seuil, Linda ouvrit la porte ; elle avait bénéficié de dix, peut-être vingt secondes pour se préparer, c'est-à-dire pratiquement rien. La jeune femme avait pris un bain ou était allée nager, ses cheveux retombant en longues torsades dans son dos. Elle portait un bain-de-soleil et un *kanga* d'une autre couleur que celui de la veille. Linda ne feignit pas, ne fit pas comme s'il s'agissait d'une situation normale. Elle se contenta d'observer Thomas. Debout face à face dans l'embrasure d'une porte, quelque part au bout du monde.

Thomas dit bonjour.

Visage indéchiffrable de Linda, yeux cherchant les siens. « Bonjour, Thomas », répondit-elle.

À la lumière qui éclairait l'endroit, il la vit plus nettement que dans l'obscurité du marché. La jeune femme avait un visage net, sans artifice, et une gerbe de taches de rousseur sur le nez. Les yeux plissés à cause du soleil et de minuscules virgules de chaque côté de la bouche. Des lèvres pâles et charnues, à peine courbes.

« Mon désir de te parler l'a emporté », reconnut Thomas, renonçant ainsi aux « j'étais dans le coin » et « je comptais juste m'arrêter en passant ». Avec audace, car il ne savait toujours pas si un homme qui répondait au nom de Peter était à l'intérieur. « Bien que je n'aie pas eu à délibérer très longtemps. »

Linda s'écarta pour le laisser entrer. Il pénétra dans une petite pièce munie de deux fenêtres, châssis ouverts sur l'extérieur. Une table et deux chaises avaient été repoussées contre l'une d'elles. Des fauteuils, reliques des années 40 (Thomas imagina la Grande-Bretagne déchirée par la guerre, une radio en Bakélite au milieu), étaient en vis-à-vis. Une bibliothèque basse le long d'un mur. Un tapis, vieux et persan, sur le sol. Une unique lampe.

Des fleurs sur la table, un *kitenge* replié avec soin sur une chaise. Derrière le petit coin salle à manger, une cuisine et une porte ouverte à l'arrière. Un panier de sisal pendu à un crochet, une sculpture makondé posée par terre, contre le mur.

L'eau gouttait des cheveux de Linda, retombait sur ses omoplates et sur le parquet. Un bracelet en poil d'éléphant ornait son poignet. Elle tenait dans le creux de sa main des boucles d'oreilles d'ambre, qu'elle fixa à ses lobes.

« Tu es venu de Nairobi.

— J'étais à Limuru. »

La jeune femme garda le silence.

« J'avais besoin de te voir », poursuivit Thomas.

Pas d'homme en vue, bien que chaque chose se trouvât en double.

« Ta présence sur le marché m'a fait un coup, reprit-il. J'ai eu l'impression de voir un fantôme.

— Tu ne crois pas aux fantômes.

— Après une année passée dans ce pays, il me semble que je suis prêt à croire à presque tout. »

L'homme et la femme se faisaient face, à trente centimètres à peine l'un de l'autre. Il pouvait percevoir l'odeur de son savon ou de son shampoing.

« Tes mains ont tremblé hier », souligna Thomas avec impudence, et il remarqua que cette affirmation déconcertait Linda. Elle s'écarta d'un pas.

« Un simple choc ne signifie rien en soi, rétorqua-t-elle, peu désireuse d'ajouter foi à ce tremblement. Notre histoire commune s'est terminée de manière si soudaine que je ressentirai toujours un certain trouble lié à toi, quelles que soient les circonstances. »

Justification acceptable. Ils avancèrent dans la pièce. Une photo était posée sur la bibliothèque et Thomas y jeta un coup d'œil. Il reconnut les cousins avec lesquels Linda avait grandi : Eileen, Michael, Tommy, Jack et les autres. Une photo de famille. Il y en avait une autre, de Linda et d'un homme. Certainement Peter, se dit Thomas. Ni universitaire ni anémique en fin de compte, mais plutôt grand, brun, beau gosse. Souriant. Un bras possessif enroulé autour de la taille fine de la jeune femme. Son sourire à elle légèrement moins exubérant. Chose insensée, Thomas y vit un encouragement.

« Puis-je t'offrir quelque chose à boire ?

— De l'eau m'ira très bien. »

Dehors, les oiseaux formaient un ensemble d'instruments à vent pris de frénésie un dimanche après-midi. Eux aussi signalaient l'imminence de l'orage qui noircissait la fenêtre de la cuisine, alors même que, sur le devant de la maison, le soleil entrait à flots. Un vent frais, qui soufflait en rafales, faisait claquer des rideaux à carreaux bleus. Thomas regarda Linda sortir une cruche d'eau du petit frigo et lui en verser un verre.

« Elle a été purifiée », précisa la jeune femme en le lui tendant.

Thomas but l'eau glacée, et ce n'est qu'à ce moment-là qu'il comprit combien sa nervosité lui avait donné soif.

« Comment vas-tu ? demanda-t-il.

— Comment je vais ? »

Maintenant qu'il était venu et avait, contre toute attente, retrouvé Linda, Thomas se sentait incapable de parler. Il chercha désespérément un point de référence.

« Tu as un quelconque souvenir de l'accident ? »

La jeune femme, que cette question hâtive avait peut-être surprise, ne répondit pas.

« J'ai un blanc, poursuivit-il. Ça commence quand je vois la fillette sur le tricycle et ça se termine avec mon nez qui se remplit d'eau. Quand je ne t'ai vue nulle part, j'ai été pris d'une telle terreur panique que, même aujourd'hui, ça me donne des sueurs froides. »

Linda sourit et secoua la tête. « Tu n'as jamais très bien su parler pour ne rien dire. »

Elle s'assit à la table, invitant ainsi Thomas à en faire autant. Trempé de sueur, il se débarrassa de sa veste.

« Qu'est-ce qui est arrivé à ta veste ?

— Elle a été lavée par erreur dans la baignoire. »

La jeune femme émit un petit rire qui, l'espace d'un instant, éclaira la pièce de bruit. Puis la lumière s'éteignit aussi soudainement qu'elle s'était allumée.

« La cicatrice date de là ? »

Il hocha la tête.

« Ç'a dû être sérieux.

— Sur le coup, j'y ai à peine fait attention. Je ne ressentais absolument rien. Il a fallu que ma mère se mette à hurler pour que je réalise l'ampleur des dégâts.

— Je revois la voiture dégringoler, dit Linda, lui

offrant finalement un souvenir. Et je me disais : ce n'est pas possible. Le montant entre les fenêtres s'est gondolé et on a fait des tonneaux. Je n'ai jamais perdu connaissance. Je me suis glissée de l'autre côté pour sortir et je me suis mise à crier. Des garçons pêchaient sous la glace tout près de là. Mais tu dois savoir ça. Ils t'ont extrait de la voiture. Tu es resté à peine une minute sans connaissance. Mais tu étais sonné et les policiers t'ont allongé sur un brancard.

— Je criais ton nom.

— On m'a enveloppée dans une couverture et on m'a emmenée. J'avais des brûlures au côté. À l'hôpital, ils ont dû découper mes vêtements.

— Des brûlures ?

— Des égratignures. Qui venaient d'où, je l'ignore. Du talus, j'imagine.

— Je suis désolé. »

Linda but une gorgée d'eau, tordit ses cheveux qui lui retombaient dans le dos et les ramena sur son épaule. « N'en parlons plus.

— Tu vis seule ? »

La jeune femme hésita. Elle s'essuya les mains sur son *kanga*. Ses pieds étaient nus. Avec des cals au talon. « Plus ou moins. Peter fait la navette.

— Peter ?

— Mon mari. Il vit à Nairobi. »

Thomas tenta de parer le coup. « C'est Peter ? » Il montrait la photo du doigt.

« Oui.

— Il fait quoi ?

— Il travaille à la Banque internationale pour la reconstruction et le développement. Et prépare actuellement un projet sur les pesticides.

— Tu le connaissais avant ?

— Je l'ai rencontré ici. »

Pour être mieux à même de traiter ces fâcheuses informations, Thomas se leva. Il serrait et desserrait les poings. Se sentait agité, nerveux.

« Pourquoi le Peace Corps ? »

Linda reprit de l'eau. Elle regarda par la fenêtre l'orage naissant.

« J'y avais un ami », répondit-elle de façon ambiguë.

Une grosse bouffée de parfum fit irruption en même temps qu'une bourrasque de vent, comme pour annoncer une femme debout sur le seuil d'une porte.

« Ça n'a rien d'exceptionnel, si ? ajouta-t-elle. Je trouvais que c'était la chose à faire. »

Ses épaules brunes et lustrées, ses bras musclés. Il se demanda par quoi.

« Tu lis Rilke », observa-t-il en inspectant le meuble bas. Il examina les titres et les auteurs. Jerzy Kosinski. Dan Wakefield. Margaret Drabble. Sylvia Plath. *À la recherche de M. Goodbar*.

« Je lis tout ce sur quoi je peux mettre la main.

— Je veux bien le croire, fit Thomas en tripotant un exemplaire de *Marathon Man*.

— Je supplie les gens de m'envoyer des livres. La bibliothèque de Njia est pitoyable. À Nairobi, je vais à la bibliothèque McMillan de l'Institut britannique. Je me suis bien régalée avec Margaret Drabble.

— Tu enseignes ? »

Linda hocha la tête.

« Quelle matière ? »

Thomas prit un recueil d'Anne Sexton et le feuilleta. Il se méfiait de la poésie de confessionnal.

« Un peu de tout. Le programme scolaire se base sur le système anglais. Les enfants doivent réussir certains examens. De fin de collège, de lycée, etc. Et retenir le nom des comtés d'Angleterre. À quoi ça les avancera, je n'en ai aucune idée. »

Thomas rit.

« J'enseigne à trente enfants dans une pièce en ciment de la taille d'un garage. J'utilise des manuels publiés en 1954 – dons d'un village britannique. Ils contiennent d'étranges graffitis en anglais : Arthur est un branleur, par exemple. Que fait ta femme ? »

Thomas s'appuya contre le mur et releva ses manches. La pièce était saturée d'humidité. Un coup de tonnerre les fit tous deux sursauter, bien qu'ils eussent pu s'y attendre.

« L'orage », commenta Linda.

Elle se leva et ferma les fenêtres à l'aide d'une manivelle, au moment même où des trombes d'eau commençaient à s'abattre. La pluie tombait à la verticale, produisant sur le toit en tuiles un grondement sourd qui les obligea à élever la voix. Dehors, des carillons éoliens se déchaînèrent.

« Mon beau-père était missionnaire au Kenya peu après la Seconde Guerre mondiale, expliqua Thomas. Ministre de l'Église épiscopale. Il vénère le temps qu'il a passé là-bas, les meilleures années de sa vie, affirme-t-il, etc., etc. Mais je soupçonne l'existence d'une femme quelque part dans l'histoire.

— Voilà un défi que n'importe quelle fille devrait relever.

— Regina reçoit une bourse pour étudier les effets psychologiques des maladies subsahariennes sur les enfants. Ce qu'elle voit est plutôt sinistre.

— Ta femme est certainement très courageuse. »

Thomas hésitait à parler de Regina. Et regrettait de devoir aborder le sujet.

« Pour ça, oui. »

Linda détourna la tête et contempla l'orage. Rien à voir, à part des rideaux de pluie. Quand ce serait terminé, des pétales blancs et crème recouvriraient le sol, Thomas le savait. Il y avait dans l'air cette odeur d'ozone qu'il aimait particulièrement : elle lui rappelait certains après-midi d'été de son enfance.

« Tu portes toujours la croix, constata-t-il.

— J'ignore pourquoi », répondit Linda dont les doigts se posèrent automatiquement sur le bijou.

Thomas fut aussitôt piqué au vif. Après tout, il la lui avait offerte.

« Dieu est partout dans ce pays, reprit la jeune femme. Et pourtant, je Le déteste passionnément. »

Cette remarque était tellement surprenante que Thomas en oublia immédiatement sa blessure. La colère avec laquelle Linda s'était exprimée le choquait. Il attendit des explications.

« Tu ne peux même pas regarder la pluie, sa surabondance, sans penser à Dieu. Où que tu te tournes, Il est là. Et d'une cruauté perverse. »

Ce blasphème alarma même le jeune homme, dont la propre foi se réduisait à rien.

« Tant de pauvres, poursuivit Linda. Tant de morts, de malades, de cœurs brisés. Tu peux en rendre responsable le colonialisme, tout le monde le fait. Ou le tribalisme, motif aussi valable qu'un autre. Mais, en fin de compte, c'est Dieu qui permet ça. »

La force de ses convictions impressionna Thomas.

« Détester aussi passionnément, c'est estimer énormément », déclara-t-il.

Les joues de Linda avaient rosi sous l'effet de cet emportement soudain, un pli s'était formé entre ses sourcils. Elle n'était pas vraiment belle, bien que lui comme d'autres l'eussent considérée comme telle. Mais plutôt jolie. Et donc vaguement accessible, supposa-t-il.

« Tu rencontres beaucoup de pauvreté ? »

La jeune femme se tourna vers lui. « Ils n'ont pas de chaussures, Thomas.

— L'élite kényane. Elle aussi permet ça.

— Tu veux parler des *wabenzies* ? demanda Linda avec un dégoût patent, utilisant le surnom communément donné aux Kényans propriétaires de Mercedes-Benz. Ces Africains qui arrivent à pied et repartent en jet ? »

La jeune femme se tripota les cheveux. Ils séchaient, malgré l'humidité. Elle se leva et entra dans une pièce que Thomas s'imagina être la chambre à coucher. Revint avec une brosse. S'installa dans un fauteuil et entreprit de se les démêler.

« Ce combat n'est pas le nôtre, affirma le jeune homme.

— Tant que nous sommes ici, nous le faisons nôtre.

— Je ne voulais pas venir en Afrique. C'était une idée de ma femme. C'est incroyable mais j'avais simplement appris la valeur de la routine. » Gêné, Thomas marqua un temps d'arrêt. « J'écris », ajouta-t-il.

Linda sourit. Pas le moins du monde surprise. « Tu écris quoi ? »

Il détourna les yeux. « De la poésie », répondit-il en tentant de lancer ce mot l'air de rien. Comme si toute son existence n'en dépendait pas. « Je ne me sens pas à ma place ici.

— C'est une vie qui peut être étrange et discordante, reconnut la jeune femme.

— On habite Karen, dans un luxe relatif, quand tout

ce qui nous entoure… Enfin, tu connais aussi bien que moi ce qui nous entoure. »

Linda hocha la tête.

« Ce n'est pas ce que j'imaginais, reprit Thomas. Tous ces paradoxes. »

L'encolure du chemisier laissait voir la clavicule. Ce qui rappela à Thomas le pull que Linda portait lors de leur dernière rencontre. Un pull bleu pâle au col ouvert. Dans la voiture, sa jupe en laine formait de légers plis autour de ses mollets.

« Tu as fait quoi après Middlebury ? demanda-t-il.

— J'ai entrepris un troisième cycle à Boston. Entre-temps, j'avais enseigné dans un lycée de Newburyport.

— Tu as vécu à Boston et Newburyport ? Tout ce temps ? »

Incrédule, le jeune homme calcula la distance entre Newburyport et Cambridge. Une heure au mieux. Deux depuis Hull. Il s'efforça d'adopter un ton léger : « Tu vivais seule ou tu partageais un appartement ?

— J'ai eu un copain pendant un moment. »

Thomas fit un suprême effort pour ne pas poser de questions sur ce petit ami. « J'essayais de parler à ta tante quand je la rencontrais. Je suis resté environ six mois à Hull après l'obtention de mon diplôme. Elle refusait de me parler. Allait même jusqu'à m'ignorer.

— Ma tante est très douée pour ça.

— J'ai fait un troisième cycle pour tenter d'échapper au service militaire. Mais il a fallu que j'y passe et j'ai abandonné mes études. Si tu additionnes le tout, suivent sans doute deux ou trois années que je ne peux pas très bien justifier. Je me suis pas mal laissé aller. J'ai vécu un temps au Canada. Puis à San Francisco. Je me défonçais beaucoup.

— À quoi ?

— Hasch. LSD. Il m'arrive encore de fumer un joint. »

Linda posa sa brosse sur une table basse. « Je t'ai toujours été très reconnaissante, déclara-t-elle. Je suis heureuse que tu sois venu car j'ai toujours voulu te le dire. Je ne sais pas ce que je serais devenue… »

Thomas laissa les pensées de la jeune femme s'estomper. Il accepta ce témoignage de gratitude. Il avait toujours eu un sens aigu de la facilité avec laquelle on pouvait se perdre soi-même.

« Je peux te proposer quelque chose à manger ?

— Quelque chose. Pas un repas. »

Linda se dirigea vers la cuisine. Thomas s'adressa à son dos tandis qu'elle allait et venait entre comptoir et frigo. « Tu as l'électricité ?

— De temps en temps. »

Il faisait si sombre à l'intérieur qu'ils auraient pu allumer une lampe.

« Tu as déjà mangé de la girafe ? s'enquit-il.

— Non, mais de l'antilope. Et du crocodile.

— La viande de crocodile n'est pas trop mauvaise. Elle a un goût de poulet. »

Linda disposa du pain et du fromage sur une assiette. Et quelque chose qui ressemblait à de la gelée. Thomas ressentit une envie soudaine et incontrôlable de sucre.

« J'ai parfois l'impression d'être la mauvaise personne au bon endroit », reprit le jeune homme. Mal à l'aise au point d'avoir un mal fou à s'expliquer. « Ou vice versa.

— Tu as toujours été comme ça », constata Linda.

Le *kanga,* une seconde peau nouée à sa hanche. Le tissu se balançait avec fluidité autour de ses mollets pendant qu'elle s'affairait.

« Vivre ici, c'est comme regarder un interminable documentaire. »

Linda rit.

« Parle-moi de Peter. »

Elle réfléchit un instant. « Non. »

Ce refus démonta Thomas, bien qu'il admirât la fidélité de la jeune femme. Fidélité dont lui-même n'avait pas tout à fait réussi à faire preuve.

« C'est réjouissant, reprit-il. De te parler. Ça ressemble probablement à une saignée, ce désir de déverser son âme dans une autre personne.

— Tu ne crois pas en l'âme. »

Linda apporta la nourriture sur la table et fit signe à Thomas de s'asseoir. Il déposa une copieuse quantité de fromage et de gelée sur un morceau de pain.

« Nous n'avons pas de mot approprié pour ça, tu ne trouves pas ?

— Esprit ? » suggéra-t-elle.

Il secoua la tête. « Trop religieux.

— Fantôme ?

— Trop surnaturel.

— Personnalité ?

— Mon Dieu, non.

— Le mot "vie" est trop général, j'imagine.

— Merde, j'ai besoin d'un autre dictionnaire des synonymes. On me l'a piqué pendant que je prenais une bière au Thorn Tree. »

Linda rit. « Quelle drôle de chose à voler. »

Elle avait préparé du thé. Le fait d'avoir parlé de bière donna envie à Thomas d'en boire une.

« J'éprouve un besoin irrépressible de me répandre sentimentalement à tes pieds », déclara le jeune homme.

Les mains de Linda se figèrent tandis qu'elle versait le thé.

« Désolé, se reprit-il. Oublie les implications sexuelles de cette remarque. »

Elle haussa les épaules.

« Tu es superbe, ajouta-t-il. J'aurais dû te le dire plus tôt.

— Merci.

— Les hommes te suivent dans la rue ? »

Linda reposa la théière. « Normalement, les Kényans sont très respectueux des femmes sur cette question-là. » Elle marqua une pause. La pluie s'était brutalement arrêtée, comme si quelqu'un avait fermé le robinet. Ils parlaient trop fort maintenant. « Ta femme te l'a certainement dit.

— Ma femme aimerait peut-être me faire croire le contraire », répondit Thomas sans hésiter alors qu'il aurait dû. Linda regarda vers la fenêtre. C'était la chose la plus déloyale qu'il ait racontée au sujet de Regina. Déloyale à double titre, car cela impliquait non seulement que sa femme mentait dans son intérêt, mais également qu'elle cherchait peut-être à le rendre jaloux.

« Je suis désolé », dit-il. Pour qui ou pour quoi, il ne le savait pas trop.

« Vous avez des enfants ?

— Non. » Thomas fit une pause. « Regina a été enceinte mais elle a fait une fausse couche au bout du cinquième mois.

— Je suis désolée.

— C'était affreux et ça s'est fini dans la salle d'accouchement. Une semaine avant notre mariage. »

Thomas n'ajouta pas que se soustraire à cette union aurait été impensable même si, et c'était pitoyable, cette pensée lui avait traversé l'esprit. Depuis lors, juste punition, Regina ne pouvait pas concevoir, un état de fait qui la rendait parfois triste et paradoxalement maternelle.

Son amour pour les enfants kényans, pour n'importe quel enfant, fendait le cœur. Cela faisait trois ans et il était temps de faire des examens, mais elle, qui s'y connaissait, avait une confiance très limitée en la médecine kényane. Elle voulait attendre de rentrer aux États-Unis. Ce qui convenait parfaitement à Thomas.

« Vous n'avez pas d'enfants ? demanda-t-il.

— Oh, non. »

Il ne s'était pas attendu à autre chose, mais se sentit tout de même soulagé.

« J'ai l'impression qu'on m'a ouvert le cœur à coups de machette.

— Autre cicatrice », dit-elle d'un ton dégagé.

Un long silence s'installa entre eux.

« Rich vient nous voir, annonça Thomas au bout d'un moment.

— Rich ? » Elle s'anima. « Quel âge a-t-il maintenant ?

— Seize ans.

— Tu te rends compte ! » Linda secoua lentement la tête d'avant en arrière. « Que devient-il ?

— C'est un bon gamin. Il aime les bateaux. L'été, il conduit la vedette du club nautique.

— Il avait sept ans quand je l'ai connu. Un gosse vraiment adorable.

— Eh bien, peut-être que si tu passais à Nairobi, tu pourrais venir dîner. Tu le verrais. »

L'insanité de cette invitation ressemblait à la voix d'un garçon muant au beau milieu d'un discours.

« Je suis sûr qu'il se souvient de toi, ajouta Thomas. Je le sais. Il parle encore de tes talents de patineuse.

— C'était il y a si longtemps ! soupira Linda avec nostalgie.

— C'était seulement hier. »

Il examina le bras de la jeune femme posé sur la table. Les poils étaient presque blancs là aussi. Elle parut remarquer son regard insistant car elle le retira. Peut-être était-elle encore complexée par ses mains.

« Parle-moi de ton travail. »

Thomas réfléchit un instant. « Non. »

Linda leva les yeux et sourit. « Touché ! »

Le jeune homme savait qu'il écrivait bien. Il n'oubliait jamais ce simple fait. Et il savait qu'un jour quelqu'un d'autre en prendrait conscience, si seulement il se montrait patient. Il lui arrivait de s'étonner de cette confiance et de se demander d'où elle lui venait. Et, bien qu'il en parlât rarement, il n'en doutait jamais.

Linda se leva. « Aimerais-tu aller te promener ? Je pourrais te montrer l'école. »

Thomas avait l'impression qu'il aurait pu rester éternellement dans cette maison.

Ses jambes étaient comme du coton quand Linda le fit sortir par-derrière. Thomas pensait qu'elle aurait mis des sandales mais ce ne fut pas le cas, et il constata la robustesse de ses pieds. Le sentier à travers la brousse étant étroit, ils durent marcher l'un derrière l'autre, ce qui rendit toute conversation impossible. Les herbes basses, arrosées par la pluie, mouillèrent ses revers de pantalon, et Thomas s'arrêta un instant pour les retrousser. Ils coupèrent à travers un champ de chrysanthèmes jaune pâle, et longèrent ce qui ressemblait à un petit groupe de cases. De véritables cases, au toit de branchages, et non pas la version sophistiquée – toit en tôle ondulée et sièges en vinyle rouge – de la *shamba* de Ndegwa. Thomas observa le dos de la jeune femme, ses cheveux en train de sécher. Même si le soleil chauffait, il faisait plutôt frais après l'orage, et ils passèrent alternativement de la fraîcheur à la chaleur en traversant des parcelles ombragées. De temps à autre, Linda saluait de la main une femme ou un enfant. Thomas aurait pu s'attarder sur le paysage, mais c'était à peine s'il parvenait à quitter Linda des yeux. Sa démarche énergique, l'étoffe du *kanga* qui se balançait, languissante, ses cheveux de minute en minute plus légers. Ils progressèrent dans une épaisse forêt et, pendant un moment, Thomas craignit de rencontrer un autre buffle ou un éléphant, mais Linda avançait sans inquiétude, et il choisit simplement de suivre son exemple. La forêt donnait sur un village comprenant une *duka* pleine de poussière, un bar et une école – le tout en ciment. C'eût pu être le Far West à cause de l'isolement de l'endroit et de l'absence d'éléments de décoration.

Thomas avait l'intention de rattraper Linda dès qu'ils auraient quitté le chemin, mais une fois sur la route, la jeune femme fut aussitôt entourée d'enfants qui l'appelaient, cherchaient à la toucher. *Jambo. Miss Linda. Habari yako ? Mzuri sana.* Elle leur grattait le sommet de la tête, se penchait pour les serrer dans ses bras. Ils lui parlaient avec volubilité un patois fait de swahili et d'anglais et, gauches, voulurent connaître l'identité de l'homme qui l'accompagnait, le désignant d'une main et se cachant la bouche de l'autre. Linda le leur présenta comme un ami, Thomas serra des mains tout autour de lui, leur bonheur était contagieux. Alors un jeune garçon demanda à Linda où était Peter, et Thomas sentit ce bonheur s'écouler hors de son corps. Ils repartirent, les enfants telles des sauterelles à leurs côtés. Thomas voulut prendre la main de Linda, brûla de le faire. Elle lui raconta que le village avait jadis été prospère, mais que la plupart des hommes étaient partis chercher du travail à la ville. Certains rentraient le week-end pour retrouver femme et enfants ; d'autres ne reviendraient jamais plus. Devant leur porte, des mères saluèrent Linda de la main, un bébé serré contre leur poitrine par des bandes de tissu ; l'exubérance des enfants n'était pas visible ici, les gestes amicaux, mais tristes : ces femmes avaient trop enduré, ou bien leur mari les avait abandonnées.

De la chaleur irradiait de la route. Thomas retira sa veste, la jeta par-dessus son épaule. Ses vêtements étaient devenus aussi sales que la terre et le gravier. Linda ouvrit la porte de l'école, et les enfants se glissèrent devant les deux adultes en les poussant légèrement. Il faisait étonnamment frais à l'intérieur, derrière les murs aveugles jusqu'à hauteur d'épaule, où, juste sous le toit en tôle ondulée, se trouvaient des fenêtres ouvertes dépourvues de carreaux.

« Quand il pleut, le bruit sur le toit est tel qu'on est obligé d'arrêter de faire cours.

— Les enfants doivent être ravis.

— En fait, pas du tout. Ils veulent aller en classe. Et ça n'est pas vrai uniquement dans cette école. C'est la même chose partout. »

On avait essayé de mettre de la gaieté dans la pièce. Des dessins colorés étaient accrochés au mur, dont un ou deux saisissants et très réussis. Les gamins tiraillèrent les vêtements de Thomas, qui se laissa entraîner avec joie. Le jeune homme regretta de ne pas avoir de gâteries dans sa veste – sucettes, biscuits ou petits jouets. Quelque chose. Il n'y avait pas de bureaux, à part celui de Linda.

« Sur quoi écrivent-ils ? »

La jeune femme était assise, un garçonnet chétif sur les genoux. La maladie semblait par endroits lui avoir pelé le cuir chevelu.

« Sur leurs livres. »

Un gril à charbon de bois se trouvait derrière le bureau. Linda s'aperçut que Thomas le regardait.

« Quand j'arrive le matin, je donne à manger aux enfants. Je fais cuire des œufs et je leur donne du lait. Une ferme me livre une fois par semaine, et chaque matin j'apporte la nourriture à l'école. Il n'y a aucun moyen de la conserver au frais ici. »

D'où les muscles, se dit-il.

Le garçonnet toussa et cracha par terre. Linda lui donna de grandes tapes dans le dos.

« Parfois, les femmes me harcèlent pour bénéficier de soins médicaux. Elles m'amènent leurs bébés, elles pleurent, et, bien sûr, je suis impuissante. Je me dis parfois que Dieu me met à l'épreuve. Que je serais censée aller en fac de médecine et revenir exercer ici.

— Tu y songes ?

— Je manque de cran.

— Je suis sûr que tu fais des merveilles comme enseignante.

— Pas vraiment. »

Linda posa l'enfant à terre, le prit par la main et l'amena à une fille plus grande appuyée contre un mur. Elles parlèrent un moment et, une fois revenue auprès de Thomas, Linda lui expliqua que la sœur du garçonnet allait le raccompagner. Ils sortirent et parcoururent un petit chemin jusqu'à une église située au sommet d'une colline.

« C'est une église catholique, précisa la jeune femme en ouvrant la porte pour laisser passer Thomas. Une des rares dans la région. »

Après la nudité de la salle de classe, l'église était une révélation – l'intérieur frais éclairé par cinq vitraux ; les couleurs, fondamentales et riches, avec d'épaisses baguettes de plomb entre les plaques de verre, comme si un Picasso ou un Cézanne les avait peintes. Une odeur fraîche, évoquant celle des roseaux ou du blé, se répandait dans le petit édifice. L'endroit pouvait contenir une centaine de personnes, pas plus.

Thomas regarda Linda se signer avec l'eau bénite des fonts baptismaux situés à côté de la porte d'entrée, faire une génuflexion près d'un banc et s'agenouiller un instant avant de s'asseoir. Son cœur brûlait, comme si un vent chaud l'avait traversé, de souvenirs si vifs que le jeune homme dut s'appuyer à un dossier pour ne pas tomber. Il resta dans le fond de l'église, laissant à Linda quelques moments de solitude avant de la rejoindre. Du temps pour offrir des prières à ce Dieu qu'elle haïssait passionnément.

Ils demeurèrent assis sans dire un mot, la tête et les pieds de la jeune femme incroyablement nus. Thomas se rappela, des années plus tôt, la mantille posée à la hâte sur les cheveux pour la confession du samedi après-midi, à l'époque où Linda croyait qu'elle ne pouvait entrer dans une église sans être couverte. Il voulut lui prendre la main, mais quelque survivance d'un sens des convenances l'arrêta.

« Tu reconnais la femme sur celui-ci ? » demanda Linda en louchant légèrement, le doigt pointé vers l'un des vitraux latéraux pleins de couleurs. C'était la représentation d'une femme à la fois sensuelle et en adoration, les yeux tournés vers le haut, comme en direction du ciel. Elle portait un vêtement jaune vif, et les cheveux africains qui lui encadraient le visage étaient ébouriffés. Contrairement aux autres personnages, elle était noire.

« Marie-Madeleine.

— Tu n'as pas oublié.

— Bien sûr que non. C'est un magnifique tableau. Dont le concept est très proche d'une œuvre de Titien que j'ai vue l'an dernier à Florence. En fait, je suis sûr qu'il s'en inspire. La chevelure était stupéfiante. Disons très "Titien". Marie-Madeleine est souvent représentée partiellement nue avec de longs cheveux flottants d'un blond-roux. Superbe.

— Tu y es allé l'an dernier?

— En venant ici. J'en ai vu deux autres en Italie. Le Bernin, à Sienne. Il s'agit d'une sculpture. Ses seins sont nus et couverts de cheveux épars. Celle de Donatello est très différente. Décharnée. Ascétique. Davantage la pénitente.

— Intéressant qu'elle soit africaine.

— Effectivement. Chez les chrétiens, elle passe pour être l'incarnation d'Éros et de la féminité.

— Tu as fait une étude là-dessus.

— Oui. Pour ce sur quoi je travaille actuellement. Tu as lu *La Dernière Tentation du Christ* de Nikos Kazantzákis ?

— Je n'en reviens pas ! Je suis en train de lire *Lettre au Greco*.

— Kazantzákis présente Marie-Madeleine comme une pute de quartier, quelqu'un qui émouvait Jésus depuis l'enfance. Une femme avec laquelle il a eu des relations sexuelles sa vie durant. Certains pensent qu'elle lui a donné des enfants.

— Toutes les institutions accueillant des mères célibataires s'appellent Marie-Madeleine.

— Je m'en souviens.

— Tu as vu *Jésus-Christ Superstar* ?

— "Dites-moi comment faire pour L'aimer".

— Je n'ai jamais cessé de t'aimer », déclara Linda.

Le souffle coupé, Thomas ferma les yeux. Derrière eux, la douleur absolue du temps perdu était pareille à une étoile en train de se désintégrer. Il posa les mains sur ses cuisses, comme pour se préparer à affronter de terribles souffrances.

« J'avais fini par comparer ça à l'enfance, reprit-elle. Un truc que j'avais autrefois possédé et qui était perdu à jamais. »

Thomas leva les yeux vers le plafond, comme le font les hommes lorsqu'ils ne veulent pas reconnaître qu'ils pleurent.

« Pourquoi ne pas me l'avoir fait savoir ? » demanda-t-il, la voix rauque.

La jeune femme croisa les jambes mais l'étroitesse du banc l'obligea à les pencher de côté.

« Pour toutes les raisons que je t'ai dites. Je supposais que tu étais passé à autre chose, que tu m'avais oubliée.

— Jamais.

— Je savais que tu t'étais marié. Ma tante n'avait pas pu résister à l'envie de me le dire. En fait, je crois qu'elle m'a téléphoné dès qu'elle l'a appris.

— Oh, Linda.

— Et les choses en sont restées là. »

Thomas ne pouvait pas toucher la jeune femme dans l'église. Si passionnée que fût sa haine pour Dieu, il savait que de telles avances la gêneraient. Il n'en eut pas plus la possibilité lorsqu'ils sortirent de l'église, car les enfants les avaient patiemment attendus et les suivirent sur le chemin. Dès qu'ils eurent laissé le village derrière eux, hors de vue, il tendit le bras et obligea Linda à s'arrêter. Elle se retourna – si spontanément qu'il aurait pu remercier Dieu – et se blottit tout contre lui. Le premier baiser ne lui fut pas familier, et pourtant Thomas eut le sentiment d'être arrivé, d'être rentré chez lui, d'avoir atteint sain et sauf le rivage. Il aurait pu le dire à Linda si elle n'avait scellé sa bouche avec un deuxième baiser dont le goût lui en rappela alors un millier d'autres. La jeune femme noua ses doigts vigoureux autour du cou de Thomas et pencha désespérément la tête vers la sienne. Il trébucha, tomba à genoux, involontairement, il avait perdu l'équilibre. Linda l'attira à elle, le ramenant contre son ventre nu. Plaisir si intense que Thomas gémit de gratitude. Elle se pencha vers lui.

« Linda », articula Thomas, que le soulagement faisait presque chuchoter.

Thomas tenta d'embrasser la chambre du regard et de la faire sienne tandis que Linda s'allongeait sur le dessus-de-lit. Le *kanga* maintenant dénoué, le bain-de-soleil défait, les seins, une blancheur bouleversante se détachant sur la peau. Il fut absolument incapable de se rappeler ce qu'ils avaient été, cependant ils avançaient ensemble comme s'ils ne s'étaient jamais quittés. Thomas ne s'était pas senti une seule fois aussi parfaitement à l'aise depuis une éternité. Le fait que cela pût lui appartenir, que Linda pût lui faire ce cadeau encore et encore et encore, que le mécontentement pût s'apaiser, fut une révélation. La jeune femme se dressa au-dessus de lui et prononça son prénom, sa chevelure tel un rideau humide de chaque côté du visage. Elle abaissa les épaules et lui offrit ses seins, qu'il prit dans sa bouche et ses mains, la désirant tout entière.

Douce récompense de tous ces jours et ces nuits qui n'avaient pas été vécus.

9

27 novembre

Cher Thomas,

Aujourd'hui, nous avons reçu la visite du député de Nyeri. Visite inopinée, car il venait de Nairobi pour négocier la dot d'une deuxième épouse, dont personne n'est censé avoir entendu parler ; la première épouse, pour son plus grand malheur, est stérile. L'homme est arrivé dans une Mercedes et il a fait son entrée en grande pompe, au point que je m'attendais à être bénie. Il est resté assis sur un banc dans le fond de la classe, à écouter une leçon de multiplication en hochant la tête de temps à autre, comme s'il y avait eu de possibles points d'accord et de désaccord, sans cesser de se curer les dents avec une brindille. Les enfants étaient intimidés et ils n'arrêtaient pas de regarder à la dérobée le grand homme venu de la ville. Il portait une montre en or, et je n'y connais pas grand-chose en vêtements masculins, mais le tissu de son costume avait dû coûter cher. Sa suite comptait huit personnes. Il voyage avec un véhicule devant lui et un autre derrière, mesure de sécurité contre les voleurs et les opposants politiques. Ses sous-fifres sont censés prendre les coups au cas où il serait arrêté par un gang armé de *panga* sur la A104. On m'a raconté qu'il avait une piscine chauffée à Lavington, un certain nombre de Mercedes et un compte en Suisse bien garni. Qu'a-t-il pensé des pieds nus des enfants, je me le demande.

Je suis assise à l'arrière du cottage sous un acacia qui donne l'illusion bien maigre de faire de l'ombre. Le vent, en provenance des champs de chrysanthèmes, bruit, et les eucalyptus craquent. Un énorme vautour, perché sur une branche au-dessus de ma tête, attend patiemment ; une proie a dû récemment être tuée dans les parages. Je ne veux pas savoir de quel animal il s'agit, ni penser à celui qui l'a tué. De superbes sansonnets d'un bleu turquoise irisé pépient dans l'arbre, mais le vautour refuse de se laisser importuner. C'est à peine croyable : on fête Thanksgiving aujourd'hui. Très étrange d'être en congé quand tous les autres travaillent.

Je me sens assommée, comme cela m'arrive parfois lorsque j'émerge de l'obscurité d'une salle de classe ou de ma maison et que je suis frappée par la lumière africaine de midi : aveuglée par elle, prise de vertige, comme si j'avais reçu un coup sur la tempe. Désorientée, légèrement nauséeuse même, incapable de manger. Je fais le tour des pièces, touchant les objets parce que tu les as touchés. Un livre de Rilke. Une assiette sur laquelle il y a eu de la gelée. Une brosse dont je n'ai toujours pas retiré les cheveux châtains. C'est une espèce d'affection, non ? Un mal qui s'est emparé de moi.

Ou plutôt la réapparition d'une maladie chronique. Accès mortel, cette fois-ci, je sais qu'il ne peut en être autrement.

Je pense que les mots corrompent et oxydent l'amour. Qu'il est préférable de n'en rien écrire. Je crois que même la mémoire est complètement rouillée et pourrie.

Je t'ai toujours été fidèle. Si la fidélité représente l'expérience à laquelle on a comparé tout le reste.

À jamais tienne,

Linda

1er décembre

Chère Linda,

Quand je t'ai quittée et que j'ai pris des dispositions pour que nous nous écrivions, je croyais que tu ne le ferais pas, que ton sens aigu de la culpabilité te réduirait au silence. Pis encore, je craignais que, si je me rendais à Njia en voiture, tu n'aies disparu sans laisser de trace, comme les voiles de brume flottant au-dessus des marécages près de chez toi. Si bien que lorsque j'ai aperçu ta lettre dans la boîte – papier lavande, écriture timide et délicate – j'ai pleuré. Là, devant les *mzee* qui chiquaient et les écoliers qui jetaient des cailloux à un daman. Sans honte aucune. Rien que de la joie et un incroyable soulagement.

Marie-Madeleine. Magnifique Marie-Madeleine. Perdue puis retrouvée. Je ne crois pas avoir jamais connu le bonheur auparavant.

Au sujet de Regina. Devrais-je te parler de la colère sourde avec laquelle je fus accueilli à mon retour samedi soir, colère d'autant plus accablante qu'elle était méritée ? ou de la sérénité – absente partout ailleurs dans sa vie – avec laquelle ma femme observe les cas les plus déchirants de maladies infantiles (les petits Kényans étant, malgré leur sort, les enfants les plus sages du monde, mystérieux secret en matière d'éducation que je n'ai pas encore réussi à percer) ; ou encore de son désir – dévorant, incessant, écrasant – de mettre au monde un enfant bien à elle ? Non, je n'en parlerai pas. J'aime vraiment Regina. Mais c'est hors de propos. Je suppose que tu aimes aussi ton Peter – au sujet duquel tu es, à juste titre, restée silencieuse dimanche.

Je revois ton corps sur le lit. Pendant des moments entiers, c'est la seule chose qui existe.

Tu es si belle à mes yeux. (Avez-vous un miroir ? Je n'ai pas fait attention. Nous n'en avons pas. Regina se maquille en se regardant dans la théière.)

Preuve de ma propre constance. Tous mes poèmes parlent de toi, même lorsqu'ils donnent l'impression du contraire. Et, pour être plus précis, ils traitent tous de l'accident, au cas où tu aurais douté de la sincérité de ma propre culpabilité. Je suppose qu'ils ne sont pas disponibles sous quelque forme que ce soit à la bibliothèque de l'Institut britannique.

À t'écrire de chez moi, je me sens infidèle – infidèle envers toi ou Regina ? Envers vous deux, je pense – et donc je suis allé à Nairobi au volant de mon Escort cabossée et à deux reprises volée, j'ai pris une table au Thorn Tree et commandé une Tusker sans ver (c'est une longue histoire). Une étrange fumée blanche s'échappe de ce qui doit être la cuisine et je devrais sans doute faire comme tout le monde, ne pas y prêter attention (on dirait pourtant qu'elle va tous nous empoisonner). On ne m'a jamais laissé de message sur le tableau d'affichage mais, et c'est insensé, j'ai vérifié aujourd'hui au cas où tu m'aurais écrit en code. (Dépose-m'en un lors de ton prochain passage à Nairobi, histoire de céder à mes caprices ; bien que, si tu y viens sans me le dire, je mourrai sûrement de chagrin.)

Pas plus tard que samedi dernier, j'étais assis à ce même café en compagnie de Ndegwa. (Sans savoir que tu te trouvais dans ce pays. Comment était-ce possible ? Pourquoi cette absence de signes ou de prodiges dans le ciel, de vibrations perceptibles que j'aurais reconnues comme étant tes pas ?) Aujourd'hui, je me suis rendu à l'ambassade américaine pour le compte de Ndegwa et, en récompense, j'ai eu droit à une entrevue avec un fonctionnaire – sa fonction ? Aucune précision là-dessus. Il ressemblait – j'hésite à le dire, c'est un tel cliché – à un marine vieillissant aux cheveux en brosse coupés tellement ras qu'on voyait surtout le crâne. L'homme s'est montré direct et cordial, heureux de me voir, en fait, même s'il n'avait au départ aucune idée de la raison de ma visite. Je me méfie de ce genre d'accueil égalitariste. Il m'a demandé – je ne plaisante pas – « T'es d'où, Tom ? », j'ai répondu : « Boston », et il s'est exclamé : « Hé, Red Sox ! » On a donc discuté de l'équipe de base-ball, sur laquelle j'en savais moins que je n'aurais dû, ce qui m'a donné l'impression de passer un examen et de le rater. Mon fonctionnaire est devenu suspicieux, il a alors paru remarquer la longueur excessive de mes cheveux (je l'entendais me traiter de hippie dans sa tête), et il a fini par me demander : « Qu'est-ce que je peux faire pour toi ? » et « Qu'est-ce qui te préoccupe, Tom ? ». En vérité, c'était toi, comme ça l'est toujours maintenant, mais je lui ai parlé de ma mission, qui était plutôt vague quand j'avais quitté la maison, mais l'était plus encore à l'instant où je l'en entretenais. Je lui ai expliqué que je voulais aider à la libération de Ndegwa. À défaut, je désirais faire pression sur le gouvernement kényan pour qu'il précise les chefs d'accusation établis contre le poète et fixe la date du procès. Requête apparemment absurde et d'une désespérante naïveté, c'est ainsi que mon interlocuteur a pris la chose. Il a souri avec indulgence avant de déclarer, en repoussant son fauteuil et en entrelaçant ses doigts sur ses genoux : « Eh bien, Tom, c'est là un domaine sensible. » Puis : « Tu sais, Tom, les USA possèdent une base stratégique au Kenya. » Et enfin : « J'aimerais aider autant que toi, Tom, mais ces choses prennent du temps. » Je me sentais comme un gamin qui serait allé demander de l'argent à son père.

Après m'avoir gaiement remis à ma place, mon fonctionnaire m'a demandé ce que je faisais dans le pays. J'ai feint, j'ai parlé de Regina, puis j'ai fini par reconnaître que j'écrivais. « Pour qui ? » Question fondée. « Pour personne », et j'ai bien vu qu'il ne me croyait pas. Au fond, qui écrirait pour personne ? Émaillant sa conversation de noms connus, il m'a signalé que Ted Kennedy allait bientôt venir au Kenya, et que lui (mon fonctionnaire) était chargé d'organiser une réception en l'honneur du sénateur. Prononçant la première déclaration politique de ma vie – ayant, en effet, la première *pensée* politique de ma vie –, je laissai échapper : « Je connais Ted Kennedy », et finis par capter son attention. « En fait, mon père le connaît. Il est venu un jour dîner à la maison.

— Pas possible ! »

En fin de compte, on allait donc pouvoir examiner le « problème Ndegwa », comme il dit.

Écris-moi. Pour l'amour de Dieu, continue à écrire. Un jour sans toi est comme un jour qui n'aurait pas été vécu, supportable uniquement parce que je fais appel à ma mémoire ; elle n'est sujette qu'à une simple oxydation, légères traces de rouille portées par le vent.

Aime-moi comme tu l'as fait dimanche. Est-ce trop demander ?

Thomas

P.S. : En gros titre aujourd'hui : UNE FEMME AUX PRISES AVEC UNE HYÈNE DANS LA BROUSSE.

15 décembre

Cher Thomas,

Je t'écris depuis l'hôpital Marie-Madeleine (non, je n'invente pas) où j'ai dû emmener David, ce garçonnet pris d'une terrible quinte de toux dans la classe. Un gamin courageux. Il refuse d'être exclu de l'école. Il souffre d'une mystérieuse maladie dont les médecins ignorent le nom – elle en fait un pneumonique et le décharne tellement que je crains qu'il ne soit plus à même de tenir debout. On l'a admis à l'hôpital pour lui faire passer des examens, et je l'attends puisque sa mère est également malade et ne peut pas quitter sa case. Une fille aînée s'occupe des plus petits. Oh, Thomas, on n'a vraiment jamais rien su de la misère, tu ne trouves pas ?

L'hôpital, un petit bâtiment, a été construit dans les années 30 pour héberger des jeunes filles insoumises d'origine européenne dont les parents étaient trop pauvres pour les renvoyer en Europe avec leur bébé. (Ou refusaient de dépenser leur argent pour une cause aussi désespérée. Où sont passés les bébés, je me le demande.) Bien sûr, personne ne se soucie plus de ça aujourd'hui, et donc l'hôpital sert de dispensaire d'urgence pour la région. Il y a un médecin belge qui est très bien. Jeune, drôle, et toutes les femmes tombent amoureuses de lui. J'ai l'impression qu'il ne dort jamais ; il est toujours à l'hôpital quand j'y vais. Le cas de David le déconcerte et il a envoyé des prélèvements sanguins à Bruxelles pour les faire analyser. Comment un médecin peut-il traiter une maladie qu'il est même incapable d'identifier ?

Sœur Marie Francis, grosse et redoutable femme, n'arrête pas de passer et de me considérer d'un air désapprobateur. Je n'en suis pas surprise, mais je crois que c'est uniquement à cause de mon *kanga*. À moins qu'elle ne voie en moi la jeune fille catholique et rebelle tandis que j'examine l'horrible croix sur le mur d'en face. La jeune fille qui méditait sur la joie, la culpabilité et le châtiment. La religieuse passe sans faire de bruit, nous nous fixons – je ne peux pas m'en empêcher ; sans doute suis-je en quête d'un signe, d'un message de sa part ? –, et je me sens démasquée, encore plus nue que ce que ma tenue décontractée peut suggérer.

Je ne t'ai pas raconté que Peter était arrivé à l'improviste après ton départ. Cette seconde apparition de la journée m'a stupéfaite, et je me suis éloignée de la porte. Peter a pris cette inquiétude pour de la surprise ordinaire, ce sur quoi il comptait. Et toi, encore sur ma peau. J'ai dû invoquer l'indisposition, l'épuisement, n'importe quoi. J'avais honte non pas de toi, ni de nous, mais de ma peur d'être découverte.

Oh, Thomas, malgré tout cela, je me sens tellement heureuse.

Hier, je me suis arrangée pour que les enfants puissent aller à Nyeri assister à un défilé en l'honneur de Jomo Kenyatta. Trente enfants entassés dans deux camionnettes Volvo et une Peugeot 504 (il ne faut pas trop y penser). Depuis les flancs d'un coteau, on a regardé ces gens avec leur costume traditionnel, baskets et visière Coca-Cola, tout en mangeant des bâtonnets glacés. On a écouté Jomo Kenyatta faire un discours sur l'*harambee* et l'avenir du Kenya. Bien sûr, en présence des enfants, il fallait se montrer respectueux et ne pas relever l'ironie qu'il y avait à employer le mot « liberté » quand des gens comme Ndegwa se morfondent en prison. (As-tu reçu d'autres nouvelles de ton marine ?) Mais il faut ajouter que de fortes tensions étaient perceptibles, aussi bien dans le public qu'au milieu du cortège : comme tu le sais, Kenyatta n'est plus aussi aimé qu'avant. Là où je veux en venir avec cette histoire, c'est que, de façon tout à fait soudaine et inopinée, un vent de panique a soufflé sur le coteau et ce fut la débandade. Des centaines de personnes se sont mises à courir, sans voir qu'elles se dirigeaient vers des barbelés. L'hystérie était contagieuse. On a rassemblé les enfants en un cercle étroit, on les a obligés à s'accroupir et, surtout, on s'est couchés sur eux. Je me suis dit : « Kenyatta a été abattu. » Puis : « C'est un coup d'État. » Peter a pris un genou dans la colonne vertébrale. Des soldats munis de baïonnettes se sont agenouillés près de nous, l'arme pointée sur la foule. Il n'y a pas eu de morts mais des dizaines de personnes, écrasées contre les barbelés, ont été blessées. Plus tard, nous avons appris que cet affolement avait été provoqué par un essaim d'abeilles. Au-dessus de nos têtes, inconscients de la mêlée, six chasseurs passèrent en vrombissant pour saluer Kenyatta. Alors que nous les observions, l'un d'eux a quitté la formation en faisant des loopings, avant d'aller s'écraser sur un terrain de golf voisin.

J'écris sur ces événements comme j'écrivais autrefois sur un film ou une virée à la plage. Je ne dirai pas que je m'y suis habituée, mais ils ne me bouleversent plus.

C'est l'amour que je te porte qui me bouleverse.

J'aimerais penser que ce que nous avons pourrait exister hors du temps réel, que ce pourrait être une chose à part, non envahissante. Pensée dangereuse et insensée. La moindre parcelle de mon existence est déjà envahie.

Bien à toi,

L.

21 décembre

Chère Linda,

Tu parles de panique et d'hystérie, et moi je ne pense à rien d'autre qu'à Peter et toi sur ce coteau, à Peter te surprenant dans votre cottage (tandis que je rentre retrouver une Regina furibarde). Déjà jaloux. Jalousie violente, dévorante qui me réduit à n'être qu'une créature mesquine, malhonnête, guère attachante. As-tu couché avec lui ? Ce soir-là ? Si peu de temps après notre rencontre ? Que je n'aie pas le droit d'être jaloux est hors de propos. C'est une passion humaine : le point vulnérable, morbide et livide de l'amour. Pis encore, je suis jaloux de ce médecin dont toutes les femmes tombent amoureuses. Es-tu du nombre ?

Ne réponds pas à mes questions.

Hier soir, Regina et moi avons assisté au lancement du livre d'Errol Trzebinski, *Silence Will Speak*. C'est avant tout une biographie de Denys Finch Hatton, l'amant de Blixen à l'époque où elle vivait sur sa plantation de café, mais aussi un texte traitant de la vie de Blixen et de ses écrits sur l'Afrique. (Peut-être connais-tu déjà l'ouvrage ? De toute façon, je le joins à cette lettre puisque tu m'as dit avoir déjà lu tous les livres de Njia.) La réception avait lieu au Country Club de Karen – médiocre anachronisme. Il n'y avait quasiment que des Blancs, à une exception notable près. Un vieil homme vêtu d'un costume sombre et d'un pardessus mal repassé, la canne posée contre son fauteuil, était assis dans un coin et sirotait du thé en bavardant avec « deux vieilles dames » (comme les femmes doivent détester obtenir ce grade) en tailleur et chapeau prune. À première vue, ce tableau m'évoqua des tantes et un oncle célibataires cancanant lors d'une réunion de famille. Mais on m'apprit ensuite que le vieil homme était en fait le Kamante de *La Ferme africaine*, le cuisinier fidèle de Blixen, l'homme dont l'histoire couvre une large partie du roman. Quand elle l'avait découvert il y a cinquante ans, ce n'était qu'un petit garçon, malade et renfermé, qui gardait des chèvres sur ses terres ; et aujourd'hui c'est un vieux monsieur qui, j'imagine, a été témoin de l'incroyable transformation de son pays. J'ai dans l'idée qu'on l'avait traîné là pour l'occasion, histoire de conférer un certain cachet à la cérémonie ; il était un peu l'invité d'honneur. Bien qu'il me parût, je dois dire, largement indifférent au sort qui avait réussi à l'installer dans un coin de cette salle où, tout en buvant une tasse de thé, il évoquait une Afrique aujourd'hui disparue en compagnie de femmes qui, à l'époque de Blixen, ne l'auraient pas accepté à leur table.

Ayant laissé tomber mes scrupules (la jalousie les a poussés à la dérive), je t'écris désormais de chez moi. Notre maison se trouve au milieu de jardins manucurés, d'acacias et d'eucalyptus se dressant au-dessus des cottages en pierre de Karen, avec la fumée qui s'élève en volutes des cheminées et, à l'arrière-plan, les quatre mamelons des Ngong Hills. Me croire en Angleterre n'est pas bien dur. Les haies forment des mini-forteresses d'une hauteur de presque quatre mètres, impénétrables, reliées par des grilles, avec des gardes pour les surveiller. Les enfants ne jouent ensemble que sur invitation. Chose étrange que toute cette beauté, tout ce charme ordonné, toute cette douce grâce du paysage – car il n'est pas difficile d'y voir une tumeur maligne qu'il faudra un jour exciser.

Non, je ne crois pas à ton hôpital et il va falloir que je vienne voir par moi-même. Écris-moi pour me dire que je peux venir. Ou retrouve-moi quelque part. Je ne supporte pas de ne pas te voir. Quand viens-tu à Nairobi ?

Les États-Unis ont formellement porté plainte à propos de la détention de Ndegwa par le gouvernement kényan. Je me flatte si je crois y être pour quelque chose. Et me leurre si je pense que ça va aider. J'ai écrit à Amnesty International, mais je ne recevrai pas de réponse avant plusieurs semaines. Le courrier est vraiment d'une lenteur désespérante. Avez-vous le téléphone ? J'ai oublié de te le demander. Nous, non. Je me suis opposé à son installation après le cambriolage (encore une longue histoire), mais depuis un certain temps Regina fait pression pour qu'on en ait un. Et moi, mari fidèle, j'accepterais aussitôt si je pensais qu'il pourrait me relier à toi.

Je traite ça à la légère, mais notre situation est douloureuse. Nous n'évoquons pas l'avenir. En avons-nous un ?

On parle d'un charnier de cinquante étudiants. J'ai du mal à y croire mais c'est peut-être vrai.

Noël approche. Étrange sous cette chaleur, tu ne trouves pas ? Comme j'aimerais le passer avec toi.

Bien à toi,

Thomas

P.S. : En gros titre aujourd'hui : ATTAQUE DE LÉOPARD À KAREN.

4 janvier

Cher Thomas,

Peter et moi rentrons de Turkana où nous avons passé la semaine de Noël. Nous avons pris la voiture, traversé des rivières, et la température de 38 degrés nous a presque vaincus. Le paysage était désolé au point qu'on se demande comment les Turkana, qui se déplacent à pied d'une région désertée à une autre, réussissent à survivre. À notre grand étonnement, le lac, entouré de palmiers et de kilomètres de sable, ressemble au bord de mer. Sans tenir compte de la menace que constituent parasites et crocodiles, nous avons surfé sur une eau à 27 degrés. Le matin, nous nous réveillions devant un lever de soleil rouge sang – bande longue de centaines de kilomètres, qui, malgré son incroyable beauté, annonçait une chaleur étouffante pour le reste de la journée. Le paysage est magnifique, violent, menaçant – l'impression de pénétrer sur une autre planète où l'on respire des gaz toxiques au milieu de superbes couleurs.

Thomas, nous sommes liés, quel que soit notre éventuel désir de ne pas l'être. Quant à l'avenir, je ne sais pas que dire.

On a passé tant de choses sous silence.

Je t'entendais crier mon nom quand ils m'ont emmenée. J'étais en état de choc, incapable de parler, sinon je t'aurais répondu. Ma tante est arrivée à l'hôpital peu après moi. Il faut dire, à son crédit, qu'elle a pleuré une fois, puis elle n'a pas cessé de me dire qu'elle m'avait prévenue. Sa méfiance à ton égard m'a toujours laissée perplexe. Peut-être hait-elle tous les hommes. Je l'avais plutôt imaginée faire bon accueil à la personne qui l'aurait débarrassée de moi.

Je suis restée cinq jours à l'hôpital. Mes oncles et cousins ont fait preuve de vigilance, on ne m'a jamais laissée seule. Étrange trésor qu'ils protégeaient, trésor déjà volé.

Après une journée à la maison, j'ai été envoyée à New York, avec oncle Brendan au volant de la voiture (on a fait trois bars, rien que dans le Connecticut). Tel que je me le rappelle, le trajet a été un supplice, car j'avais tout un flanc écorché. (Tout en moi était écorché.) Les jours ont passé. On m'a retiré les pansements en mars. Eileen, qui était masseuse, s'absentait du matin au soir. Quand j'ai pu le faire, je me suis promenée dans les rues. Je pensais à toi. Pendant des heures, je regardais par la fenêtre, en pensant à toi. Une fois que j'ai été à même de me lever, je t'ai appelé à maintes reprises. Sans jamais obtenir de réponse. Plus tard, ma tante m'a écrit que ta famille et toi étiez partis en voyage en Europe. Est-ce vrai ? J'ai oublié de te poser la question dimanche. Puis elle m'a écrit que tu sortais avec Marissa Markham (bon débarras, etc.). Ses intentions étaient tout à fait claires, mais comment être certaine que c'était faux ? Les gens changent, non ? Tu étais peut-être furieux que je sois partie sans te dire où. Ma tante t'avait peut-être aussi raconté des mensonges.

Je me disais : il m'a oubliée tellement vite.

Je n'ai jamais reçu tes lettres. Facile d'imaginer ce qu'on en a fait. Lues et jetées, j'imagine. Comme j'aimerais les récupérer ! J'ai l'impression que nous sommes la chair et le sang d'une même personne. Je t'aime avec tes cheveux longs. Je t'aime.

S'il te plaît, envoie-moi tes poèmes. J'espère que c'est bien vrai que tu es le seul à ramasser le courrier.

Tendrement,

Linda

P.S. : Merci pour le Trzebinski. Je l'ai lu en une journée. Si seulement je pouvais lire moins vite pour que les livres durent plus longtemps.

10 janvier

Chère Linda,

Je souffre le martyre à l'idée que tu aies pu croire que je t'avais oubliée.

Jamais.

Si seulement, au lieu de prêter attention à ta tante, j'avais poursuivi mes tentatives. Si seulement j'avais téléphoné à Eileen. Si seulement j'avais pris la voiture pour aller à Middlebury. Je ne veux plus y repenser. Ça me rend malade, littéralement.

Et ça m'empêche presque de me réjouir des nouvelles que j'ai reçues, même si elles me semblaient merveilleuses une heure plus tôt. Hier, j'ai eu une lettre (elle a mis sept semaines à arriver jusqu'ici) d'un rédacteur du *New Yorker* désireux de publier deux de mes poèmes. Vu le temps que je mettais à lui répondre, j'ai paniqué à l'idée qu'il ait pu croire que je n'étais pas intéressé ; je me suis donc rendu à Nairobi en voiture, j'ai trouvé un téléphone et je l'ai immédiatement appelé. Il était un peu déconcerté de voir que je téléphonais de si loin (manifestement, ce n'était pas aussi important pour lui que pour moi), mais je lui ai expliqué l'état du service postal. De toute façon, les poèmes seront publiés, et je vais bel et bien être payé (stupéfiant en soi). Regina est plutôt contente. Elle doit se dire que ça justifie mon existence. Moi aussi, d'ailleurs.

J'ai d'autres nouvelles. Mon fonctionnaire d'ambassade m'a envoyé un petit mot m'informant qu'il comptait organiser une soirée à laquelle participeraient plusieurs personnes haut placées (dont le sénateur Kennedy), et il se demande si je pourrais convaincre Mary Ndegwa d'être également présente. D'après lui, c'est pour moi l'occasion idéale de soutenir sa cause, et ça m'a vraiment réconforté de constater qu'il avait toujours en tête le « problème Ndegwa ». (Kennedy, bien sûr, ne se souviendra pas de moi, et nul doute que ce sera gênant ; mais pour l'instant je ne veux pas m'en préoccuper.) Je ne connais pas encore la date exacte de cette soirée mais, dès que je la sais, je t'en fais part. Peut-être Peter et toi pourriez-vous y assister ? (Est-il fou d'imaginer se trouver dans la même pièce sans se toucher ? Nous ferions sûrement preuve de plus de sang-froid ? Peut-être pas.)

Rich arrive mardi et on va partir en safari une quinzaine de jours. Je m'en réjouissais (c'est sans doute toujours le cas), mais je suis affolé à l'idée de ne pas pouvoir recevoir une lettre de toi. (Peut-être devrais-tu t'abstenir d'écrire pendant deux semaines. Non, écris, je t'en prie, mais ne poste rien avant mon retour. Je déteste ce foutu subterfuge. Il nous avilit ainsi que Peter et Regina. Mais je ne vois pas comment l'éviter, et toi ?)

J'ai suivi le conseil d'un ami (une connaissance) et, à Nairobi, je suis passé voir le directeur d'une revue pour savoir s'il accepterait de publier certains de mes poèmes. Cela avait peu de chance de marcher, mais comme je me trouvais à Nairobi (à téléphoner au *New Yorker* pour douze dollars la minute, dépensant ainsi, sans nul doute, l'intégralité du chèque à venir), je me suis dit que j'allais tenter le coup. C'est un drôle de magazine hybride – quelque part entre *McCall's* et *Time* (des interviews d'hommes politiques de haut rang voisinant avec des recettes de cuisine), mais le directeur m'a plu. Il a étudié aux États-Unis – dans l'Indiana, en l'occurrence – et m'a invité à déjeuner. Il va publier plusieurs de mes poèmes. (Bel et bien payé, là encore. Gêne de riches.) Cette rencontre a pourtant eu des retombées : il m'a dit avoir désespérément besoin de reporters et m'a demandé si j'accepterais de lui écrire un ou deux articles. Je lui ai répondu que je n'avais jamais fait de journalisme, mais ça n'a pas eu l'air de le déranger – je crois comprendre que mes qualifications sont principalement ma disponibilité et mon aptitude à écrire en anglais. Alors je me suis dit : pourquoi pas ? et j'ai accepté. Je pars donc demain pour couvrir un *siku kuu* (traduction littérale : jour marquant) dans les *boma* massaï de la vallée du Rift. Accompagné d'un photographe. Je n'imagine pas ne pas y trouver un quelconque intérêt.

Linda, je suis à l'agonie. Il faut que je te voie bientôt. Aurais-tu la moindre chance de pouvoir t'échapper quelques jours ? Je pense (c'est probablement sans espoir) à une rencontre quelque part sur la côte. Regina, qui part en safari avec nous, rentrera peu après notre arrivée à Mombasa (elle ne supporte pas l'humidité). Je pourrais convaincre Rich de rentrer avec elle (d'ici là, il en aura plus qu'assez de son grand frère et mourra d'envie de se retrouver seul). Ce serait paradisiaque d'être avec toi à Lamu. Y es-tu déjà allée ? Sinon, oublie la côte et viens simplement à Nairobi. Ou dis-moi que je peux venir à Njia. Pourrions-nous nous voir à Limuru ? Mon corps a mal.

Je t'aimerai toujours,

Thomas

P.S. : Je déteste la manière dont se concluent les lettres – ou trop tiède ou trop cruche pour la circonstance.

P.P.S. : En gros titre aujourd'hui : DES ÉLÉPHANTS DÉCHAÎNÉS DÉTRUISENT DES RÉCOLTES.

17 janvier

Cher Thomas,

Je suis très triste aujourd'hui. David est mort ce matin à Marie-Madeleine. Le Dr Benoît a fait tout son possible, mais la pneumonie avait gagné les deux poumons, et David n'a pas eu la force de la combattre. Je viens d'apprendre la nouvelle à sa mère, qui est elle-même gravement malade ; elle n'a guère paru m'entendre. Thomas, quelle est cette terrible affection ? Le Dr Benoît est furieux contre lui-même et contre Bruxelles ; ils ont mis trop de temps à renvoyer les résultats de la culture.

Mais eux aussi sont déroutés, et ils ont expédié les prélèvements au Centre de lutte contre les maladies, aux États-Unis. Le Dr Benoît affirme avoir connu d'autres cas semblables et s'inquiète à l'idée que cette maladie se propage avant qu'il ait pu découvrir de quoi il s'agit.

David était un gamin courageux. L'enterrement aura lieu demain.

Oui, je pense pouvoir te retrouver sur la côte. Je devrais m'arranger, soit pour partir avec Peter, soit pour rentrer avec lui, mais je pense pouvoir trouver deux jours pour être avec toi. J'ai mal moi aussi, même si j'ai peur de te revoir. Peut-être est-ce dû à mon abattement aujourd'hui, mais je ne vois pas d'issue positive à notre relation. Aucune. Quelqu'un – espérons que ce sera nous – en pâtira terriblement.

Tes nouvelles du *New Yorker* me font plaisir. Il faut que tu m'envoies les poèmes qu'ils vont publier.

Thomas, je t'aime au-delà de tout ce que je croyais possible. Ça m'attriste pour Peter, pour ce qu'il n'a jamais reçu de moi.

Je vais laisser de côté la conclusion tiède. Aucun mot ne convient.

Linda

P.S. J'ai pris le risque de t'écrire cette unique lettre avant ton départ pour la côte. Je prie pour que ce soit toi qui la récupères.

26 janvier

Chère Linda,

Je suis vraiment désolé pour David. J'espère qu'il n'a pas souffert. Bizarrement, je suis heureux que la mère n'ait pas totalement conscience des événements. Ça m'a toujours semblé être la pire des choses dans la mort d'un enfant : que la mère doive souffrir cette perte intolérable. Si seulement tu ne haïssais pas aussi passionnément ton Dieu, tu pourrais te consoler en pensant que David se trouve désormais avec Lui.

De telles émotions en l'espace de quelques paragraphes. J'étais fou de joie d'apprendre que nous pourrions sans doute nous rencontrer sur la côte. Lamu te paraît envisageable ? Je t'enverrai les dates demain, et je trouverai un lieu de rendez-vous. Mon Dieu, Linda, cela doit avoir lieu. Un autre serait peut-être capable de faire passer les scrupules avant le manque et le besoin, moi pas. Je me dis parfois que nous nous devons cela, à cause de tous ces jours et de toutes ces nuits à jamais perdus pour nous, même si je sais cette réflexion dénuée de tout sens moral. Quelqu'un d'autre (ta bonne sœur probablement) affirmerait purement et simplement que c'est un peu fort, que nous sommes liés à d'autres et que nous devons respecter ces engagements. Mais je me demande : il y a neuf ans, toi et moi n'avons-nous pas pris un engagement plus solide devant un bungalow bleu, au bord de la mer ? Dois-je payer pour le restant de mes jours à cause d'un moment d'inattention dans un virage glissant ? Si ça arrivait à Regina, le comprendrais-je ? Dieu, j'espère bien.

Je viens de finir d'écrire mon premier article

pour la revue dont je t'ai parlé. Le *siku kuu* fut, en fin de compte, un événement extraordinaire – au cours de cette cérémonie, un millier de Massaï se sont rassemblés pour oindre leurs femmes de bière de miel afin de s'assurer que la fécondité tribale se perpétuera, un spectacle qui a lieu tous les vingt ans – et j'espère en avoir donné une juste appréciation. J'aurais préféré écrire un poème, mais ça ne correspond pas vraiment aux besoins actuels du directeur. Je ne veux pas t'ennuyer avec un récit de voyage, mais voilà les moments les plus marquants. Les faibles lueurs de l'aube au moment où nous atteignons Magadi Road. La conversation somnolente avec mon compagnon photographe. Deux cent cinquante *manyatta*, deux mille Massaï rassemblés en un même endroit. Le tissu rouge et brun des femmes, leur Maridadi, les boucles d'oreilles décorées d'appendices perpendiculaires, la boîte de pellicule photo pour agrandir le lobe. Des centaines d'enfants – curieux, émouvants, chaleureux, rieurs. Un homme à l'air biblique, Zacharie, qui nous explique patiemment le rituel. Les femmes, certaines résignées, d'autres graves, d'autres encore à moitié folles, alternant états catatoniques et crises d'épilepsie. De profonds gémissements angoissés. Un chapeau d'enfant sur la tête pour me protéger du soleil, puisque j'avais oublié le mien. Distribuer des cigarettes. S'éloigner pour pisser et se demander si on est en train de se soulager sur une terre sacrée. Offrir des prunes. Le visage cruel de certains jeunes hommes, tels des Romains décadents. Les longues négociations de dot, et ces femmes, apparemment d'une effrayante passivité, vu leur sort.

J'ignore quel rôle l'amour joue là-dedans. De l'extérieur, impossible à dire.

Il serait préférable de se retrouver entre le 28 et le 3. Peut-être le 1er ? D'ici là je compte, littéralement, les heures.

Thomas

P.S. : En gros titre aujourd'hui : UN BABOUIN S'EMPARE D'UN BÉBÉ.

27 janvier

Chère Linda,

Nous nous leurrons. Nous nous leurrons. Quoi qu'il en soit, viens me retrouver. S'il te plaît. Devant l'hôtel Petley de Lamu, à midi, le 1er. Nous irons nous promener.

T.

10

De plates étendues d'arbres rabougris, projetant déjà des ombres nettes sur la terre aride, se déroulaient au-dessous d'eux. Des herbes ondulaient – culture familière au cœur d'un territoire peu familier –, et d'immenses marécages de papyrus menaçaient de dévorer des régions entières. Le pilote – summum de la décontraction : pieds sur le tableau de bord, cigarette aux lèvres (n'était-ce pas illégal ?) – volait si près du sol que Thomas distinguait chacun des éléphants et des gnous ainsi qu'une girafe solitaire tendant le cou en direction du bruit de mitrailleuse au-dessus de sa tête. Un Moran revêtu d'un grand manteau bleu ciel et muni d'une lance marchait d'un endroit apparemment désert à un autre, et une femme enveloppée d'un châle rouge portait une urne sur la tête. Thomas vit tout cela – il regarda la lumière rosée donner aux lacs une teinte turquoise, regarda les premières lueurs du jour apparaître, tel un décor de théâtre – et se dit : dans six heures, je la verrai.

Si Thomas avait bien compris le pilote, l'appareil volait sans dynamo, ce qui était faisable, lui certifia-t-on, à condition de ne pas décrocher, car alors il faudrait relancer le moteur. L'homme – cheveux assez longs et blouson à manches courtes resserré à la taille (quelque chose que les Beatles auraient pu mettre des années plus tôt) – paraissait considérer ce vol avec une suprême indifférence et, après avoir découvert la pièce défectueuse, il laissa à Thomas le choix de faire demi-tour ou non. Imaginant Linda devant l'hôtel Petley à midi, Thomas ne vit aucune solution de rechange, et quelque part au-dessus de Voi, il décida que l'avion ne s'écraserait pas pour le punir de son infidélité délibérée. Comme s'il n'avait pas continuellement trompé sa femme à partir du moment où il avait rencontré Linda sur le marché. Toutefois, il ne pouvait s'empêcher d'imaginer une mort violente dans un lieu désolé où personne ne le trouverait jamais.

Au loin, Thomas aperçut un village de cases avec leur toit en herbages et, à proximité, des animaux dans un enclos. Du bétail, supposa-t-il. Et il se dit, comme il se l'était souvent dit – mais cette fois-ci avec une fermeté génératrice d'une certaine détermination –, que l'Afrique, après tout, était impénétrable. Ancienne et digne comme ne pouvait l'être aucun autre continent, l'âme immaculée malgré tous les *wabenzies*, les comptes en Suisse et les jeunes gardiens de parking. Et cette pureté dépassait l'entendement. Thomas l'avait compris sur le visage des femmes, dans leur expression extraordinairement calme face au désastre, et dans le sourire timide des enfants, sans cesse amusés par quelque blague qu'eux seuls comprenaient. Et lui, Thomas, acceptait – ce dont était incapable Regina avec sa mission universitaire, ou Roland avec ses déclarations – de n'être pas plus important dans ce pays qu'un gnou du troupeau en train de migrer vers l'ouest en dessous de lui (moins important même). Il n'était qu'un simple touriste, destiné à avancer. Si bien qu'il ne pourrait jamais connaître entièrement Ndegwa, ni Mary Ndegwa, ni même la femme qui lavait ses chemises dans la baignoire (surtout pas la femme qui lavait ses chemises dans la baignoire). Pourtant – et c'était étrange – le jeune homme avait très nettement l'impression que ces gens le connaissaient, qu'il était, comme un jour Regina l'avait fait remarquer, transparent comme le verre ; et que, malgré le tumulte actuel, on pouvait lire dans son âme comme dans une cuvette d'eau.

« Accrochez-vous bien à cette sangle », lui demanda le pilote assis à ses côtés.

En vue de l'atterrissage, l'homme se redressa et posa les deux mains sur le volant, ce qui rassura Thomas. Lui-même ne pilotait pas – il avait raté l'épreuve de maths – malgré l'aspect plutôt attrayant, voire excitant, du travail. Le pilote indiqua la côte du doigt – pâle feston couleur pêche se détachant sur le bleu clair de l'océan Indien –, le cœur de Thomas se mit à battre légèrement plus vite au fur et à mesure que l'avion approchait du lieu de ses retrouvailles avec Linda, et il songea que toute cette entreprise, hautement improbable, avait été très près de ne pas se réaliser. Malheureusement, Rich avait souffert d'une violente attaque de malaria pendant le safari, et ils avaient dû rentrer tous les trois à Nairobi. Obligeant Thomas, une fois son frère admis à l'hôpital puis renvoyé chez eux avec une batterie de médicaments, à inventer un prétexte pour retourner sur la côte qu'ils venaient tout juste de quitter, l'excuse à peine crédible que fournit le jeune homme étant que son nouvel employeur lui en avait donné mandat. Il allait être parti peu de temps, avait-il promis ; serait revenu avant jeudi. Et Regina, que la poussière et l'ennui du safari avaient lassée, ne parut pas y trouver à redire, ni même, pour être sincère, y prêter attention.

L'appareil s'éloigna du continent, décrivit des cercles au-dessus de l'archipel swahili de Lamu, puis atterrit sur une piste de l'île voisine de Manda, au milieu d'une mangrove. Thomas remercia le pilote et lui dit qu'il espérait que la dynamo serait bientôt réparée. L'homme (Thomas était convaincu que la soirée de la veille avait été arrosée car son haleine sentait l'alccol) se contenta de hausser les épaules. Thomas se dirigea vers l'endroit où des boutres aux larges voiles latines attendaient pour transporter les passagers jusqu'au village de Lamu situé en face. Le jeune homme déposa ses affaires dans une embarcation bondée qui lui rappela les réfugiés vietnamiens, et remit quatre-vingts shillings au capitaine. Il s'installa sur un siège à côté d'une femme recouverte de la tête aux pieds d'un *bui-bui*, si bien que seuls ses yeux – sombres et bordés de khôl – étaient visibles.

Quand Thomas débarqua, les muezzins psalmodiaient déjà du haut des minarets – kyrielle de sons en mode mineur qui, pour lui, seraient toujours associés à l'amour et à quelque prescience de la perte (au point qu'au cours des années suivantes la simple voix d'un muezzin en fond sonore d'un bulletin d'informations sur la Palestine ou l'Irak suffirait à lui nouer la gorge). Il hissa son sac à dos sur son épaule. La chaleur était immédiate – paradoxalement débilitante et séduisante. Marcher signifiait être en nage jusqu'au sommet de la butte, dépasser l'Harambee Avenue pour atteindre le musée où le directeur de la revue (afin de transformer un mensonge en vérité, Thomas avait demandé et reçu une mission) lui avait dit qu'on pourrait peut-être lui procurer un logement. Thomas suivit un plan et se perdit dans un dédale de ruelles bordées de magasins, de cafés et de maisons de pierre scellées par des portes en bois aux sculptures complexes. Dans les rues pavées qui allaient du port jusqu'au sommet de la butte (rues dans lesquelles aucune voiture ne circulait jamais), une pointe de fraîcheur lui donna envie de dévier de son itinéraire. Des hommes portant *kanzu* et *kofia* l'observaient avec curiosité tandis que des femmes en *bui-bui* noir berçant un enfant dans leurs bras passaient en silence à côté de lui. Des ânes ne cessaient de braire et des chats évitaient ses pieds avec adresse. Dans les caniveaux, les égouts à ciel ouvert exhalaient une odeur fétide.

Thomas demanda la direction du musée, et un jeune garçon lui montra le chemin en courant devant lui avec un bâton. Il dut se hâter pour rattraper le gamin qui l'attendait patiemment à chaque coin de rue, tout comme il attendit silencieusement son pourboire après avoir déposé Thomas devant la porte. Le jeune homme pénétra à l'intérieur du musée et eut à peine le temps de remarquer la copie d'anciens navires à voiles et de lourdes assiettes en argent qu'une femme, l'air vaguement cérémonieux, s'enquit de ce qu'il désirait. Il cherchait un homme qui s'appelait Sheik, répondit-il. Ah ! fit la femme, Bwana Sheik était absent. Thomas se présenta. Un sourire et une enveloppe apparurent. Des indications se trouvaient sur l'enveloppe, une clef à l'intérieur, ce qui étonna le jeune homme, car il ne savait pas qu'on avait passé des coups de téléphone et pris des dispositions avant son arrivée. Il ne fut pas question de prix, et, ignorant totalement quels services avaient pu être échangés dans son intérêt, Thomas supposa qu'il serait impoli d'offrir de payer.

Quand il sortit, le même gamin muni d'un bâton était toujours là, et Thomas ne fut que trop content de lui tendre l'enveloppe avec l'adresse. Le garçon le guida à travers un labyrinthe, où des odeurs de cuisine rivalisaient avec la puanteur des égouts, jusqu'à un étroit bâtiment dont la porte n'était guère avenante. Thomas s'attendait à une chambre ou au mieux à un appartement, aussi fut-il surpris quand le gamin ouvrit la porte et l'introduisit dans la cour intérieure de ce qui ressemblait à une maison. Il se sentit désorienté et aurait douté de son jeune guide si la clef n'était pas entrée si facilement dans la serrure.

Un chauve en tablier, l'air arabe – sans doute un domestique –, surgit de l'obscurité, renvoya le garçon de courses en aboyant, et se présenta comme M. Salim. Thomas aimerait-il visiter la maison avant que M. Salim lui apporte un thé glacé ? Le jeune homme craignait vaguement que le temps ne se déroule en suivant ses propres règles sur cette île exotique, et il vérifia l'heure comme il venait de le faire à peine dix minutes plus tôt. Oui, il allait visiter la maison et apprécierait beaucoup de boire un verre de thé.

Le domestique disparut dans l'obscurité. Thomas resta un instant dans la cour ouverte sur le ciel et dont l'étroitesse projetait des ombres fraîches sur le sol en pierre. Au centre, un puits peu élevé bordé de fleurs jaunes et, dans un coin, un papayer. Il semblait y avoir une cuisine au rez-de-chaussée mais Thomas ne s'y risqua pas, de peur de déranger M. Salim dans ses préparatifs. Il préféra monter un escalier orné de sculptures disposées dans des niches, avec une sensation d'eau coulant sur des pierres. L'escalier débouchait sur un premier étage, censé être une espèce de salon, garni de meubles bas sculptés et de traversins en coton blanchi. Des assiettes en cuivre et en argent gravées et de grandes urnes en céramique décoraient murs et niches.

L'escalier montait encore, et au second étage, ouvert sur le ciel, Thomas découvrit des chambres avec lits à baldaquin et moustiquaires. Il y avait un jasmin près de l'un des lits, et des frangipaniers sur une terrasse couleur corail. Le parfum des fleurs emplissait les pièces, effaçant les odeurs de la rue. Le jeune homme contempla l'une de ces chambres sans toit, se dit qu'il ne devait jamais pleuvoir à Lamu et se demanda comment cela était possible. Poursuivant son exploration, il découvrit une chambre avec une cuvette d'eau fraîche et se lava le visage et les mains. Au-dessus de la coiffeuse à la surface marbrée sur laquelle était posé le récipient, se dressait un hibiscus, fleurs éclatantes se détachant sur le bleu marine du ciel. Quand il quitta la pièce, Thomas vit que quelqu'un (M. Salim ?) avait déposé des pétales de jasmin sur les oreillers.

Le domestique avait préparé à Thomas un repas composé d'œufs, d'un yaourt et d'un thé glacé, que le jeune homme accepta avec reconnaissance et prit à une table installée dans la cour. Il aurait aimé que l'Arabe s'attarde, car il avait des questions à lui poser – à qui appartenait la maison ? Arrivait-il souvent que des gens comme lui logent ici ? –, mais M. Salim avait disparu dans la cuisine. Thomas mangea les œufs et le yaourt, et eut l'impression qu'un esprit bienveillant (ou tout au moins un esprit bien disposé) avait pourvu à son incroyable chance ; difficile de ne pas y voir le signe que ce qu'il s'apprêtait à faire était, dans un univers peut-être parallèle au sien, accepté – voire encouragé. Mais l'instant d'après, en pensant à Regina occupée chez eux à soigner Rich, Thomas se couvrit les yeux. Imaginer que ce voyage était acceptable dans quelque univers que ce soit était pure illusion, il le savait.

Thomas vit Linda s'avancer vers lui, et il écrasa sa cigarette sous sa chaussure. La jeune femme était vêtue d'une robe bain-de-soleil de lin blanc qui lui arrivait à mi-mollet, et serrait un foulard sur ses épaules pour les cacher. Elle s'était habillée avec beaucoup de décence – comme les femmes de Lamu étaient engagées à le faire – et pourtant, alors qu'elle approchait, Thomas remarqua que tous les hommes levaient les yeux pour dévisager la blonde *mzungu*. Linda s'était noué les cheveux sur la nuque, mais cet or, dans ce village de peau brune et de *bui-bui*, tournait les têtes. Un autre fragment d'or, la croix attachée à son cou, paraissait furieusement déplacé dans la ville musulmane, et le jeune homme était ravi que Linda n'ait pas pensé à la cacher, ou choisi de le faire. Un jeune Swahili portait sa valise et avait l'air particulièrement petit à côté de la grande et svelte femme qui marchait vers Thomas, debout devant l'hôtel. Ils restèrent un moment sans parler, sans bouger, conscients de la présence du porteur et des hommes dans les rues qui continuaient d'observer Linda.

« Linda », dit Thomas.

Ils s'étreignirent. Chastement, comme peut le faire un couple en public, sans baiser ou contact prolongé. La peau des bras de Linda fraîche sous les doigts de Thomas. Sans prononcer un mot, le jeune homme se retourna et donna un pourboire à l'adolescent qui attendait avec la valise. Il s'empara du sac de Linda. « J'ai une maison. »

Elle se contenta de hocher la tête, ce qu'il interpréta comme une permission, celle de l'y conduire. Ils cheminèrent en silence, Thomas ayant mémorisé le chemin, et aucun d'eux ne souhaitant rompre le charme qui les avait enveloppés devant le Petley – charme fait d'anticipation à l'intérieur d'un cadre contraignant. Le jeune homme regarda les pieds chaussés de sandales apparaître sous l'ourlet de la robe de sa compagne, sentit son coude lui frôler parfois le bras. Au-dessus d'eux, les muezzins recommençaient à psalmodier du haut des minarets, et le monde sembla baigner à la fois dans le religieux et le sensuel, qualités que Thomas avait toujours associées à la femme qui marchait à ses côtés. Ils n'étaient pas vraiment timides l'un avec l'autre, même si Thomas avait la conviction qu'ils partageaient le sentiment de vivre un moment capital ; que sous l'extérieur calme d'un couple progressant lentement sous la chaleur, chacun était infiniment conscient des marchés en train de se conclure, des contrats de toute une vie qu'il faudrait peut-être honorer.

Thomas trouva l'unique porte, parmi des centaines d'autres, qui s'ouvrirait devant lui, et en insérant la clef dans la serrure il se demanda comment exactement résoudre le problème de M. Salim – il allait sûrement se montrer, vouloir être présenté à la femme *mzungu* et lui demander si elle aimerait boire un verre de thé glacé. Mais, en fin de compte, le domestique ne vint pas, et ce fut Thomas qui dut proposer à Linda une boisson fraîche. Elle secoua légèrement la tête en signe de refus, ses yeux ne quittant jamais ceux du jeune homme, malgré le décor exotique qui l'entourait. Thomas resta un long moment immobile, les yeux également fixés sur elle, puis il lui prit la main, emprunta l'escalier et l'emmena au second étage où se trouvaient les lits. Les muezzins s'étaient tus et des oiseaux, étranges créatures aux cris lugubres, prirent le relais des saints hommes, tels des moqueurs. Thomas referma la lourde porte en bois d'une chambre.

Elle caressa sa cicatrice. En traça légèrement le contour du bout des doigts.

S'il existait maintenant des mots, il ne s'agissait que de noms, d'exclamations peut-être. De murmures de stupéfaction à l'idée de pouvoir seulement être ensemble. Thomas tenait le visage de Linda près du sien, refusant de le lâcher, bien qu'elle ne fît aucun effort pour se libérer. Le jeune homme pleurait ou bien c'était elle – il fallait s'y attendre –, et il fut ahuri de ressentir un tel soulagement. Il songea aux mots « la boire » au moment où il le faisait, sa bouche assoiffée, avide, au point qu'il était même incapable de prendre le temps de parler. Il faudrait attendre des heures avant qu'ils puissent parler, se dit-il, mais pour l'instant il ne s'agissait que de peau, de seins, de longs membres, et de la gêne qu'il y avait à devoir s'écarter pour faire passer une robe au-dessus d'une tête ou dégrafer une ceinture. C'était comme s'ils étaient redevenus ces adolescents dans une Buick Skylark décapotable. Sans nullement éprouver le besoin d'être ailleurs. Incapables même d'imaginer être ailleurs.

Les draps étaient rêches mais propres, d'un coton d'une texture grossière. Thomas éprouva du désir, mais un désir vague – non pas comme avec Regina, où le désir était indispensable pour accomplir l'acte, nécessaire pour masquer le ressentiment ou même la tendresse. Dans le lit à baldaquin, il n'y avait de place que pour un sentiment joyeux d'amour retrouvé et la conscience d'une quantité de temps limitée, à eux réservée. Et cette notion de durée multiplia les sensations, donna encore plus de sens à ce vécu, si bien que pendant une heure, peut-être deux, le lit, avec ses draps rugueux, fut la seule chose qui existât dans l'univers connu.

Thomas se réveilla, le soleil dans les yeux. Il faisait chaud dans la pièce, et les draps, si fraîchement apprêtés juste une heure plus tôt, étaient humides et souples. Il bougea, ce qui fit glisser par terre le drap du dessus. Linda et lui étaient nus, protégés uniquement par le fin baldaquin qui se gonflait sous l'effet de la légère brise. En détournant la tête pour éviter l'exposition directe au soleil, il la réveilla. Les pétales de jasmin étaient écrasés dans l'oreiller, les cheveux de la jeune femme et leur parfum se mêlant à l'odeur musquée des corps. Ils étaient allongés, comme Thomas l'avait rêvé, la tête de Linda sur son épaule, ses bras autour d'elle, une jambe repliée au-dessus d'une autre. Position simple, prise des milliers – non, des millions – de fois par jour, et pourtant si grave que Thomas respirait à peine. Il se demanda combien de temps il leur restait : une heure, un jour, une année ? Aussi posa-t-il la question à Linda. Déterminé à ne pas partir avant elle, quel que soit le moment. Son corps incapable de l'abandonner, de s'éloigner.

« J'ai un jour, répondit la jeune femme.

— Un jour.

— Un jour et une nuit, en fait. »

Le sentiment d'une durée si ahurissante qu'il dut répéter tout haut ce temps dévolu. Le soleil se déplaçait au-dessus de leurs têtes ; eux ne bougeaient guère. Comme si le temps pouvait somme toute les oublier s'ils demeuraient immobiles. Jusqu'à ce que la soif contraigne Linda à demander un verre d'eau. La quittant à contrecœur, Thomas enfila son pantalon, sortit et rencontra M. Salim en train de lire à la table de la cuisine. Le jeune homme lui expliqua en swahili ce qu'il désirait, et aussitôt le domestique sortit une cruche d'eau froide d'une glacière qui semblait dater des années 30. Apparemment ravi d'avoir été consulté, l'homme y ajouta de délicates pâtisseries au miel et aux noix dont il ne donna pas le nom. Thomas porta le plateau à l'étage et nota qu'il y avait deux verres au lieu d'un.

C'était comme si Linda n'avait jamais bu de sa vie. Entièrement nue, la jeune femme se redressa et, lorsqu'elle inclina le cou, Thomas admira ses seins et la légère courbe de son ventre. De la même manière, elle dévora sa part de friandises, ce qui le fit rire, si bien qu'il lui offrit la sienne, qu'elle accepta sans beaucoup d'hésitations.

« Le sexe te donne une faim de loup », remarqua-t-il, et immédiatement il s'en voulut. Réduisant ce qu'ils venaient de vivre à une expérience qu'elle aurait pu connaître avec n'importe quel individu, qu'elle partageait peut-être au quotidien avec l'homme qui répondait au nom de Peter.

Linda comprit sa gaffe et le corrigea d'un ton dégagé. « Ce n'était pas du sexe », dit-elle.

Thomas s'assit sur le lit à côté d'elle et voulut encore faire l'amour. Voulut caresser ses épaules et glisser sa main entre ses jambes. Une lune de miel ressemblait-elle à cela ? se demanda-t-il. Le jeune homme l'ignorait, n'en ayant jamais vécu de véritable, car Regina n'avait pratiquement pas cessé de pleurer la perte du bébé, survenue juste une semaine avant le mariage. Ce voyage de noces, une espèce de veillée mortuaire. La douleur inopportune, bien que nécessaire. Mais, à vrai dire, trop conscient de feindre, Thomas avait éprouvé du soulagement.

« Tu m'as promis une promenade », lui rappela Linda en le caressant.

Ils traversèrent la ville main dans la main, examinant les sculptures islamiques et les bijoux swahili en argent, sans voir ni les sculptures ni les bijoux, mais uniquement le passé, le passé récent, la femme ou le mari de l'autre, les mariages projetés, les maisons et les appartements jamais habités et une fois, d'une manière poignante, l'avenir avec un enfant, bien que l'avenir fût un blanc pour eux, impossible à connaître et inimaginable. Thomas ne pouvait s'empêcher de se dire : « seulement un jour » puis « seulement une nuit », et, à une ou deux reprises, il faillit franchir la ligne séparant le probable du possible. Mais s'abstint, de peur que tout projet occasionnant une souffrance chez autrui n'effarouche Linda. C'était un calcul qu'il était incapable de résoudre – comment être ensemble sans catastrophe –, et comme pour le calcul, qui avait été son point faible, il sentit son cerveau durcir et se vider en signe de résistance.

Ils déjeunèrent à l'hôtel Petley, ni l'un ni l'autre n'avait faim et ils commandèrent trop de plats – *pweza* ; *supa ya saladi* ; *kuku na kupaka* (cocktail de homard ; soupe de cresson ; poulet sauce à la noix de coco) –, s'attardant après que la plupart des clients furent partis, restant longtemps après qu'un serveur gêné eut retiré les assiettes auxquelles ils n'avaient pratiquement pas touché. Ils burent trop (elle étonnamment plus que lui), jusqu'à ce que Thomas lève les yeux et comprenne que le personnel attendait pour prendre sa pause. Légèrement abruti par l'alcool (quatre whiskies, vraiment ?), le jeune homme se leva et proposa de marcher jusqu'à Shela, idée insensée, en pleine journée, après avoir bu et, pour ainsi dire, en l'absence de tout abri sur le trajet. Alors qu'il souhaitait avant tout retourner dans la chambre, avec les pétales de jasmin écrasés sur les oreillers, et dormir, le corps de Linda serré contre le sien.

Thomas et Linda suivirent des panneaux indicateurs écrits à la main puis grimpèrent à bord d'un camion militaire qui se frayait un chemin sur des routes obstruées de sable. Ils s'assirent sur des bancs à l'arrière du véhicule, et la jeune femme s'endormit très vite, la tête sur les genoux de son compagnon. Le temps qu'ils atteignent la plage, elle avait l'épaule brûlée, le foulard s'étant égaré sur le comptoir d'une bijouterie ou dans le restaurant. Ils s'installèrent sur la véranda du Peponi, l'unique hôtel construit en bord de mer, burent de l'eau et mangèrent du pamplemousse – affamés après tout –, la sensation d'avoir le cerveau embrumé se dissipant à l'ombre.

« Comment as-tu fait pour arriver ici ? » demanda Thomas, jusque-là trop préoccupé pour imaginer les dispositions prises par Linda.

— Je suis venue de Malindi.

— Ça a dû être une aventure. »

La jeune femme, qui connaissait peut-être même avant lui la question qui allait suivre, regarda ailleurs.

« Pourquoi Malindi ? »

Elle hésita. « Peter y est. »

Qu'elle se soit trouvée sur la côte avec Peter n'aurait pas dû représenter un événement marquant – pas plus marquant, disons, que le fait qu'il ait quitté Regina le matin même –, mais Thomas en fut néanmoins perturbé.

Linda n'entra pas dans les détails. Elle avala une gorgée d'eau. De l'eau en bouteille, contrairement à celle bue dans la maison du musée. La jeune femme avait eu tellement soif qu'elle avait pratiquement avalé une cruche entière, se souvint Thomas.

« C'est pour cette raison que tu dois repartir

demain ? » demanda-t-il tout en sachant qu'il aurait dû s'en abstenir. Quelles qu'elles soient, les réponses feraient mal, la seule acceptable étant qu'elle ne le quitterait jamais.

Mais Linda, peut-être plus sage que lui à cet égard, ou capable de percevoir plus clairement l'avenir, ne répondit pas. Et ne posa, elle, aucune question. Ses cheveux, qui s'étaient détachés pendant l'amour, étaient de nouveau relevés en torsade, et devant la maladresse de cette coiffure faite à la hâte, Thomas se rendit compte du mal qu'elle avait dû se donner pour se préparer à leurs retrouvailles.

« Il n'y a rien à faire », lâcha-t-elle.

La jalousie étreignit le cœur de Thomas. « Tu as couché avec lui cette nuit ? » Il se dégoûtait de poser la question. Linda croisa les bras sur sa robe de lin blanc. Une posture défensive.

« Thomas, arrête.

— Non, sérieusement, reprit-il, incapable de renoncer à ce à quoi même un imbécile eût renoncé. Tu as couché avec lui cette nuit ? Je veux juste savoir.

— Pourquoi ?

— Pour savoir où j'en suis. » Thomas sortit un paquet de cigarettes de la poche de sa chemise, chemise que la marche avait trempée. En face de lui, un homme et une femme buvaient un Pimm's. Il leur envia leur tranquille ennui. « Pour connaître les paramètres. »

Linda détourna les yeux. « Il n'y a pas de paramètres.

— Tu as donc bien couché avec lui », insista Thomas d'un ton maussade, en regardant fixement dans son verre. Honteux ou redoutant la vérité, il ne le savait trop. Distrait, comme il l'avait été l'après-midi durant, par le corps de la jeune femme. La manière dont, à présent, ses seins reposaient sur ses avant-bras.

« C'était la seule façon d'arranger les choses », déclara-t-elle. Il nota un éclat de sueur sur son front. « Arrête, Thomas. On a si peu de temps. » Linda décroisa les bras et s'enfonça dans son fauteuil. Porta la main à son front.

« Tu as mal à la tête ?

— Un peu.

— Tu l'aimes ? »

Jusque-là en coulisse, la question aspirait maintenant aux feux de la rampe.

« Bien sûr que je l'aime, lâcha-t-elle, impatiente, avant de marquer une pause. Pas de la manière dont je t'aime.

— Comment m'aimes-tu ? » s'enquit-il, toujours désireux d'être rassuré.

La jeune femme réfléchit un instant, enleva une peluche de sa robe. Choisit minutieusement ses mots.

« Je pense constamment à toi. J'imagine un monde dans lequel nous pourrions être ensemble. Je regrette de ne pas t'avoir écrit après l'accident. La nuit, au lit, je reste éveillée et je sens tes caresses. Je crois que nous étions faits pour être ensemble. »

Thomas respira longuement.

« Est-ce assez ? demanda-t-elle.

— Oh, mon Dieu ! » Il se prit la tête dans les mains. S'ils avaient regardé dans leur direction, l'homme et la femme au Pimm's, qui s'ennuyaient légèrement, auraient pu croire que c'était Thomas qui avait mal à la tête.

Linda lui toucha le bras. D'un geste souple, il lui saisit la main. « Qu'allons-nous devenir ? »

Elle secoua la tête d'avant en arrière. « Je ne sais pas. » Peut-être lui faisait-il mal. « C'est tellement plus facile de ne pas y penser. »

Thomas lui lâcha la main. « On aurait pu se retrouver si on avait vraiment essayé, la défia-t-il. Ce n'était pas totalement impossible. Alors pourquoi ne pas l'avoir fait ? »

La jeune femme se massa la tempe. « Peut-être ne voulions-nous pas détruire ce que nous avions. »

Il se carra dans son fauteuil puis écrasa la cigarette, à peine fumée, sous son pied. Oui, se dit-il. C'est peut-être ça. Et pourtant, comment savoir, à dix-sept ans, qu'on peut détruire l'amour ? Thomas revit des images d'eux deux ensemble – devant le bungalow, dans le petit restaurant, parcourant les rues vides de Boston.

« Quoi ? demanda Linda en remarquant son sourire incongru.

— J'étais en train de me rappeler les moments où je voulais te faire dire ce que tu avais raconté en confession.

— C'était atroce.

— C'est atroce. »

Il la regarda boire une petite gorgée d'eau – les mouvements de sa mâchoire délicate, les contractions de son long cou. Derrière elle, s'étendait la plage blanche, océan si lumineux que Thomas en était presque aveuglé. Des palmiers se dressaient bien au-dessus de leur tête, et des rideaux de gaze suspendus à des fenêtres ouvertes se gonflaient vers l'extérieur en claquant avant d'être de nouveau aspirés, comme par un géant tapi dans l'obscurité. C'était un hôtel remarquable, le seul de Shela. Le seul dans tout Lamu à être équipé de salles de bains dignes de ce nom, lui avait précisé le directeur du magazine.

Thomas sortit une autre cigarette du paquet et l'alluma. Il fumait trop, mangeait trop peu. « Nous prenons la vie trop au sérieux, toi et moi », constata-t-il.

•

Linda retira ses épingles et, d'un geste parfaitement ordinaire mais en cet instant extraordinaire, laissa ses cheveux retomber le long de son dos. Le jeune homme les regarda se balancer. L'étonnante abondance de toute cette chevelure jaillissant d'un nœud pas plus gros qu'une pêche le renvoya à toute vitesse des années en arrière.

« C'est ce que j'ai toujours aimé chez toi, reconnut la jeune femme.

— D'autres se contentent peut-être de baiser, et terminé. De prendre plaisir à baiser.

— On a pris plaisir à baiser. »

Il sourit. « Effectivement. »

Le jeune homme promena légèrement ses regards du côté de la plage. Quelque chose avait attiré son attention, quelque chose qu'il n'avait pas vu avant : à chaque extrémité de la zone de baignade, les gens étaient nus. Un individu aux fesses tombantes lui tournait le dos et parlait à une femme allongée sur une couverture. Thomas apercevait les cheveux, mais pas le corps de la femme.

« Est-ce que ça a jamais été facile ? demanda-t-il.

— Tu veux dire léger ?

— Je veux dire pas sérieux.

— Non. »

Thomas se frotta la figure. Des coups de soleil lui tiraient la peau. Les coudes sur les genoux, il se pencha en avant. Ils étaient en train de perdre de précieux moments. Thomas voulait repartir vers la maison, où ils pourraient à nouveau faire l'amour, mais sans doute fallait-il attendre que le temps fraîchisse, il le savait. Peut-être un camion militaire retournait-il au village.

« La seule chose qui me manque, c'est la musique, reprit-il.

— Tu n'as pas de cassettes ?

— J'en avais. Mais on nous les a volées. Le magnétophone aussi. Je me demande ce qui est à la mode en ce moment. »

Ils s'installèrent dans un agréable silence. Un boutre rasait la ligne d'horizon. Embarcation ancienne. Inchangée depuis des siècles.

« Comment s'est passé le séjour de Rich ?

— Oh, c'était formidable, sauf qu'il a attrapé la malaria. On lui avait dit de prendre les cachets à l'avance mais, je ne sais pas, il n'a que seize ans.

— Il va bien ?

— Oui. Il se retape à Nairobi.

— Tu avances avec Ndegwa ?

— Eh bien, il y a la soirée de l'ambassade à l'Intercontinental. Tu viendras ?

— Je ne sais pas.

— Tu viendrais avec Peter ? »

Linda détourna le regard. Elle avait l'air épuisée. Le trajet en car depuis Malindi avait dû être éreintant. Thomas se rappela cette longue excursion jusqu'à Eldoret que Regina et lui avaient faite en car, et le chauffeur qui s'était arrêté pour que tous les passagers puissent aller se soulager. Les femmes, Regina comprise, s'étaient accroupies, en se cachant sous leurs longues jupes.

« Tu n'as jamais eu d'ennuis avec les lettres ? s'inquiéta la jeune femme.

— Non. J'ai adoré les lire.

— Je les trouve frustrantes. Inadéquates. »

Thomas se redressa, le dos tendu par une brusque colère. « Comment as-tu osé ? » demanda-t-il en jetant sa cigarette sur le sol en ciment.

La jeune femme tressaillit, surprise par ce *non sequitur*, ce changement de ton brutal. « Osé quoi ?

— Coucher avec Peter.

— Coucher avec Peter ? »

Thomas refusa de retirer la question. Il la trouvait fondée : comment, après ce dimanche à Njia, avait-elle pu aller avec un autre homme ?

Il se passa les mains dans les cheveux pour les coiffer. Il avait besoin de prendre un bain. Mon Dieu, il devait puer. Une laideur qui n'avait pas sa place à cette table, une odeur nauséabonde, plus fétide que les caniveaux à ciel ouvert de Lamu, l'étouffait. Il fit un effort pour inspirer l'air marin.

« Tu pensais qu'en vertu d'une unique rencontre après neuf ans de séparation j'allais dire à Peter que notre mariage était fini ? demanda-t-elle d'une voix qui traduisait son incrédulité.

— Oui. En gros.

— Je n'arrive pas à y croire.

— Et pourquoi pas ? Tu laisserais tomber maintenant ? Dis-moi que tu pourrais reprendre ta vie avec Peter sans jamais me revoir. »

Elle garda longtemps le silence.

« Tu vois bien. »

Linda porta la main à son front. Thomas remarqua qu'elle était devenue pâle comme la mort.

« Ça va ? lui demanda-t-il.

— Il faut que je m'allonge. »

C'était l'eau, ou le homard, ou l'alcool, ou la marche en pleine chaleur, ou les questions ridiculement pénibles qu'il lui avait posées. Linda était devenue si pâle si vite que Thomas crut qu'elle pourrait bien s'évanouir. Elle avait dit « S'il te plaît », mais il ne savait pas si elle lui demandait de se taire ou de l'aider. Il fit les deux. La jeune femme s'appuya sur lui de tout son poids et se laissa conduire à l'intérieur de l'hôtel. Puis soudain elle s'écarta, parla rapidement avec une blonde entre deux âges qui se trouvait derrière un comptoir et disparut. Debout au milieu du petit hall coquet, Thomas se demanda ce qui venait de se passer.

« A-t-elle été malade ? » s'enquit la femme. Accent anglais. Robe à pois.

Thomas secoua négativement la tête.

« Enceinte ? »

La question l'ébranla. Il fut incapable de répondre. « Je ne sais pas, finit-il par lâcher, admettant ainsi qu'il ne connaissait peut-être pas Linda si bien que ça.

— Qu'a-t-elle consommé ?

— Ici ? Du pamplemousse et de l'eau.

— Bon, il y a peu de chances pour que ce soit le pamplemousse. L'eau est en bouteille. Et plus tôt dans la journée ? »

Thomas réfléchit à leur déjeuner. « Du poulet. » Puis il se souvint. « Du homard. Elle a pris un cocktail de homard.

— Où ?

— Au Petley.

— Oh ! » s'exclama la femme comme si tout était dit.

Mais Linda avait-elle goûté au homard ? Il fit un effort de mémoire. Et d'abord, comment l'un d'eux aurait-il pu être assez bête pour commander du homard ? Ne jamais manger de crustacés si vous n'êtes pas absolument sûr de leur fraîcheur, vous enseignait-on au cours des sessions de formation.

« Je vais m'occuper d'elle », dit la femme.

Thomas attendit sur le canapé et regarda les baigneurs, plus ou moins déshabillés, aller et venir. Une femme, un *kanga* noué autour de la poitrine, était manifestement nue dessous, le tissu la couvrant à peine. Un monsieur assez âgé vêtu d'un costume de crépon bleu pâle vint s'asseoir à côté de Thomas et lui dit, par politesse : « Voilà une belle journée.

— Effectivement », répondit le jeune homme, bien qu'il ne le pensât pas. Beaucoup d'adjectifs pouvaient s'appliquer à cette journée – « capitale » ; « bouleversante » ; « déchirante » –, mais « belle » n'était pas du nombre.

Les yeux de l'homme larmoyaient un peu. Il avait un teint très coloré, des cheveux blancs, et Thomas songea aux mots « vieux gentleman ». Une curieuse odeur de vieillesse, masquée par celle de l'eau de Cologne ou d'un tonique capillaire, semblait émaner du plus profond de son corps. On pouvait sans doute dire que ses joues marbrées de rose et veinées de rouge étaient vermeilles. Une femme assez âgée entra dans le hall, et le vieux monsieur se leva pour l'attendre. Le dos légèrement courbé, elle marchait lentement. Ses cheveux blancs soigneusement peignés étaient maintenus par des épingles, et de longs colliers de perles ornaient son corsage en soie couleur pêche. Sa taille était haute, comme toutes les personnes d'un certain âge, mais encore soulignée. Ses escarpins couleur mûre avançaient à petits pas lents.

Elle prit le bras du vieux gentleman, et Thomas remarqua qu'il posa sa main sur la sienne. Ensemble, ils sortirent sur la véranda. Étaient-ils veufs ? Mariés ?

Mon Dieu, se dit Thomas en se détournant.

Depuis la véranda, un autre individu, pratiquement de son âge, brun et bel homme, recula d'un pas dans le hall.

Il avait l'air d'essayer de prendre une photo de la mer. Il tripota quelque temps son appareil, appuya sur des boutons, testa des bagues ; mais l'appareil, animé d'une vie propre, s'ouvrit brusquement, ce qui surprit l'individu. Il jeta alors à la poubelle le rouleau désormais inutile.

La femme blonde revint des toilettes et se dirigea directement vers son comptoir. Elle ouvrit un placard.

« Comment se sent-elle ? s'enquit Thomas.

— Un peu mal fichue. » Le jeune homme se demanda s'il pouvait s'agir d'un exemple d'euphémisme anglais. L'hôtelière versa un liquide marron dans un minuscule gobelet en carton.

« C'est quoi ?

— Oh, répondit-elle en se retournant. Mieux vaut ne pas y penser. »

De l'opium pur, interpréta Thomas, décidé à y penser.

« Y a-t-il un médecin que nous pourrions contacter ?

— Non, je ne crois pas. Mais il va falloir la ramener chez elle. Pas ce soir, mais dès demain matin. Nous avons un camion d'approvisionnement qui arrive au village à six heures quarante-cinq. Il vous dépose à temps pour prendre l'avion de sept heures trente pour Nairobi. »

Mais Linda ne va pas à Nairobi, se dit le jeune homme.

« Quoi qu'il en soit, poursuivit son interlocutrice en tenant toujours la cuillère à la main, vous avez de la veine. (Non, je n'en ai pas, songea Thomas.) Un homme et une femme venus séparément ont décidé de partager une chambre.

— Optimistes.

— Oui. Plutôt. Mais ça en libère une.

— Merci. Est-elle prête ?

— Prenez la clef. C'est là dans la boîte. Numéro vingt-sept, lui indiqua la femme par-dessus son épaule en se dirigeant vers les toilettes. J'accompagnerai votre amie jusqu'à la chambre. »

Sous-entendu : elle n'aimerait pas que vous la voyiez maintenant.

La chambre était étonnamment simple et plaisante. Presque entièrement blanche. Murs blancs, literie blanche, rideaux blancs, descente de lit en sisal kaki. Coiffeuse avec un plateau en ivoire. De par cette absence de couleur, le regard était attiré de l'autre côté des vitres, vers la mer, le turquoise et le bleu marine de l'eau. Une chambre agréable pour un malade, se dit Thomas. Reposante pour les yeux. Même s'il était impossible de ne pas penser à ce qui aurait pu être : une nuit dans cette chambre avec Linda en forme. Heureuse.

Il marcha jusqu'à la fenêtre et regarda la vue. Connaîtraient-ils un jour le bonheur ? se demanda-t-il. Toutes leurs rencontres – en admettant qu'il y en ait d'autres – seraient obligatoirement furtives, un cadre dans lequel ils ne pourraient se sentir véritablement heureux. Et s'ils laissaient se produire la catastrophe, seraient-ils à même d'en supporter les conséquences ? Quelles chances de bonheur avaient-ils donc ?

Installé à une table non loin de la fenêtre, l'homme âgé au costume de crépon regardait avec des yeux chassieux la femme assise en face de lui. Personne ne pouvait douter de son amour pour elle. Thomas aurait pu tirer les rideaux, mais il hésitait à chasser de son esprit le tableau de ce vieux couple – peut-être étaient-ils eux-mêmes amants. Ils étaient rassurants, un bon présage.

Rien de plus facile que de souligner l'injustice de la

situation. Pourtant, c'était lui qui n'avait pas pris sa voiture pour aller à Middlebury ; elle qui ne lui avait pas écrit cet été-là. Pourquoi n'avait-il pas enfoncé des portes pour rejoindre Linda ?

« Je suis désolée, dit-elle derrière lui.

— Il ne faut pas », répondit Thomas en se dirigeant vers la jeune femme.

Peu désireuse d'être embrassée, même sur la joue, Linda détourna le visage. Elle s'assit sur le lit. L'Anglaise, qui l'avait accompagnée, posa sur la coiffeuse des bouteilles ouvertes d'eau minérale et de Coca-Cola.

« Faites-lui boire des gorgées de Coca. Ça l'aidera à digérer. Mais je serais très surprise qu'elle ne s'endorme pas immédiatement. »

Une fois l'hôtelière partie, Thomas retira à Linda ses sandales. Les pieds étaient durs et sales, marqués au talon. Les jambes, couleur pain grillé, contrastaient nettement avec la pâleur laiteuse du visage ; on les aurait crus appartenir à deux personnes différentes. Déjà les lèvres se desséchaient, remarqua le jeune homme, elles étaient gercées, fendillées au milieu.

« Il faut que tu boives de l'eau. » Thomas apporta un verre et tint la tête de la malade, mais elle était trop épuisée pour avaler. De l'eau dégoulina sur son cou, que Thomas essuya avec le drap. Il n'essaya pas de lui retirer sa robe, mais l'allongea sous le drap. La jeune femme perdait et reprenait connaissance, paraissait lucide quand elle revenait à elle, disant le prénom de Thomas ou « Je suis désolée », et Thomas la laissa faire. Il installa des oreillers contre la tête de lit et s'assit, la main posée sur la tête de Linda, lui caressant les cheveux ou se contentant de la toucher. La tempête qui avait traversé la jeune femme, quelle qu'elle soit, semblait être passée, même si Thomas savait qu'elle reviendrait et qu'il faudrait peut-être attendre des jours avant que Linda puisse manger. Il espérait qu'il ne s'agissait pas d'une intoxication par les crustacés. (Linda s'était certainement fait vacciner contre le choléra, se dit-il.) Malgré cette situation critique, il était content d'être simplement là avec elle, presque aussi content que dans la maison du musée. En repensant à cette demeure, le jeune homme se rappela M. Salim, qui s'inquiéterait peut-être de ne pas le voir rentrer dormir. Il songea à téléphoner, mais se rendit compte qu'il ne connaissait ni le numéro de téléphone ni le nom du propriétaire. Et, en jetant un coup d'œil à sa montre, il constata qu'il était trop tard pour qu'un musée soit encore ouvert.

La nausée la réveilla. Linda se leva précipitamment, comme si on lui avait fait peur, puis elle se catapulta dans la salle de bains. Thomas ne la suivit pas, il savait qu'elle ne le souhaitait pas, soucieuse sans doute de préserver son intimité. Le jeune homme espérait qu'un jour ils en parleraient. (« Tu te rappelles cette journée à Lamu ? Quand je suis tombée malade ? C'est l'un des cinq ou six jours les plus importants de ma vie. Les autres étant ? Aujourd'hui, par exemple. ») Ils en riraient même certainement. Mais cela impliquait un avenir. Chaque moment présupposait un avenir, comme il contenait le passé.

La propriétaire apporta un repas (hôtelière accomplie : la nourriture était inodore) que Thomas laissa sous un torchon jusqu'à ce que Linda se rendorme. Il avait la migraine, rien de plus qu'une gueule de bois. La jeune femme se réveilla après minuit alors que lui-même sommeillait. Une fois éveillé, il entendit l'eau couler dans la baignoire. Il n'entrerait pas, bien qu'il eût infiniment envie de voir Linda. Il ne l'avait jamais vue dans son bain, se dit-il, puis il songea à toutes les autres activités qu'ils n'avaient jamais partagées – préparer un repas, aller au théâtre, lire le journal du dimanche. Pourquoi ce désir irrésistible de partager l'ennui du quotidien ?

Linda sortit, vêtue d'un peignoir fourni par l'hôtel, et elle s'allongea à côté de lui. Elle avait le visage creux, marqué. Thomas était gêné à cause de son propre corps, de son manque de propreté. « Je dois aller prendre un bain.

— Pas maintenant. Serre-moi juste dans tes bras. »

Il se glissa dans le lit et se pelotonna derrière elle.

« C'était idiot, précisa Linda. Le homard.

— Tu crois que c'était ça ?

— Je sais que c'était ça. »

La chambre éclairée uniquement par la lumière de la salle de bains.

« Tu prends l'avion demain matin.

— Peter sera à l'arrivée du car.

— Tu ne peux pas prendre le car. C'est hors de question. »

Linda ne discuta pas.

« Je vais dire à l'hôtel d'appeler Peter. »

Thomas sentit le corps de Linda se relâcher légèrement. Elle se laissait gagner par le sommeil.

« Tu sais à quel hôtel il est descendu ? demanda-t-il sans attendre.

— À l'Ocean House », répondit Linda en fermant les yeux.

Thomas resta allongé jusqu'à l'aube à côté de Linda, s'assoupissant lui-même de temps à autre. Puis il s'extirpa du lit le plus délicatement possible, prit la clef, sortit de la chambre et se dirigea vers le hall vide et silencieux. Le jeune homme chercha un annuaire, en vain. Rien d'étonnant. Il souleva le combiné – c'était un téléphone noir, d'autrefois – et demanda le service des renseignements de Malindi. Une fois en possession du numéro de l'hôtel, il le composa et pria un réceptionniste endormi de lui passer la chambre de Peter Shackland. Il patienta en tapotant nerveusement le comptoir en bois avec un stylo.

« Allô ? » Accent anglais évident, même dans ce allô. Elle ne lui avait pas dit.

« Peter Shackland ?

— Oui. C'est bien moi. » Anglais et beau gosse. Combinaison défiant toute concurrence.

« J'appelle de l'hôtel Peponi sur l'archipel de Lamu.

— Ah bon ? Du Peponi ?

— Linda a eu une intoxication alimentaire. Elle pense que ça vient du homard qu'elle a mangé. Elle nous a demandé d'appeler pour vous dire qu'elle prendrait un avion pour Malindi en tout début de matinée. Départ à sept heures quarante. Je suis désolé, mais je ne connais pas l'heure d'arrivée.

— Pas beaucoup plus tard que huit heures et demie, d'après moi. » Il y eut un silence. « Oh, mon Dieu. La pauvre. J'y serai, bien sûr. Le médecin est venu ?

— Vous aurez sans doute plus de chance à Malindi.

— Oui, je vois. Très bien. Elle dort ?

— Je crois.

— Bon. Eh bien, merci. Je suis désolé, je n'ai pas saisi votre nom ? »

Thomas se sentit piégé par la question. « John Wilson, répondit-il aussitôt, empruntant le nom de l'aéroport.

— Américain.

— Oui.

— Vous travaillez pour Marguerite ? »

Thomas ne savait même pas comment l'hôtelière s'appelait. « Oui.

— Femme charmante. À tout hasard, vous ne sauriez pas comment Linda est arrivée là ? Elle devait descendre à l'hôtel Petley. Il était plein, probablement ?

— Il me semble.

— Peu importe. On verra ça demain. Merci de vous être occupé d'elle, conclut l'homme qui répondait au nom de Peter.

— Il n'y a pas de quoi. »

Thomas reposa le combiné sur son support. Il traversa le hall pour aller sur la véranda. L'air était doux, la mer presque plate. Peter, qui était anglais, connaissait Marguerite. Peter, qui connaissait le Peponi, y avait peut-être bien emmené Linda en vacances.

Le jeune homme ôta ses chaussures. À l'horizon, le ciel était rose. Il se mit à marcher dans le sable, frais et humide sous la plante de ses pieds. Il ne demanderait pas à Linda pourquoi elle ne lui avait pas dit que Peter était anglais ; pas plus qu'il ne lui demanderait si elle et lui avaient fait l'amour dans une des chambres de l'hôtel qui se trouvait dans son dos. Un boutre de pêche longeait le rivage, et un homme se pencha avec grâce par-dessus bord pour lâcher un filet.

Il ne marcherait pas très loin ni très longtemps. Dans une heure et demie – moins maintenant –, il accompagnerait à l'avion la femme qu'il avait perdue puis retrouvée.

11

15 février

Cher Thomas,

Je veux te dire *merci* et *je suis désolée*, tout en sachant parfaitement bien que tu ne veux ni de ma reconnaissance ni de mes excuses.

J'ai l'impression que j'ai tout laissé de moi à Lamu, que rien ne reste. Je suis pompée, vide sans toi.

Les quelques jours qui ont suivi mon retour à Malindi méritent tout juste d'être évoqués. Je suis restée à l'hôtel jusqu'à m'être suffisamment rétablie pour pouvoir me rendre à Nairobi puis à Njia. À Malindi, Peter avait fait venir un médecin – un charlatan porté sur la boisson qui n'arrêtait pas de vouloir parler du bon vieux temps –, et, à part m'avoir donné un sachet de pilules dont nous n'avons jamais vraiment saisi le nom mais qui furent extrêmement efficaces, il m'a paru plutôt incompétent, pas même capable d'identifier mon mal. Mais je suis sûre que c'était le homard. (Je crois pouvoir te promettre de ne plus jamais manger de homard de ma vie.)

Oh, Thomas, j'ai soif de toi. Tu m'as posé des questions qui se tenaient parfaitement dans l'univers que seuls toi et moi habitons, et j'y ai répondu sèchement parce que je ne voulais pas penser à la manière dont tout cela finirait. Notre situation me semble d'autant plus injuste que nous avons passé très peu de temps ensemble. À moins que je ne me fasse des illusions en pensant que nous avons quand même droit à ne serait-ce qu'une minute hors mariage ? Je regrette parfois de détester Dieu à ce point ; si j'étais obéissante, la vie serait bien plus simple.

Je me souviens à peine de notre nuit à l'hôtel, mais je me rappelle très bien ce court moment dans cette ravissante maison que tu avais réussi à dénicher. (Je me rends compte à présent que je ne t'ai jamais demandé comment.) Quelle chambre extraordinaire ! Ouverte sur le ciel, comme si nous n'avions rien à cacher. Des pétales de jasmin sur l'oreiller, et je ne peux m'empêcher d'y voir un souvenir laissé après une nuit de noces. Comme j'aimerais retourner là-bas, passer des jours sans fin dans cette maison qui, dans tout Lamu, est certainement la demeure la plus exceptionnelle. Ou sont-elles toutes aussi belles et voluptueuses ?

Je me réveille le matin. Je me rends à mon travail. Je pense à toi. Je rentre le soir et je bois trop. J'essaie de noyer mes sensations. J'essaie d'engourdir mon agitation. Peter va et vient, attend ma guérison, mais je n'ai pas le cœur à lui dire que je ne guérirai pas. Nous n'avons pas couché ensemble depuis Lamu, situation qu'il attribue à mon état. Voilà, je te l'ai dit. Ne me parle pas de vous deux. Je ne veux rien savoir. Si vous n'avez pas couché ensemble, je me sentirai coupable et je plaindrai Regina. Dans le cas contraire, je ne suis pas sûre de pouvoir en supporter les images.

Nous ne sommes pas si différents, toi et moi.

Mais nos problèmes ont l'air insignifiants face à ce que nous voyons chaque jour, tu ne trouves pas ? Pas plus tard qu'hier, j'ai rencontré Dymphina, une femme de vingt-quatre ans avec trois enfants qu'elle a revus la semaine dernière pour la première fois en un an. Elle vit à Nairobi dans une cabane d'une pièce attenante à un long bâtiment en bois. Dymphina confie ses enfants à sa mère qui habite Njia pour trouver l'argent qui paiera leurs frais de scolarité ou, comme elle le dit, pour chercher fortune. Cette fortune s'élève à quarante dollars par mois qu'elle gagne en tant que domestique chez des Européens. Elle travaille dur, de six heures du matin à sept heures du soir, six jours sur sept, pour se faire un dollar cinquante par jour. Sur les quarante dollars, elle en envoie vingt à ses enfants et en débourse dix pour cette unique pièce sans électricité ni eau courante. La nuit, elle est souvent inquiète parce que certains ivrognes des bars voisins tentent de forcer sa porte fermée à clef mais néanmoins peu solide. J'ai rencontré cette jeune femme le jour où sa mère l'a amenée dans ma classe ; elle voulait que j'aide sa fille malade. « Mes nénés me font mal », m'a dit Dymphina.

Souffrir de ne pas te voir devrait n'être rien en

comparaison. Alors pourquoi ne suis-je pas capable de penser à grand-chose d'autre ?

Je joins à cette lettre un coffret acheté à Malindi. Ce n'est pas de l'albâtre, mais je fais comme si.

Avec tout mon amour,

L.

20 février

Chère Linda,

J'ai attendu et attendu de tes nouvelles, mort d'inquiétude à l'idée que tu sois toujours malade, que tu ne guérisses pas. Convaincu que je n'entendrais plus jamais parler de toi. Que tu considérerais le fiasco de Lamu pour ce qu'il semblait être, mais n'était pas : un châtiment dû à l'amour que nous nous portons.

Il faut que je te revoie. Me laisseras-tu venir à Njia ? Y a-t-il un moment où tu sais Peter absent ?

Je n'ai guère toute ma tête. Je fume trop, bois trop aussi. Seul antidote possible, apparemment. Regina remarque mon trouble mais y voit un mécontentement habituel face à l'existence, dont elle a déjà été témoin et qu'elle suppose être plus ou moins la norme. C'est à peine si je suis capable de lui parler ou de parler à quelqu'un d'autre. Je suis trop nerveux ; je ne veux penser qu'à toi.

Je travaille. J'écris sur toi. Bizarrement, pas sur toi ici, en Afrique, mais à Hull. Je ne comprends pas l'Afrique. J'observe telle ou telle chose (une lobélie en fleur ; un touriste admonestant un commerçant asiatique ; une hyène tapie à l'orée du bois) et c'est comme si je regardais un film exotique, imagiste. Il ne m'inclut pas. Je n'ai pas de rôle. Je fais partie du public. Ça m'autorise sans doute à critiquer le film, mais je ne m'en sens même pas capable.

Merci pour le coffret en pierre de savon. J'en prendrai toujours grand soin. Il s'agit probablement d'une allusion au coffret dans lequel Marie-Madeleine est censée avoir transporté de précieux onguents ? (Je constate que tu as fait tes propres recherches.) Je te connais trop bien pour penser qu'à travers ce geste tu glorifies les hommes, ou un seul homme ; je l'accepterai donc comme un gage d'amour, ce qu'il est, j'en suis sûr. De toute façon, Dieu est en chacun d'entre nous. N'est-ce pas ce que tu as déclaré ?

Les projets concernant Ndegwa commencent à « chauffer », comme on dit ici. Seras-tu à Nairobi le 5 ? Je vais tout de même prévoir de t'envoyer une invitation. Il y aura un tas de personnes que j'aimerais te faire rencontrer, surtout Mary Ndegwa, qui vient de publier son premier recueil de poèmes – incisifs, durs, infiniment rythmés, ce que j'aime. Il serait injuste de dire qu'elle a tiré avantage de toute cette notoriété, mais voilà. Surmontant magnifiquement la polémique, elle a l'air d'un paisible bateau dans la tempête. Quand on fait tout un plat d'une action gouvernementale, il y a toujours le danger d'enfoncer un bâton dans un nid de vipères. À l'heure qu'il est, Mary Ndegwa risque sa propre liberté. Je risque une éventuelle expulsion du pays. (Avant de te rencontrer, ça ne m'aurait pas trop gêné ; maintenant, ce serait un supplice et il me faudrait insister pour que tu rentres aussi mais, bien sûr, ce serait impossible, non ? Pas avant la fin de ta période de service. Sont-ils stricts là-dessus ?) Regina réprouve mon engagement. Elle le dit hypocrite, et, malgré mon immense admiration pour Ndegwa et mon dégoût pour ce qui lui est arrivé, je dois bien sûr lui donner raison. Je ne sais absolument pas ce que je fais dans cette arène. J'ai l'impression d'avoir adopté cette cause comme on adopte la dernière mode, et le fait de ne pouvoir progresser qu'à coups de gala renforce cette écœurante prise de conscience. Plus exactement, Regina craint que mon engagement ne provoque aussi son expulsion du pays, ou qu'une personne ayant autorité lui supprime sa bourse. (Dans un pays sans beaucoup de précédents et soumis à une certaine anarchie, il faut croire que tout est possible.) Ndegwa, qui dépérit dans un cachot pour avoir écrit des poèmes marxistes dans la langue kikuyu, risque sa vie (les prisonniers politiques ne sont pas bien traités ; et être « bien » traité dans une prison kényane représenterait une expérience dont toi et moi ne sortirions pas indemnes). J'espère que nous savons ce que nous faisons.

À l'ambassade, mon marine, bien sûr, ne risque rien.

Kennedy doit arriver le 5. Mon marine est surexcité. Il y aura une réception dans l'après-midi, le gala dans la soirée, puis Kennedy partira en safari (sans doute le but de son voyage). Le lendemain matin, il sera reçu en audience par Mary Ndegwa (ou est-ce l'inverse ?). Je me tiendrai dans les coulisses, j'essaierai de rester vigilant et de me rendre utile, mais pendant tout ce temps je ne penserai qu'à toi.

Amnesty International m'a écrit. Comme je m'en doutais, ils ont déjà élevé une protestation.

Un jour, j'aimerais écrire sur le courage de Ndegwa. T'ai-je dit que nous étions nés le même jour, la même année, à treize mille kilomètres de distance ? C'est incroyable de penser que, tandis que j'étais confié aux mains stériles du médecin de ma mère, Ndegwa naissait sur une natte de sisal, à l'intérieur d'une case en pisé, avant d'être confié aux mains de la première épouse de son père. Je me souviens que lorsque j'ai rencontré Ndegwa, je nous voyais comme deux lignes parallèles arrivées à dessein à Nairobi. Il a grandi pendant la révolte des Mau-Mau et n'est pas allé à l'école avant l'âge de dix ans à cause de la situation chaotique de l'époque. Enfant, il a assisté à l'exécution de son père au bord d'une tombe que celui-ci avait lui-même creusée. À l'époque de notre rencontre, il m'avait rattrapé dans les études, et même bien dépassé. À l'université, j'ai beaucoup appris de lui, des choses purement classiques, ce à quoi je ne m'attendais pas. J'aimerais faire son portrait, mettre en lumière le contraste entre son passé de berger et son statut actuel d'universitaire ; ses batailles juridiques pour éviter d'apporter en dot à son beau-père des moutons et des chèvres ; sa pratique, bien que tenue secrète, de la polygamie ; la révélation qu'il m'a faite selon laquelle l'échange d'épouses est une coutume kikuyu consacrée par l'usage ; et son malaise envahissant quant aux dangers et pertes qu'entraîne une traversée trop rapide de l'histoire.

Je sais pourtant que ce n'est pas à moi de faire son portrait. Toujours, il y a eu une barrière entre nous, une espèce d'incapacité à franchir la frontière séparant nos cultures, une ligne de démarcation apparemment faite d'un barbelé de symboles mal interprétés, un gouffre béant d'expériences distinctes. Maintes et maintes fois, nous nous sommes perdus. Nous semblions approcher du point d'accès quand soudain le sol oscillait sous nos pieds, nous laissant sur les lèvres opposées d'une faille, passant ainsi furtivement l'un à côté de l'autre.

Écris tout de suite. Dis-moi que tu vas venir, ou que je peux te rejoindre.

Je t'aime.

T.

P.S. : En gros titre aujourd'hui : PÉNURIE DE CARBURANT ET DE NOURRITURE.

24 février

Cher Thomas,

J'ai reçu ta lettre et l'invitation à l'ambassade par le même courrier. Et je n'ai pas pensé à grand-chose d'autre depuis. Je sais que je ne devrais d'aucune manière me trouver à proximité de Nairobi ce week-end-là, que je devrais plutôt fuir à Turkana ou Tsavo et m'éloigner le plus possible. Mais, chance ou destin, Peter me veut en ville car un de ses vieux amis d'université arrive au Kenya, et il aimerait que je fasse sa connaissance. Si je décidais d'assister à la réception, il faudrait que

Peter m'accompagne ; je ne pourrais absolument pas venir seule. Son ami aussi peut-être, selon les circonstances. Ça ne poserait pas de problème, j'imagine ? J'aimerais vraiment rencontrer Mary Ndegwa et appuyer sa cause, mais c'est toi que je viendrai voir.

Je ne peux rien promettre.

Je t'écris du lac Baringo. Peter veut depuis longtemps se rendre dans ce trou perdu, et j'ai accepté d'y passer le week-end. On s'est accrochés récemment – c'est entièrement ma faute, je suis trop perturbée –, et j'espérais que cela pourrait apaiser les tensions. (Ce n'est pas le cas : rien n'y fait, semble-t-il, si ce n'est une chose dont je suis incapable : coucher avec lui. Je le ferais, je pense, uniquement par gentillesse, mais je crains d'en être trop attristée. Pourquoi l'amour doit-il nous réduire à de sordides aveux ?)

Au bord du lac Baringo, il y a de quoi avoir plus peur que dans n'importe quel autre lieu que je connais. L'endroit est froid, peu accueillant. La terre dure, gris-brun, avec des acacias pour seule végétation. Le peu de verdure qui existe a la couleur de la poussière, comme le corps très noir des minuscules enfants, ce qui leur donne l'air de vieillards. Le lac, avec son île au centre, est marron et foisonne de crocodiles. Hier, au coucher du soleil, Peter s'est baigné, et ce matin j'ai entendu quelque chose d'énorme patauger dans l'eau. Sans doute un hippopotame. Mais partout, même dans ce paysage où rien de jeune ne devrait prospérer, il y a la vie – bruyante, discordante, grouillante et prompte. À l'instant même, je regarde un lézard glisser sur la moustiquaire et manger des insectes. Des cormorans, tels de vieux bouffons, avancent lourdement sur les branches des acacias qui poussent devant notre « cottage » – il ressemble plus à une tente en bois avec une marquise protégée par une moustiquaire qu'à une véritable construction, les mailles de la moustiquaire étant juste assez grosses pour laisser entrer toutes sortes d'insectes volants. Bouteilles de bière, serpentins antimoustiques, papier à lettres et stylos encombrent ma table. De l'autre côté de la route, quatre femmes vêtues d'une étoffe rouge décolorée se démêlent les cheveux. La chaleur est presque insupportable. Seul un très faible bruissement d'air sec frôle ma peau. Il y a apparemment assez d'air pour respirer, mais guère plus. La chaleur affaiblit, le soleil assomme, les moustiques sont porteurs de la malaria. Ce n'est pas très reposant.

Il y a quelques minutes, un camion de viande est passé bruyamment sur la route et ses roues ont projeté un énorme nuage de fumée. Dans ce nuage, j'ai eu l'impression de voir sautiller une petite créature, pareille à un grand oiseau s'apprêtant à prendre son envol. Mais, quand la poussière est retombée, j'ai constaté qu'il ne s'agissait que d'un gamin qui poursuivait le véhicule avec son panier. Le camion s'est arrêté, l'enfant a tendu son panier pour qu'on le lui remplisse de petits bouts de viande impropres à la vente sur le marché et dont la qualité est telle qu'il vaut mieux ne pas y penser. J'aurais pu m'avancer sur la route et observer la scène de plus près, mais je n'en ai pas trouvé l'énergie. Je préfère saisir une scène au vol et imaginer d'autres réalités. Est-ce cela écrire ? En quoi est-ce une entreprise fondée ? Qu'offre à quiconque ce genre d'exercice, si ce n'est une facile altération des faits ? Pour donner au lecteur quelque chose de substantiel, il me faudrait enregistrer la scène en détail, à l'image d'un historien, ou bien la reconstruire de telle sorte qu'elle présente une certaine vérité touchant à la nature des femmes, des petits garçons et des marchands de viande. Ce dont je suis incapable.

Je croyais que c'était toi qui m'aimais le plus. Mais c'est faux. C'est moi qui t'aime le plus.

Je pleure tout le temps maintenant. Je préfère autant que tu sois loin pour ne pas voir ça. Peter est déconcerté, comme il se doit. Je lui ai fait croire qu'il s'agissait d'une crise hormonale excessivement longue. Il ne mérite rien de tout cela.

Je te déposerai un message sur le panneau. Tu seras Roger et moi Gabrielle. J'ai toujours voulu un prénom plus exotique.

L.

Quand les ibis le réveillèrent, Thomas, tout habillé dans son lit, faisait un somme. Un somme, car il s'était forcé à dormir, incapable de supporter toutes les heures de l'après-midi qui semblait s'étirer interminablement, jusqu'au moment où Regina et lui pourraient monter dans l'Escort et se rendre à l'hôtel Intercontinental pour la réception. L'esprit préoccupé, les nerfs à bout, il avait essayé d'écrire, en vain. Thomas était revenu de la ville où il avait cherché et trouvé un message de Gabrielle à Roger sur le panneau du Thorn Tree. « Mon chéri », écrivait-elle, et ces paroles tendres avaient transporté Thomas, bien qu'il sût qu'il y avait sans doute là de l'affectation en rapport avec le prénom Gabrielle, que Linda s'amusait un peu, si tant est qu'on pût s'amuser dans une situation aussi désespérée. Amusement bien mince. Bien maigre. Existait-il des gens, se demanda le jeune homme, qui s'amusaient vraiment, plus ou moins constamment, lorsqu'ils tombaient amoureux ? Ça paraissait impossible, une telle entreprise se révélant trop intense pour supporter une telle gaieté. « Mon chéri, écrivait-elle, je compte les heures jusqu'à ce soir, où je te reverrai. Pure folie même que d'y songer. Mais je serai là. Ta Gabrielle. »

Et il avait répondu : « Ma Gabrielle chérie, aucun homme n'a davantage aimé une femme. Roger. »

Les chiens des voisins, Gypsy et Torca, dormaient dans la cuisine, comme souvent. Regina leur faisait cuire des os, les laissait entrer, leur avait installé dans un coin un endroit où dormir, son instinct maternel ayant pris une mauvaise tournure. Mais Thomas éprouvait de l'affection pour ces chiens et il devait reconnaître que, dans une large mesure, leurs voisins faisaient preuve d'indifférence à l'égard de ces bêtes qui, comme les êtres humains, aimaient à être dorlotées. Par la fenêtre, le jeune homme vit Michael assis sur un rocher, désœuvré, en train de manger de la charcuterie qu'il venait de sortir d'un sac en papier. L'herbe était marron, les arbres avaient perdu leurs feuilles, il n'y avait rien à faire pour un jardinier. Tout le pays attendait la pluie.

Thomas ouvrit le robinet de la cuisine (il pensait se préparer une tasse de thé), et une dizaine de fourmis s'en échappèrent, se noyant dans la chute d'eau. Pendant la saison sèche, il y avait toujours trop de fourmis. Elles agaçaient les chiens qui essayaient de dormir sous les arbres, et, quand il entrait dans la salle de bains, le jeune homme apercevait parfois une traînée de fourmis que

Regina avait écrasées avec le pouce. Mais où était sa femme ? Ça ne lui ressemblait pas d'être en retard. Elle qui était réputée passer une heure et demie à se préparer en vue d'un dîner.

Regina était souvent déroutante ces temps-ci. Elle qui normalement n'était ni déroutante ni compliquée avait l'air plus légère, comme si elle avait maigri ou appris la lévitation. Sa voix presque mélodieuse, même quand elle avait déclaré à Thomas, alors qu'ils discutaient de la sagesse qu'il y avait à soutenir aussi ouvertement la cause de Ndegwa : « Fais ce que tu veux. Comme tu l'as toujours fait. » Ce qui avait poussé son mari à se demander, sincèrement, si c'était vrai. Question soudain intéressante, comme s'il découvrait qu'on avait filmé sa vie et qu'on l'invitait à regarder le film. Car Thomas avait l'impression qu'on s'était la plupart du temps opposé à ce qui lui plaisait, même s'il était incapable de dire très exactement ce qui lui aurait plu.

Le jeune homme étala ses vêtements sur le lit. Ce soir, il s'habillerait avec soin. Quand Thomas avait réalisé que son blazer, lavé et séché sur une corde, ne conviendrait pas à un cocktail de gala, il s'était acheté un costume pour l'occasion – costume gris et chemise blanche neuve. Il n'avait aucune idée de ce qu'il dirait à Kennedy, ce prêtre défroqué. Un homme que ses tribulations rendaient d'autant plus attachant, bien plus intéressant que s'il ne les avait pas vécues, même avec son prodigieux héritage. Kennedy ne se souviendrait pas de lui ; Thomas n'avait que dix-huit ou dix-neuf ans lorsqu'ils s'étaient rencontrés. Jack était mort – Robert aussi, d'ailleurs –, le pouvoir distillé et concentré dans les mains du seul frère restant. Le père de Thomas – un catholique qui cachait sa religion dans une maison tyrannisée par le calvinisme militant de la mère – faisait pénitence par le biais de la politique, collectant d'importantes sommes d'argent auprès d'improbables démocrates, de riches banquiers et chefs d'entreprise du South Shore de Boston. Des sommes suffisamment importantes pour garantir reconnaissance et visite princière. Convoqué par son père, Thomas était rentré de l'université – Cambridge n'était pas très éloigné de Hull. Au cours du dîner, il avait observé le sénateur, et l'absence manifeste en lui-même de toute fibre politique l'avait presque rendu muet.

Le coffret en pierre de savon était effrontément posé, comme nu, sur le secrétaire de Thomas, qui était ancré dans un coin de la chambre. Il l'avait déniché pendant le safari, avait-il raconté à Regina. Quand Rich s'était acheté cette représentation féminine, tu te rappelles ? Oui, Regina croyait bien se le rappeler. À l'arrivée, le coffret avait une minuscule ébréchure, ce qui le rendait d'autant plus précieux aux yeux de Thomas – pourquoi, il n'aurait su le dire ; sans doute cette imperfection le faisait-il ressembler à un objet que Linda aurait utilisé. Thomas songea brièvement à le cacher et à y mettre les lettres de la jeune femme, idée folle aussitôt abandonnée, car un coffret caché inviterait très probablement à l'inspection, il le savait. Il avait rangé ce courrier dans le seul endroit où Regina ne le chercherait jamais – parmi les centaines de pages de brouillon de poèmes, la poésie de Thomas étant à peu près la dernière chose dans laquelle son épouse voudrait fouiller. Non pas qu'elle n'appréciât pas ses dons ; elle les appréciait, à sa façon. C'est juste que la poésie l'ennuyait, ces brouillons répétitifs étant insupportablement assommants.

Ils attendaient les pluies. Le pays était sec au point de donner l'impression de se craqueler. Le bétail mourait et les réservoirs seraient bientôt vides, disait-on. On pouvait déjà lire en gros titre : PÉNURIE D'EAU : FERMETURE DES HÔTELS. Comme tout le monde, Thomas s'était mis à rêver de la pluie, à lever le visage vers elle dans son sommeil. Unifiant le pays comme rien d'autre ne pouvait vraiment le faire (ou ne le faisait) : *mzungu*, Asiatiques, tribus en guerre, tous en quête d'un nuage isolé, prêts à fêter par des cocktails, ou des danses dans la brousse, l'instant où le ciel s'ouvrirait. Atavique, cette manière dont le désir pénétrait la peau et les os, de telle sorte que rien ne semblait tout à fait aussi voluptueux que de l'eau tombant du ciel. Il y avait de la poussière partout – sur les chaussures de Thomas, sur les chiens (parfois rouges de terre), dans son nez, ses cheveux. L'eau était rationnée à une baignoire par jour. Thomas faisait désormais une toilette sommaire pour laisser au moins une demi-baignoire à Regina. Même si parfois il lui demandait de ne pas la vider afin de pouvoir prendre un bon bain (se laver dans l'eau de quelqu'un d'autre représentait le summum de l'intimité, se disait-il). En fait, il avait prévu de le faire aujourd'hui, en vue de la soirée, mais Regina avait un tel retard – il était déjà cinq heures et demie – qu'il se demanda s'il ne devrait pas simplement se faire couler un bain et laisser l'eau à Regina, ce qui, à la réflexion, lui parut discourtois à l'extrême en cette période de sécheresse.

Pouvait-on prendre un bain au Norfolk ? Thomas imagina Linda dans une chambre d'hôtel en train de se préparer pour la soirée en compagnie de Peter, le beau gosse. Il ne la voyait pas calme, bien qu'il l'eût souhaité ; mais plutôt au bord des larmes. Les lettres de la jeune femme avaient quelque chose d'étrange et de désespéré qui l'inquiétait ; elle avait l'air de se défaire plus vite que lui, si tant est que ce fût possible. La situation était intolérable – plus qu'intolérable, elle semblait déshonorante comme si, lui continuant à vivre avec Regina et elle avec Peter, ils manquaient à l'honneur ou manquaient de courage. Mais cela allait devoir bientôt changer. Bien que Thomas redoutât le chaos, les aveux étaient inévitables : un jour, Thomas parlerait à Regina (il ne pouvait même pas imaginer l'horreur de la chose), et Linda parlerait à Peter, une personne apparemment capable de réagir à la nouvelle avec dignité, capable même, en beau gosse, d'en faire fi (fantasme intéressé). Qu'attendait-il ? Le moment où Regina serait apparemment assez solide pour survivre sans se désintégrer, sans entrer dans la spirale de l'hystérie et des hurlements ? Un moment qui ne viendrait peut-être jamais, malgré cette nouvelle voix mélodieuse, en lévitation. Même si, en fait, et Thomas le savait, les gens ne se désintégraient pas, ne se brisaient pas en morceaux. Ils survivaient. Se disaient qu'ils s'en trouvaient mieux, non ?

Le jeune homme était en train de boutonner sa chemise quand il entendit la voiture de sa femme rouler sur la terre pareille à de la brique. Ça ne lui ressemblait vraiment pas d'avoir un tel retard, elle qui de toute façon aurait besoin d'une heure pour reprendre ses esprits. Il se prépara à affronter son affolement, ou du moins ses jérémiades dues au terrible embouteillage dans lequel elle avait été bloquée. Les routes s'étaient désagrégées, déclarerait-elle ; il y avait eu un tourbillon de poussière sur l'A1.

Mais Regina était porteuse d'une autre nouvelle.

« Je suis enceinte », annonça-t-elle depuis la porte. Radieuse, les joues roses, comme si, même dans sa voiture, la jeune femme avait couru vers Thomas avec son heureux message. Elle était belle, le secret éventé lui donnant un teint et une gaieté dont il n'avait pas été témoin depuis, littéralement, des années. « Nous n'aurons pas de résultats formels avant jeudi, mais le Dr Wagmari pense que je suis enceinte de trois mois. »

Thomas resta debout, immobile.

La mer, en réaction à une fissure dans l'Univers, évacuée du réservoir que le jeune homme avait jusque-là considéré comme sa vie, son essence, son âme, même si, jusqu'à cet instant, il n'avait pas été absolument sûr de son existence. La perte, la sensation physique de perte, était dévastatrice, absolue. Étrangement réconfortante aussi, comme une pensée réellement triste. Thomas était incapable de bouger, de parler, même s'il savait que se taire était impardonnable, ne serait jamais pardonné. Et, dans le silence, il sentit qu'il se mettait à pleurer, un gémissement le déchirait, effaçait en un instant l'étrange impression de réconfort, la remplaçant par un cri muet. Sa vie était finie. C'était aussi simple que cela. Alors même qu'une nouvelle vie commençait.

« Qu'est-ce qui ne va pas ? demanda Regina, en entendant peut-être un écho faible et lointain de ce cri silencieux. Tu restes là...

— Je suis... » Les mots le désertaient. Son organisme, qui tentait de se protéger, se fermait peu à peu.

« Tu es abasourdi. »

Thomas ne pouvait toujours pas bouger. Bouger, c'était poursuivre l'autre existence, celle qu'il aurait après celle-ci. Qu'une nouvelle aussi joyeuse fasse aussi mal était odieux. « Oui », parvint-il à articuler.

Apparemment, ça suffisait. Regina vint étreindre son mari, statue pétrifiée, et les bras du jeune homme, appendices sans volonté, réagirent en offrant quelque chose qui ressemblait à une étreinte.

« Moi aussi, je suis abasourdie ! s'exclama la jeune

femme. Je ne l'aurais jamais cru. Mon Dieu, c'est fabuleux, non ? »

Sans message du cerveau, la main de Thomas la tapota doucement dans le dos.

« C'est ce que nous avons toujours souhaité. » Regina enfouit la tête dans l'épaule de son mari et éclata en sanglots.

Des larmes perlèrent aussi sous les paupières de Thomas, ce qui l'horrifia, et il s'efforça de les refouler. Elles étaient traîtresses, déplacées maintenant. Pourtant, elles aussi seraient mal interprétées, peut-être prises pour de la joie.

Déjà entrée dans sa nouvelle existence, Regina se rappela l'heure, les choses ordinaires, et s'écarta de lui.

« Je suis tellement en retard », exulta-t-elle.

Thomas s'assit sur le lit en sous-vêtements et chaussettes, la chemise à moitié boutonnée, la catastrophe naturelle le laissant inachevé, comme ces femmes trouvées à Pompéi une marmite à la main. Se disant de temps à autre des demi-phrases, pas souvent, le reste, un vide blanc et brumeux. « Il faut que je prévienne » ou « Si seulement je n'avais pas ». Se disant, dans des moments de lucidité particulière, et comme tout homme essaierait inévitablement de le calculer : « Le soir de la réception chez Roland ». Ayant obéi à l'horloge biologique, Regina et lui recevaient en récompense un enfant. Alors la brume se dissipa, le brouillard le submergea, et Thomas désira ne jamais plus devoir bouger. Ironie amère. Ne venait-il pas d'affirmer qu'il ferait ce qui était honorable et courageux ? Impensable désormais. Impossible. Honneur et courage faisaient la culbute.

Regina sortit de la salle de bains, plus intimidée

qu'agacée par cette immobilité, par la chemise à moitié boutonnée. « Mon Dieu. Tu es vraiment abasourdi. »

Elle rayonnait. Dans une simple robe noire aux fines bretelles. Ses seins hauts, pointés en avant, de telle sorte que leur douce crête blanche s'en trouvait dénudée. Voluptueuse Regina, qui deviendrait plus voluptueuse. En portant l'enfant de Thomas.

« Est-ce que ça me va ? » s'enquit-elle en tournoyant joyeusement.

Ils étaient en retard. Thomas aurait pu dire « tellement en retard que c'en était gênant », bien que la gêne appartînt à son autre existence. Ils gravirent des marches et se retrouvèrent au milieu d'une foule, les voix ayant déjà dépassé un niveau sonore acceptable. La réception semblait se tenir dans une succession de salles, telles les pièces d'un musée, boissons ici, nourriture là. Des serveurs revêtus de blanc – des non-Africains, diplomatie oblige – passaient d'un lieu à l'autre avec un plateau en argent. À côté de Thomas, Regina faisait tourner les têtes, ce qui n'arrivait pas en temps normal – l'éclat de son teint, du plutonium au niveau de radiation élevé. Le radar de son mari était réglé ailleurs, un système personnel de première alerte se déployait. Trouver Linda à tout prix avant que Regina ne pavoise. Thomas chercha des cheveux blonds et une croix, trouva des cheveux blonds plus souvent que dans la nature, mais pas de croix. La situation était si catastrophique qu'il ne demandait rien de plus que de voir Linda – l'entrevoir même – quoique cela n'eût fait qu'alimenter son désir. Et le jeune homme fut surpris de constater combien ça faisait mal, ce retour à la vie. Des membres engourdis se rappelant la douleur.

Thomas ne trouva pas Linda mais son marine. Individu à l'air défait, ce qui ne lui ressemblait guère, marine vaincu, spectacle affligeant. On fit les présentations, Regina dominant de très haut l'épouse de l'homme, une minuscule femme au teint gris-brun vêtue d'un tailleur bleu roi.

« Ton pote n'est pas là », lâcha le fonctionnaire d'ambassade.

Thomas, qui ne saisit pas immédiatement cette allusion à un « pote », pensa que son interlocuteur s'adressait à la mauvaise personne. Puis, brusquement, il comprit. « Kennedy ? demanda-t-il.

— Ne vient pas. » Le marine avala une longue gorgée de ce qui ressemblait à un whisky sec. Sans glaçons. Son visage était blanc, creusé.

« Que s'est-il passé ?

— Désaccord sur le programme. À ce qu'ils disent. » L'homme parlait les lèvres serrées. Tenait le coup. Même si l'épouse donnait l'impression d'avoir été rabrouée depuis fort longtemps.

« Il est arrivé au Kenya ? s'enquit Thomas.

— Non, répondit le marine affligé. Justement ! »

Il n'y avait apparemment rien d'autre à dire que « Je suis désolé ». « Je suis désolé, fit Thomas.

— Mauvais point pour toi », lâcha le malheureux fonctionnaire.

Par politesse – des bonnes manières inculquées voilà bien longtemps, désormais inappropriées semblait-il –, Thomas s'attarda avec son marine comme on le ferait avec un homme qui vient d'être renvoyé ou de perdre un précieux contrat. Sans cesser de parcourir la foule des yeux, incapable de s'en empêcher, manquant à ses bonnes manières avec son inattention sporadique. Contre toute attente, Regina ne confia pas son secret, même s'il est juste de noter qu'elle ne connaissait absolument pas la femme du fonctionnaire d'ambassade. Thomas s'était pourtant attendu à ce qu'elle laisse joyeusement échapper la nouvelle. S'était préparé à une annonce qui n'aurait pas manqué de tomber dans des oreilles réticentes. Dans l'attente d'une confirmation, Regina se montrait peut-être simplement prudente. Après tout, elle avait déjà perdu un enfant à un stade avancé. À moins qu'elle ne fût superstitieuse, un trait de caractère que Thomas n'avait jamais remarqué jusqu'alors.

Quand il le put, le jeune homme s'excusa auprès du fonctionnaire d'ambassade déconfit, le quitta (Regina resta, l'épouse et elle s'étant apparemment trouvé des points communs) et chercha Linda avec plus de détermination. Bien qu'une tenue de soirée ne fût pas de rigueur, tout le monde s'était habillé juste un cran au-dessous, si bien qu'il y avait beaucoup de robes longues et de costumes sombres. De l'autre côté de la salle, Thomas aperçut le directeur de la revue, et il aurait pu tenter de fendre la foule pour le rejoindre, cet homme étant pratiquement la personne la plus intéressante qu'il connût. Mais Thomas, homme investi d'une mission, se contenta de le saluer de la main. Il repéra Roland qui, Dieu merci, ne le vit pas, ainsi qu'un journaliste qu'il avait connu quelque part – à l'université ou au Thorn Tree. Hommes et femmes paraissaient enfermés dans des conversations qui réclamaient d'eux qu'ils crient. Thomas prit une coupe de champagne sur un plateau en argent et se dit que les serveurs étaient des marines. Était-ce possible ? Il crut un instant qu'il s'agissait d'espions – idée abandonnée aussitôt quand il s'aperçut qu'il n'y avait pas grand-chose d'intéressant à épier. Mais Linda demeurait introuvable. Depuis le centre de la pièce, Mary Ndegwa lui fit signe. Le jeune homme gravita dans sa direction, tel un sujet attiré vers un personnage royal. Entourée de sa cour, elle portait une coiffure dorée et un cafetan assorti, ce qui lui évoqua de l'encens et de la myrrhe. Il ne put s'empêcher de penser que l'incarcération de Ndegwa avait libéré l'épouse et la mère. L'avait libérée pour qu'elle devienne ce qui avait peut-être été sa nature depuis le début : une meneuse entourée de partisans. D'où la question : que se passerait-il si Ndegwa était un jour relâché, ou quand il le serait ?

« Mister Thomas. Vous êtes très élégant ce soir. »

Le pouvoir lui avait donné le goût du flirt. « Pas plus élégant que vous, répondit-il, comme il se doit.

— J'espérais faire la connaissance de votre épouse.

— Elle est quelque part par là. » Thomas fit un effort pour scruter l'assemblée, qui se développait comme une culture dans une boîte de Petri, amassant de nouvelles cellules. « Je la cherche et je vous la ramène.

— Je vous ai déjà remercié d'avoir organisé cet événement. Mais puis-je me permettre de réitérer ces remerciements ?

— Ce n'est pas nécessaire, dit Thomas en agitant la main. En fait, je n'ai pas grand-chose à voir là-dedans.

— M. Kennedy n'est pas venu.

— Non. Ça m'étonne.

— Aucune importance. »

Et Thomas se dit : effectivement, aucune importance. Mary Ndegwa était devenue l'unique personnalité, même si un ou deux députés étaient censés figurer parmi les invités, dont la liste se composait en grande partie de gens que l'ambassade souhaitait remercier en les conviant à une réception à laquelle Kennedy serait (mais n'était pas) présent.

« Et comment va Ndegwa ?

— J'ai peur pour lui », répondit la jeune femme, mais Thomas nota qu'elle ne semblait pas affolée.

« Votre livre marche bien.

— Oui. Très bien. Un jour, lui aussi sera réprimé.

— Vous avez l'air convaincue.

— Mais bien sûr ! rétorqua Mary Ndegwa, amusée de le voir douter de cette incontestable vérité.

— Je suis désolé de l'apprendre.

— Mister Thomas, vous ne devez pas nous déserter », déclara-t-elle en lui touchant l'épaule.

Cet impératif le décontenança légèrement. Il n'avait pas pensé à déserter mais n'avait sincèrement pas du tout pensé à Ndegwa. Thomas chercha une réponse pertinente, mais Mary Ndegwa s'était déjà désintéressée de lui et, par-dessus son épaule, regardait une femme que Thomas reconnut vaguement comme étant une journaliste italienne. Congédiement brutal et absolu, destiné moins à éconduire qu'à écarter afin de pouvoir avancer.

Le jeune homme s'éloigna de la foule sans se presser et chercha à sortir du bâtiment pour fumer une cigarette, même si les salles étaient déjà enfumées et qu'il n'aurait pas dû s'en soucier. Il voulait guetter Linda, inquiet désormais à l'idée qu'elle ne vienne pas du tout. Et alors, qu'arriverait-il ? Devrait-il se rendre au Norfolk le lendemain uniquement pour lui annoncer que sa femme était enceinte ? C'était inconcevable, comme la Terre modifiant son orbite.

En haut de l'escalier, il s'appuya contre un mur et fuma. Il y avait les traînards et les arrivées tardives en vogue. Il était presque huit heures, et bientôt, se dit Thomas, les gens commenceraient à partir pour aller dîner. Des marines se tenaient au garde-à-vous en bas des marches, formant une espèce de garde d'honneur à travers laquelle les invités, inconfortablement chaussés, paradaient fièrement. Il vit Linda avant même qu'elle eût traversé la rue ; son compagnon regarda à droite pour éviter les voitures, la main sur le dos de la jeune femme, et la poussa légèrement en avant quand il crut tout danger écarté. Elle s'était enveloppé les épaules d'un châle qu'elle maintenait serré juste au-dessus de la taille, et elle reproduisait avec une telle exactitude l'image qu'il avait eue d'elle s'avançant vers lui devant l'hôtel Petley que Thomas en eut le souffle coupé. L'espace d'un instant, avant qu'elle le vît, il supporta ce doux mélange de plaisir et de douleur que lui causait le fait de l'observer en train de traverser la rue, finir par courir (conducteur indélicat) puis soulever sa robe de lin blanc en montant sur le trottoir (elle avait porté sa plus belle robe à Lamu pour leur rencontre, il s'en rendait compte maintenant). Et, en l'examinant, il comprit son retard : elle avait déjà bu. Qu'est-ce qui le lui faisait dire ? La légère perte d'équilibre au moment où elle posa un pied sur le trottoir, la main prompte de l'homme qui l'accompagnait, comme s'il connaissait son état. Peter, sans aucun doute, bien qu'il parût plus vieux que sur la photo.

Linda monta l'escalier tête baissée, les yeux fixés sur ses pieds, si bien qu'elle passa devant Thomas sans le voir. Ou bien elle l'avait vu et avait exécuté son numéro avec brio. Le jeune homme dut sortir de l'obscurité et prononcer son prénom. Ce prénom très banal.

« Linda. »

Non, elle ignorait qu'il se trouvait là. Thomas le vit aussitôt – ses émotions, moins bien maîtrisées maintenant, contractaient son visage. Le choc. La joie. Puis le souvenir de la situation. Elle fit un pas vers lui. Sans chanceler. Peut-être s'était-il trompé au sujet de l'alcool. C'est tout ce qu'il pouvait faire pour ne pas lui toucher les bras, qui semblaient supplier qu'on les caresse.

L'homme qui l'accompagnait, un temps déconcerté, se tourna également vers lui.

« Thomas », dit Linda. Puis, se répétant : « Thomas. »

C'est lui qui dut tendre la main et se présenter à l'homme qui l'accompagnait. Qui était bien Peter, en fin de compte. Peut-être Linda avait-elle été simplement incapable de dire le mot « mari ».

« Peter. » Elle se ressaisissait. « Thomas et moi nous sommes connus au lycée.

— Ah bon ? lâcha Peter qui, sans le savoir, imitait Regina dans des circonstances similaires.

— Il y a quelques mois, on s'est rencontrés sur le marché, poursuivit Linda. On en est encore ébahis. »

Phrase stupéfiante. Parfaitement acceptable dans son contexte, ordinaire même, et sans réel intérêt, mais pourtant absolument vraie. Ils avaient été ébahis l'un par l'autre, ébahis par cette rencontre fortuite. Totalement ébahis.

« Vous habitez toujours Njia ? » Thomas posa la question qui lui venait à l'esprit. Avait-on plus de conversation en étant non pas poète mais auteur dramatique ?

« En fait, Peter vit à Nairobi. » Linda expliquait ce qui une fois déjà avait été expliqué.

« Le projet sur les pesticides », précisa Thomas, comme s'il venait de s'en souvenir.

L'homme avait les mâchoires légèrement plus saillantes que sur la photo, et une carrure étroite comme bien des Anglais. Toutefois, il avait indéniablement de l'allure, et ses gestes – rejeter une mèche en arrière, enfoncer à moitié les mains dans ses poches avec nonchalance – laissaient supposer qu'il pouvait également se montrer charmant. Mais Thomas remarqua alors son air perplexe, Peter venait-il de percevoir un son étrange, alarmant même. Il finirait par découvrir où il avait déjà entendu cette voix, se dit Thomas qui se demanda dans combien de temps il y parviendrait. Comme en prévision de cette découverte, Peter passa son bras autour de Linda et enveloppa de sa main son épaule nue.

La mer se retira de nouveau brusquement, laissant Thomas sur le rivage, tel un phoque échoué.

« Et comment se fait-il que vous viviez à Nairobi ? s'enquit Peter.

— Ma femme a reçu une bourse de l'Unicef », répondit Thomas. Qui pensa, désespéré : et elle est enceinte.

Il voulut jeter un coup d'œil sur Linda mais craignait de le faire. Cela devint une espèce de lutte entre adolescents.

« Il y a du champagne et de quoi manger », ajouta-t-il, libérant ainsi mari et femme. Le jeune homme désigna la porte d'un geste. Intérieurement il se débattait. S'effondrait sur une plage.

Linda, à son tour légèrement réticente, s'éloigna avec Peter, son Anglais. Peu désireux de perdre de vue la jeune femme si récemment retrouvée, Thomas suivit le couple à l'intérieur. Peter avait l'air de connaître du monde. Thomas regarda Linda prendre une coupe de champagne sur un plateau (elle serrait son châle d'une main) et en boire aussitôt une gorgée, comme si elle avait soif. Il regarda Peter discuter, et lui en voulut de son charme, de la façon dont il inclinait la tête, le visage légèrement tourné de côté, en écoutant un individu qui venait de le saluer. Le jeune homme suivait à une distance à peine respectueuse, aussi près qu'il l'osait, mais quand même trop loin derrière Linda. Elle se tenait admirablement bien, il s'en rendit compte, le dos de la robe aussi décolleté que dans son souvenir (soutien-gorge compliqué, se rappela-t-il), et il songea : elle ne sait pas. Elle ne sait pas.

Le jeune homme s'aperçut que Roland, qui avait l'air de se faufiler à travers la foule comme un python (non, c'était injuste, Roland n'était pas aussi mauvais que cela), se dirigeait vers lui. Il chercha une issue acceptable, n'en trouva pas, et se rappela qu'il devait se montrer charmant avec le patron de Regina, pour détestable qu'il lui parût.

« Qui est votre amie ? »

La question stupéfia Thomas. « Quelle amie ? rétorqua-t-il, feignant l'oubli.

— Cette femme à qui vous avez parlé sur le perron ? Celle que vous n'arrêtez pas de suivre et de dévisager. »

Thomas ne dit rien.

« Mignonne », nota Roland en examinant Linda. La jeune femme était tournée de côté et, brisant finalement les faux-semblants, elle jeta un coup d'œil sur Thomas et lui sourit. Comme on pourrait sourire à un ami. Sourire qui, en temps normal, ne cachait rien ; mais qui, en cet instant, cachait tout.

Roland, vieux sage, hocha la tête. « Alors, fit-il, désireux d'en savoir plus.

— Je suis juste allé à l'école avec elle. Et l'autre jour, on s'est juste rencontrés par hasard. (Thomas se dit que la répétition du mot « juste » le trahissait.)

— Vraiment ? s'étonna son interlocuteur, indiquant ainsi clairement qu'il n'en croyait pas un mot. C'est ce que vous dites.

— Jane est là ? » Touché au vif, Thomas voulait bêtement rendre la pareille.

Ce malin de Roland sourit en plissant les yeux.

« Et Elaine ?

— Bien sûr, répondit l'homme d'un ton doucereux. À propos, où se trouve Regina ? »

De l'autre côté de la salle, Thomas vit son épouse, grande femme en chaussures à talons, se diriger vers lui. « Elle arrive.

— Pas de Kennedy, donc ?

— Hélas non.

— Vous n'avez pas saboté le boulot, j'espère ?

— Non, si étonnant que ce soit, répondit Thomas en attrapant au vol une autre coupe de champagne.

— Ah, voilà la superbe Regina ! » s'exclama Roland. Et ce qui aurait dû être pur compliment devint mielleux dans sa bouche.

Regina l'embrassa tout près des lèvres, comme le font ceux qui sont plus que de simples connaissances. Elle regarda Thomas et son visage s'épanouit en un large sourire – le secret partagé, semblait-il, resté intact.

« C'est dommage pour Kennedy », dit-elle, compatissante, à son mari. L'éclat de son visage s'était déplacé juste au-dessus des seins, difficile de ne pas s'y attarder. Et Thomas constata que, bien sûr, Roland s'y attardait.

« Tu as mangé quelque chose ? » demanda la jeune femme avec sollicitude, elle qui, en temps normal, n'en faisait guère preuve. Elle pouvait bien se le permettre maintenant.

« Ça va », répondit Thomas. Mensonge éhonté. Il était dans tous ses états. Du coin de l'œil, il nota que, en vertu d'un principe de physique inconnu de lui, la foule le séparant de Linda s'éclaircissait, et que son mari et elle étaient immanquablement poussés dans sa direction. Linda était en train de boire un whisky, remarqua-t-il. Sec, sans glaçons. Une demi-douzaine de raisons pour lesquelles la rencontre entre Linda, Regina et Roland tournerait au désastre lui traversèrent l'esprit à toute allure.

« Cherchons Elaine », suggéra le jeune homme ; Regina et Roland, étonnés par sa proposition, le regardèrent bizarrement. Mais il était déjà trop tard. Linda, séparée de Peter, se tenait à ses côtés.

« Bonsoir, fit Regina, surprise. Vous êtes bien Linda ?

— Oui. Bonsoir. » Le bras nu de Linda à un centimètre du coude de Thomas.

« Linda, voici Roland Bowles. Le directeur de thèse de Regina. »

La jeune femme tendit la main. « Enchantée.

— Thomas et Linda sont allés au lycée ensemble », précisa Regina.

Roland jaugeant Linda d'un coup d'œil, sans d'ailleurs se donner la peine de le cacher. Mon Dieu, ce type était insupportable.

« En fait, un jour, ils ont eu un accident de voiture. C'est bien ça, Thomas ? »

Le cœur du jeune homme s'arrêtant de battre un instant à l'évocation de l'événement. Il était sûr que Linda avait ressenti la même chose.

« D'où la cicatrice, poursuivit Regina d'une voix nécessairement forte, la jeune femme étant, comme tout le monde, contrainte de crier.

— Ça m'avait intrigué, dit Roland.

— Cela a dû être horrible », ajouta la jeune femme en étudiant d'abord Thomas, puis Linda, dardant un regard sur chacun – ils se tenaient côte à côte. Puis elle se remémora la bonne nouvelle, et sa mine légèrement renfrognée disparut. À ce souvenir, son visage s'éclaira au point que Thomas fut convaincu qu'elle allait dire quelque chose.

« Je m'en souviens à peine », objecta Linda. Le verre de whisky presque vide. Et, comme si un nombre critique de personnes avait été atteint dans la salle, provoquant une hausse de la température de deux ou trois degrés, Thomas se sentit brusquement mal à l'aise et se mit à transpirer sous sa chemise blanche et son costume gris. Linda aussi, il le nota ; des gouttes de sueur perlaient sur sa lèvre supérieure, fine moustache que le jeune homme voulut lécher. Alors qu'il percevait cette élévation de température, ses propres émotions l'assaillirent, exacerbant tout. Si bien qu'en regardant son épouse Thomas éprouva une telle sensation de claustrophobie qu'il crut ne plus pouvoir respirer. Il se demanda – ce qui ne lui était jamais arrivé – si, au fond, il ne détestait pas Regina, et s'il ne détestait pas aussi ce fat de Roland. Roland, avec ses déclarations, qui parlait maintenant de Kingsley Amis, Thomas le connaissait-il, c'était le voisin d'un de ses cousins, etc. Le jeune homme se demanda s'il ne détestait pas également Peter, le beau gosse, qui couchait avec la femme que lui aimait, la femme avec laquelle il aurait dû vivre. Cette brusque élévation de température vicia l'air au point que Thomas eut presque le sentiment de détester Linda, entrée trop tard dans sa vie, réveillant d'anciennes émotions qu'il eût mieux valu laisser sommeiller. (Même si, à proprement parler, il pensait être entré dans sa vie à elle.)

Il pivota, s'éloigna du groupe, et se fraya un chemin à travers dos nus noirs et cols empesés, vaguement conscient qu'on criait son nom, ne répondant pas à la sommation, passant à côté d'une Asiatique enveloppée dans des saris de soie, d'un Français svelte (avec cette bouche, l'homme ne pouvait qu'être français) et, tout en marchant, il perçut – où était-ce le produit de son imagination ? – une voix qui s'élevait pour argumenter, grognement hargneux surgi du cœur de la foule. C'était le temps, Thomas le savait – brûlant, abrasif, lourd –, qui irritait la peau, serrait les mâchoires et libérait ces grognements hargneux d'habitude inconcevables dans ce genre de lieu. Parvenu devant une table, Thomas, qui ne savait où aller, s'y appuya et fuma une cigarette, tournant le dos à tous ces gens qu'il était peu désireux de voir.

Il entendit son nom et se retourna.

« Continue d'avancer », lui dit Linda en tendant la main pour le toucher.

Le jeune homme avança, mais pas à l'aveuglette – il se rendait compte qu'il cherchait un coin désert –, il s'éloigna de la foule, ne parvint pas à trouver la sortie, se perdit dans un couloir, une antichambre, passa une porte et pénétra dans un bureau obscur. Linda le suivait – quiconque le voulait pouvait s'en apercevoir, se dit-il –, mais la présence de la jeune femme le rendait tellement heureux qu'il crut que ses poumons allaient éclater.

Elle se glissa derrière la porte et la verrouilla.

Thomas s'aperçut qu'elle était soûle, mais peu importait. C'était peut-être – ce *serait* – leur ultime rencontre. Moment doublement volé, comme le fait d'emprunter alors qu'on est à découvert, le capital d'origine déjà épuisé. Et, loin d'y voir de la malhonnêteté, Thomas y vit une chance dont Linda elle-même n'était pas consciente. Son propre chagrin leur suffisant à tous deux.

Dans le noir, il trouva sa bouche et sa chevelure,

embrassa l'une, saisit l'autre, puis embrassa les deux. Il distinguait à peine son visage, l'unique éclairage venant d'un réverbère derrière la fenêtre. Elle était maigre et nerveuse à son contact, plus passionnée qu'il ne l'avait connue – plus *experte* –, et c'était son désir aussi bien que le sien qui les rendaient impatients de se déshabiller. Ils tirèrent sur les étoffes, marchèrent dessus, n'ayant pas le temps de se préoccuper des boutons. Linda ôta ses chaussures, devint soudain plus petite, plus souple contre lui, et ils s'appuyèrent un moment contre un mur, puis sur un fauteuil en cuir. Ils se glissèrent ou s'agenouillèrent sur le tapis, entre le fauteuil et une table, un coin du meuble lui accrochant le bas du dos, et Thomas se dit que la propre colère de Linda devait la nourrir, car la jeune femme n'était pas elle-même – elle s'abandonnait davantage, la colère pouvant inviter à l'abandon, comme Thomas l'avait bien sûr ressenti en s'éloignant de leur petit groupe. Il ne s'arrêta pas plus d'une seconde pour se demander ce que Regina, Peter et Roland pouvaient penser, ils étaient devenus insignifiants. Du moins pour le moment. Ce serait la seule chose qui compte, même si cela devait durer toute une vie. Merde, il fallait que ça dure toute une vie. Et lui, ou elle, dit « Je t'aime », comme tous les amants, même si Thomas savait que ces mots – dépréciés (ne les avait-il pas adressés à Regina ? elle à Peter ?) – n'expliquaient pas ce qui leur arrivait, expérience que le jeune homme ne pouvait définir que par un seul mot, un mot à la fois vide et précis, qui maintenant se répétait indéfiniment dans sa tête : *Ça*, se disait-il. *Ça*.

Puis, de nouveau, *Ça*.

Ils restèrent allongés dans l'obscurité sordide du bureau. Thomas avait conscience de vêtements posés en tas à sa tête, du talon d'une chaussure s'enfonçant dans sa cuisse. Leurs hanches nues calées entre le pied d'une table et un fauteuil. Peut-être seraient-ils incapables de sortir, peut-être allaient-ils devoir attendre qu'on les trouve. Linda chercha sa main à tâtons, enlaça ses doigts aux siens, et il y avait quelque chose dans ce geste, dans ce lent entrelacement de doigts et dans la manière dont la jeune femme posa leurs mains jointes sur le sol, qui indiqua à Thomas qu'elle savait. Qu'elle savait que ce serait la dernière fois. Nul besoin de parler, semblait suggérer ce geste. À moins que Thomas ne fût simplement trop épuisé pour faire appel à des mots.

Linda se releva et rassembla ses vêtements. Il la regarda mettre son soutien-gorge compliqué, remonter la fermeture éclair de sa robe en lin froissée, se glisser dans ses chaussures à talons – l'inverse de l'amour, l'inverse de l'attente. Puis – il se rappellerait cet instant jusqu'à la fin de ses jours – la jeune femme s'agenouilla, se pencha sur son visage – ses cheveux, qui retombaient tels des rideaux, leur procurant un ultime moment d'intimité – et elle lui murmura dans la bouche la chose impardonnable qu'elle venait de commettre.

C'eût pu être une confession.

Roland avait passé son bras autour des épaules de Regina. Dans un coin, un Peter déconcerté parlait à la nuque de Linda. Des invités partaient – normalement, décontractés, inconscients du désastre – ou, s'ils en étaient conscients, ils y jetaient un regard oblique, perplexe. Elle allait divertir, cette histoire, entrer dans le panthéon des histoires d'amours illicites kényanes, un post-scriptum à cette période « Vallée du Bonheur ». Mais peut-être même pas. Oubliée avant l'infusion du soir, les principaux acteurs étant trop peu en vue pour garantir une attention soutenue.

Thomas avait raté le drame principal.

Finalement – chose curieuse mais peut-être prévisible – il s'agissait de son âme. Lui qui croyait ne pas en posséder une. Un concept qu'il ne savait pas même nommer. C'était d'une ingénieuse simplicité : il devait empêcher Regina de perdre l'enfant.

Dans la rue, les gémissements de la jeune femme devinrent plus aigus ; et dans la voiture, elle se balança violemment de droite à gauche, se cogna contre la portière, demandant, exigeant de savoir : As-tu couché avec elle ? Combien de fois ? Hurlant pareillement devant les réponses et les silences de son mari. Voulant des dates et des détails, d'horribles détails qu'il refusait de donner. Dans le cottage, Regina se jeta contre un mur. Thomas tenta de la calmer, de la toucher, mais elle était déchaînée – malgré la bonne nouvelle, la jeune femme avait elle-même considérablement bu. Elle vomit dans la salle de bains, souhaitant autant l'aide que la mort de son époux. Et, pendant tout ce temps, il se disait : je dois l'empêcher de perdre l'enfant.

Il la secoua pour mettre un terme à la crise d'hystérie. En lui disant d'aller se coucher, comme on le dirait à un enfant. La jeune femme gémit, le supplia de la prendre dans ses bras, ce qu'il fit, elle s'assoupit, quelques secondes seulement, puis recommença à geindre. À s'emporter, accuser, menacer. Elle allait se tuer et il aurait deux morts sur la conscience, affirmait-elle. Regina continua ainsi des heures durant, apparemment au-delà du supportable – pour elle ou pour lui –, la violence de sa colère stupéfiant son mari. Puis elle finit par s'endormir, et pour quelque temps – heures bénies – le silence se fit.

Le lendemain matin, Thomas s'habilla – il devait s'y rendre en personne, impossible de faire ça par courrier, se disait-il. Son unique geste théâtral étant de prendre les lettres et de les mettre dans sa poche.

Ce fut le trajet le plus triste de sa vie. Quand le jeune homme arriva, Linda était installée à une table. Peut-être depuis des heures. Ne faisant qu'attendre. Que fumer. Une simple tasse de thé devant elle. Sa peau était marbrée, ses cheveux et son visage pas lavés. Émergeant probablement de quelques scènes d'horreur personnelles.

« Pourquoi ? » demanda le jeune homme dans le café quasiment vide.

Elle ne put répondre.

« Ça devait finir. Je n'avais pas le choix », poursuivit-il.

Nul besoin de préciser que Regina était enceinte, car l'information avait été révélée à Linda, loin des oreilles de Thomas, la veille au soir. Nul besoin pour Linda de dire qu'elle l'aimait, car cette information avait également été révélée à Regina la veille au soir. Loin des oreilles de Thomas. Même s'il avait entendu sa femme répéter ces mots d'une voix perçante suffisamment souvent tout en arpentant la pièce à vive allure.

« Toujours, je… », commença Thomas. Mais il ne put finir sa phrase.

Il y eut alors un grand coup de tonnerre – intervention d'un bouffon au cours d'une représentation royale (votre attention maintenant !) – et il se mit à pleuvoir, brusque pluie diluvienne qui, aussitôt, relâcha un millier

– non, une centaine de milliers – de nœuds de tension. L'eau était tiède, presque chaude, le parasol fermé ne les protégeait pas du tout. Linda pleurait sans honte. Thomas posa les lettres sur la table, les glissa sous sa main.

Il s'obligea à s'éloigner et se dit en marchant qu'il ne connaîtrait jamais rien de pire ; que rien ne le ferait jamais autant souffrir.

Troisième Partie

Dix-sept ans

12

Elle se tient debout à l'extrémité de la jetée dans le froid d'octobre. La lune est haute et si brillante que la jeune fille pourrait lire un livre. Derrière elle, les garçons se taisent, n'en croyant pas leur chance. L'un dit : « Ne fais pas ça », mais l'adolescente sait qu'il veut tout le contraire, que c'est plus fort que lui. L'eau s'agite dans un cône de lumière, et pendant un temps très court elle s'imagine nager vers l'horizon. Elle s'approche du bord et, l'instant d'après, plongeon parfait, se retrouve à la surface de l'eau.

L'océan se referme sur sa tête, l'eau pareille à la soie le long de son corps, une expression qu'elle emploiera plus tard en s'adressant au garçon qui lui avait dit : « Ne fais pas ça. » La mer est saumâtre dans ses sinus et dans ses yeux. Avant d'émerger, la jeune fille s'éloigne de la jetée et goûte à la pureté de l'eau, tout en sachant qu'au fond se trouvent peut-être de vieilles chaussures, des tessons de bouteille, des pneus usés et des lambeaux de sous-vêtements.

Bientôt il lui faudra remonter à la surface, et elle entendra, comme au loin, les clameurs et les cris admiratifs des garçons qui l'appelleront. Mais, pour l'instant, seuls existent la pureté et l'obscurité, combinaison parfaite.

On l'éloigne pendant des années. Le mot « traînée » lancé à travers une pièce, qui la frappe comme une pierre. Une tante, rentrée trop tôt, poussant un cri perçant devant l'adolescente et l'homme qui file comme un scarabée. La tante approche, ses bras battant l'air, elle n'est que fureur et vertu, hurle « putain » et encore « traînée », puis « ingrate » et enfin « salope ». Des mots qui retentissent comme les notes d'un carillon.

L'endroit dans lequel on l'envoie est magnifique et austère. Une maison surplombe l'océan. Le ressac est incessant, réconfortant, un chuchotement-grondement d'indifférence. Le bâtiment est caverneux, et rempli d'autres adolescentes qu'on a également traitées de « putains » et de « traînées ». Elles logent dans de petites chambres, fréquentent une école catholique pour filles située au coin de la rue, mais le centre de leur existence reste la blanchisserie. Au sous-sol se trouvent une centaine de cuves et de machines à laver, et dès que les pensionnaires ne sont pas occupées à autre chose – étudier, dormir, manger ou, en de rares occasions, regarder la télévision – elles font la lessive. Des filles, comme elle, au visage brûlant et aux mains rougies par l'eau de Javel, lavent le linge de gens riches ou tourmentés : draps pur fil et nappes oblongues ; chemises en oxford et robes avec ceinture ; grenouillères et couches sales. Au point que Linda est capable de deviner l'histoire de n'importe quelle famille quittant la blanchisserie. Des bleus de travail d'hommes et d'adolescents et des chemises en velours côtelé révèlent une maisonnée sans femme. Des draps souillés par une naissance parlent d'eux-mêmes. Des caleçons à l'entrejambe raidi évoquent de furtifs plaisirs, et des culottes tachées de sang ne leur en apprennent pas plus qu'elles ne savent déjà. Une famille qui, très brutalement, cesse de leur envoyer les grenouillères du bébé laisse à penser qu'une tragédie a eu lieu, qui requiert le silence.

Les mains des jeunes filles seront à jamais rouges, le mal étant trop profond pour être soulagé par des pommades. Elles demeureront crevassées des années durant, les religieuses le répètent en permanence aux pensionnaires, rappel de leur sort, comme si les choses avaient été planifiées. Des années durant, ces mains symboliseront la honte.

« Un temps à faire sécher le linge dehors. » Cette phrase est une sonnerie de clairon. Le linge humide, qui ne sèche jamais correctement au sous-sol, est suspendu à des cordes à l'aide de pinces en bois, il flotte dans le vent, et sent le soleil quand on le rapporte à l'intérieur dans des paniers d'osier.

De retour de ses cours, Linda tourne le coin de la rue et l'aperçoit : vaste étendue de formes blanches et colorées se balançant dans le vent. C'est à vous couper le souffle, le spectacle de tout ce linge, on dirait des champs de fleurs pimpantes, culture étrange et enchanteresse. Les draps souillés de sang sont propres, les douleurs de l'enfantement oubliées, les taches de tant de luxure effacées. Des chemises se remplissent d'air et remuent, Linda peut les croire habitées. Des bleus de travail écartent de robustes jambes, et des chemises de nuit se laissent porter par le vent avec ravissement. Des draps se gonflent, claquent, semblent animés d'une vie propre, défiant pareillement leurs propriétaires et les adolescentes.

L'établissement s'appelle Marie-Madeleine, comme tous ceux qui accueillent des jeunes filles insoumises, pour des péchés commis ou imaginés. La différence est apparemment infime : les parents les veulent là et paient. Une banque envoie l'argent de l'assurance qui n'a pas pu être employé ailleurs pour régler les frais de Linda Fallon.

De temps à autre, l'une des sœurs parle de l'institution comme d'une école pour jeunes femmes catholiques. Mais ça ne trompe jamais personne.

Une adolescente fugue parfois, qui sait où elle est partie ? D'autres accouchent, et on leur retire leur enfant. Il arrive – rarement – qu'une famille dont le linge a été régulièrement blanchi et livré par une certaine pensionnaire demande qu'elle vienne s'installer à demeure.

Rien de tel pour Linda.

En fait, elle ne désire nullement fuguer. N'y voit aucun intérêt. La jeune fille endure l'école, mais aime le spectacle du linge sur la corde. Elle a appris à compter sur le son blanc du ressac, sur la véranda de devant, et sur la gentille religieuse qui la traite en amie.

Au début lui parviennent des lettres de la tante. Brusques missives avec bulletin d'informations, simples mots faits de prudents faux-semblants, comme si jamais rien de sérieux ne s'était passé. Pourtant, un mois avant les dix-sept ans de Linda, un autre genre de lettre arrive à l'institution pour jeunes filles insoumises. Linda doit rentrer chez elle. Linda Fallon rentre chez elle. Elle proteste auprès des sœurs, leur explique qu'elle n'a pas de foyer, qu'elle y sera une étrangère, qu'il lui reste à peine un an avant de sortir diplômée de l'école catholique pour filles. Les religieuses se contentent de la regarder.

« Tu dois partir, déclarent-elles, en consultant leur comptabilité. L'argent est épuisé. »

Linda ne se rappelle que vaguement sa mère et ne conserve aucun véritable souvenir de son père. Sa mère, elle en est sûre, avait de longs cheveux châtains crantés. Quand elle riait, elle se mettait la main devant la bouche. Elle portait de fines robes en laine et des bijoux autour du cou, ou bien c'était une femme en manteau de fourrure serrant la main d'une petite fille lorsqu'elles marchaient dans la rue. Elle avait des escarpins marron d'une forme parfaite et de minuscules pieds.

Sur les photos, son père est grand, et malgré des dents de travers il ressemble, dans un genre anémique, à une star du cinéma. Disons Leslie Howard. Sur les photos, son père porte toujours un feutre mou et il sourit.

Dans les chambres de l'institution pour jeunes filles insoumises situées à l'étage, Linda pleure avec les autres pensionnaires. De façon hystérique, comme toute adolescente face au désastre. Elle promet d'écrire et sourit courageusement à travers ses larmes, comme le lui ont appris les rares films édifiants qu'on leur a permis de voir.

Arrivée chez elle, Linda découvre que le petit ami de la tante est parti avec une autre, laissant la tante et six enfants à elle issus d'un mariage raté, ainsi qu'une nièce en institution pour jeunes filles insoumises. Cette défection a obligé la famille à emménager dans des appartements de plus en plus petits, pour finir par s'immobiliser, tels des cubes tombés au bas d'un escalier. Si bien que le jour où Linda rentre au bercail, la tante et les cousins vivent en haut d'un immeuble à trois étages, dans un quartier extrêmement désagréable d'une cité ouvrière.

L'appartement dans lequel Linda emménage est un dédale de pièces minuscules sentant la lotion Johnson pour bébé et l'oignon. Elle partage une pièce avec deux de ses cousines, Patty et Erin, des filles qu'elle n'a pas vues depuis plus de trois ans et qui la reconnaissent à peine. Linda mettra les vêtements d'Eileen, décrète la tante ; il n'y a pas d'argent pour en acheter d'autres. Mais ces habits qui allaient autrefois à Eileen – désormais partie chercher fortune à New York – sont légèrement trop petits, Linda étant plus grande qu'elle. Ce sont des jupes aussi courtes que le permet l'école et des pulls serrés avec un col en V. Pendant des années, Linda a porté un uniforme ; aussi ces tenues lui paraissent-elles bizarres et étrangement excitantes, comme des déguisements. Elle peut, en théorie, devenir quelqu'un d'autre.

De faibles échos du mot « traînée » tintent encore

contre les murs. L'adolescente met des rouges à lèvres au ton lumineux que lui prête Patty et apprend à faire bouffer ses cheveux. Sa tante garde un air pincé devant sa jeunesse et sa prestance.

Les cousins s'irritent de sa présence ou font preuve de sollicitude, chacun à sa manière. Il est entendu qu'on a porté atteinte à la réputation de la jeune fille, mais ils ignorent, et ignoreront toujours, le crime particulier qui l'a contrainte à l'exil. C'est un secret entre la tante et Linda.

La tante a maintenant atteint l'âge inconcevable de cinquante ans. Elle a une peau parcheminée, des rides en éventail et des sourcils tachetés de gris. Sa bouche s'est crispée, lui plissant la lèvre supérieure. Pour faire plus jeune, elle s'est teint les cheveux en blond, avec comme résultat un curieux alliage d'or cuivré et de racines sombres et argentées. Pourtant, malgré la différence d'âge, il n'échappe pas à Linda que, sous certains éclairages, elle ressemble à sa tante. En fait, elle lui ressemble plus que certains de ses cousins – lien étroit qui ne rend personne heureux.

La tante va à la messe tous les jours. Dans l'antre, son missel est posé comme une bombe sur le bras du canapé – une bombe prête à exploser pour brutalement libérer la liturgie et de sinistres prédictions sur les conséquences du péché.

Linda commence sa terminale au lycée pendant la première semaine d'octobre. Elle a revêtu une jupe anthracite et un corsage blanc ayant appartenu à Eileen mais, complexée par ses mains, a refusé la proposition de Patty de lui faire les ongles.

L'établissement est situé à l'extrémité d'une longue péninsule. À première vue, on dirait une prison. Le bâtiment en brique, peu élevé, au toit plat, est entouré de chaînes pour éviter que les élèves ne s'approchent de l'eau. Il n'y a aucun arbre et un seul parking en asphalte. Le lycée évoque une tour gardée par des soldats.

Le lycée n'a rien à voir avec son environnement, comme s'il l'ignorait à dessein. En cette matinée d'octobre, la mer est éblouissante, et le ciel d'un bleu sans tache. Au loin, Linda aperçoit Boston. À l'image de la ville elle-même, l'école a quelque chose d'anormal : comme si une cité ouvrière avait été transplantée sur ce qui aurait pu représenter, si cela s'était passé autrement, le quartier le plus cher au sud de Boston.

À l'intérieur, le sel marin a opacifié les fenêtres, outre le grillage destiné à les protéger des mouettes, qui essaient régulièrement de briser les vitres pour entrer. Elles veulent manger le déjeuner des élèves. Ne jamais nourrir les mouettes : telle est l'une des premières règles de l'établissement.

Les cousins de Linda n'ont pas fait preuve de discrétion, et des rumeurs se sont répandues avant même l'arrivée de la jeune fille. Le censeur la considère avec circonspection, constate déjà des infractions : « Je ne veux plus voir cette jupe », déclare-t-il.

Remettre Linda à sa place. Juste au cas où elle se ferait des idées.

Linda parcourt des couloirs et se retrouve devant une porte orange avec une étroite fente vitrée. À travers cet espace, elle aperçoit un enseignant et un groupe d'élèves

– chemises sport colorées pour les garçons, cheveux permanentés pour les filles. Au moment où elle ouvre la porte, le professeur cesse de parler. Les visages forment une tache indistincte. S'ensuit un long silence, plus long que de raison – il semble s'étirer au-delà du supportable, bien qu'il n'ait pas pu s'écouler plus de dix ou douze secondes. L'enseignant, qui porte des lunettes à monture noire, lui demande son nom.

« Linda », est-elle contrainte de répondre alors qu'elle aurait souhaité s'appeler Gabrielle ou Jacqueline. Tout sauf Linda.

De la main, il lui fait signe de s'asseoir. Dans les chaussures à semelles compensées d'Eileen, elle s'avance vers un pupitre situé derrière un garçon.

« On fait Keats », lui précise-t-il tout bas.

Linda examine le profil de l'adolescent. Arrogant et aristocratique sont les qualificatifs qui lui viennent à l'esprit. Il a des cheveux bruns légèrement sales, longs dans la limite du tolérable, et un menton d'adulte quand il se tourne. Un furoncle sur le cou, qu'elle s'efforce d'oublier. Il doit être très grand, se dit la jeune fille, car même avachi sur son siège il la dépasse.

L'élève reste à moitié tourné vers elle, comme s'il voulait la faire entrer dans son monde, et de temps à autre, il lui donne à mi-voix certaines informations : « Keats est mort à l'âge de vingt-six ans » ; « Monsieur K. est un type sympa » ; « Tu dois choisir un poète pour ta dissert. »

Mais Linda connaît Keats et les poètes romantiques par cœur. Auprès des religieuses, l'adolescente a non seulement appris à utiliser une machine à laver, mais elle a également reçu une solide instruction.

Avant de s'extirper de sa place, le garçon se présente : il s'appelle Thomas. Il serre ses livres sous son bras, et une odeur de toasts chauds se dégage de son corps. Il a des yeux bleu marine et, comme la plupart des adolescents de son âge, un peu d'acné. Quand Linda sort de la classe, ses chaussures la serrent. Elle n'a pas mis de bas et elle est extrêmement consciente de la nudité de ses jambes.

Après les cours, l'adolescente prend le bus jusqu'à Allerton Hill et s'assied sur un rocher qui surplombe l'océan. Cette activité lui est familière et lui rappelle l'institution pour jeunes filles insoumises, dont elle se sent maintenant vaguement nostalgique. Linda ne choisit pas de s'installer près de telle ou telle maison mais plutôt entre deux, dans une espèce de no man's land. De là, elle peut voir également une grande partie de la ville : la colline elle-même, qui forme des cercles concentriques, chaque maison étant plus impressionnante que la suivante, bien que la plupart soient condamnées pour l'hiver et que les terrains aient l'air négligés ; le village, isolé du reste de la ville, un groupe d'habitations au charme vieillot et quelques repères historiques ; la plage, où des villas construites dans les années 30 et 40 sont parfois emportées jusqu'à la mer par un ouragan ; Bayside, un ensemble de bungalows et de villas soigneusement répartis dans des rues dont les noms sont des lettres allant de A à Y (qu'est-il arrivé au Z ?) ; le propre quartier de Linda avec ses maisons aux escaliers de secours délabrés abritant deux ou trois familles, d'où la vue est stupéfiante ; et sur Nantasket Beach, le parc d'attractions et sa galerie de jeux bruyante comme un bastringue, où les montagnes russes sont la principale attraction.

Arrivée chez elle, Linda pénètre dans l'antre pour parler vêtements avec sa tante. Mais sa tante n'est pas là. En revanche, Linda aperçoit le missel sur le bras du canapé et s'en saisit. C'est un petit livre relié cuir, doré sur tranche, avec, pour marquer les pages, des rubans jaune, noir, rouge et vert. Les mots MISSEL QUOTIDIEN DE SAINTE ANNE figurent sur la couverture et, dans le coin inférieur droit, un nom : Nora F. Sullivan. Le livre est un entrelacs d'avis de messe et de représentations hautes en couleur des Cinq Mystères joyeux, des Cinq Mystères douloureux et des Cinq Mystères glorieux. Alors que la jeune fille regarde ces médaillons illustrés, le nom de Thomas attire son attention. Elle examine l'image dans le cercle : c'est celle d'un Thomas manifestement pénitent, à l'air terriblement malade, sur la tête duquel on dépose une couronne d'épines. Sous l'image, on peut lire : *Une couronne d'épines : pour son courage moral.*

L'adolescente tourne rapidement les pages jusqu'à celle marquée par le ruban rouge, et lit la prière qui y est inscrite : « Ô Dieu, qui, par l'humilité de Votre Fils, avez relevé le monde abattu, accordez à Vos fidèles une allégresse constante, et faites jouir des joies éternelles ceux que Vous avez arrachés aux dangers d'une mort sans fin. Par le même N.-S., etc., amen. »

Avec un bruit sec qui résonne dans tout l'appartement, Linda ferme le missel pour ne laisser aucun de ces mots s'échapper.

La tante travaille au rayon des manteaux d'un grand magasin de Quincy. Les cousins se débrouillent plus ou moins tout seuls. Le dîner ne signifie pas grand-chose dans cette maison ; il n'y a donc pas de table de salle à manger, juste une table de cuisine recouverte d'une toile cirée. Chaque semaine, l'un des enfants est désigné pour préparer les repas, mais comme Jack et Tommy sont trop jeunes, et Michael le plus souvent trop occupé, cette tâche incombe presque toujours aux filles. D'un commun accord, chacun mange quand il a faim, devant la télévision.

Dans l'appartement, le bruit est incessant. Jack et Tommy sont perpétuellement dans les jambes des plus grands. Michael met sa radio très fort. Patty et Erin se battent comme des chiffonniers.

La chambre que Linda partage avec elles est tapissée de papier peint vert et équipée de lits jumeaux. Un matelas a été installé au milieu pour Linda. Le matin, il lui est quasiment impossible de border son lit, ce qu'elle sait parfaitement faire en temps normal (les religieuses insistaient sur ce point). Quand ses cousines se lèvent, il leur arrive de lui marcher dessus par inadvertance. Pour lire, la jeune fille doit s'adosser à la table de nuit.

Une particularité de la chambre qui plaît à Linda est la petite fenêtre située sous un pignon. Si elle s'assied sur le lit de Patty, elle peut apercevoir le port et, au-delà de la plage, la haute mer. Elle distingue aussi les montagnes russes.

C'est dans cette pièce que Linda lit Keats et Wordsworth, se perfectionne en algèbre, apprend par cœur des verbes français, dresse la liste des causes de la Grande Dépression et, en cachette, compulse l'annuaire du lycée d'Eileen dans lequel se trouve la photo d'un garçon qui était en première l'année précédente :

« Thomas Janes, Nantasket ; équipe de hockey ; équipe de tennis. »

Le samedi après-midi, Linda va se confesser à pied. Elle porte une jupe bleu marine et un pull rouge, un caban et une mantille sur la tête. Elle dit au prêtre qu'elle a eu des pensées impures. Et ne mentionne jamais le petit ami de la tante.

Ce soir-là, Linda annonce qu'elle se rend chez une nouvelle amie qu'elle s'est faite au lycée (un mensonge qu'elle devra confesser le samedi suivant). Il y a un peu d'agitation parmi les cousins, parce que aucune règle ne lui a été prescrite et qu'elle n'a pas, comme eux, de couvre-feu à respecter. Même si, de toute façon, personne ne le respecte jamais. L'adolescente quitte la maison dans la tenue qu'elle portait pour aller se confesser – jupe bleue, pull rouge et caban. Elle s'est enveloppé la tête d'un foulard en soie que Patty lui a prêté, car le vent marin est tel qu'il fait se déployer les drapeaux.

Linda passe devant des immeubles semblables au sien, avec des bardeaux d'amiante et des balcons à chaque étage sur lesquels sont remisés grils à charbon de bois et bicyclettes. Elle suit le boulevard et traverse Nantasket Avenue. La jeune fille garde les mains dans les poches et regrette qu'il ne fasse pas assez froid pour mettre des gants. Le soir, Patty lui met de l'Oil of Olay sur ses crevasses et ses gerçures.

Les lumières du parc d'attractions sont aveuglantes. En ce dernier week-end de la saison, des dizaines de milliers d'ampoules illuminent cet endroit situé en bordure de mer. Elles bougent sans cesse – sur les montagnes russes géantes, la grande roue, le manège de chevaux de bois, la chenille, le grand huit et les scooters géants. Mais, chose étonnante, l'entrée est laide : de simples chaînes et un panneau. Des drapeaux claquent au sommet d'immenses mâts, et son foulard lui fouette la nuque. Elle s'achète un billet et pénètre à l'intérieur du parc.

Elle sait que Michael l'y aurait emmenée si elle le lui avait demandé. De tous ses cousins et cousines, y compris Patty qui s'est toujours comportée en sœur, c'est lui qui a paru le plus marqué par le sort de la jeune fille et qui, par conséquent, cherche le plus à lui faire plaisir. Pour accueillir sa cousine, il lui a offert son poster de John Lennon, son coussin en jean et son vélo, un Schwinn bleu roi. Le matin, Michael lui demande toujours si quelqu'un passe la chercher en voiture pour aller à l'école. Peut-être est-il trop tôt pour le dire, mais Tommy et Erin n'ont pas l'air aussi généreux ; il se peut qu'ils aient hérité du tempérament de leur mère, ou qu'ils n'acceptent simplement pas cette autre bouche à nourrir.

Jack, le plus jeune, est sous le charme de sa nouvelle cousine. À ses yeux, quiconque dans cette famille de sept enfants se montre disposé à prêter attention à un petit de quatre ans est d'essence divine.

Linda monte sur les rapides, s'essaie aux anneaux et au jeu de massacre, et s'achète une friandise à un stand de confiseries. Quand elle l'a terminée, elle se dirige directement vers les montagnes russes et fait la queue avec un petit nombre de personnes qui ont relevé leur col. C'est la première fois qu'elle monte là-dessus, mais elle se dit qu'en toute logique elle devrait en réchapper.

La sensation de terreur sur la pente raide est infiniment excitante. L'adolescente sait quand la descente vertigineuse se rapproche, mais on ne peut rien y faire.

Elle y retourne à sept reprises, dépensant l'argent économisé dans l'institution pour jeunes filles insoumises (trente-cinq cents l'heure de repassage ; vingt-cinq l'heure de livraison). Le tour ne dure qu'une minute, mais Linda pense que cette attraction lui a sans doute offert les sept meilleures minutes de sa vie.

Pendant qu'elle est sur la grande roue, d'où elle aperçoit Boston, le vent déporte les cabines, et les gens crient. En fait, les gens hurlent dans tout le parc. Ce qui, finalement, est le but recherché, se dit Linda.

D'un côté du parc, une jetée faite de planches épaisses s'avance dans la mer, éclairée par un seul réverbère. La barbe à papa et le chocolat chaud que la jeune fille a consommés coup sur coup lui donnent légèrement la nausée, sans parler de la friandise et du tour de grand huit : l'air frais de la jetée l'attire. Elle parcourt les planches humides, écoute les cris et les hurlements maintenant étouffés par le son blanc du léger ressac. Une fois arrivée à l'extrémité de la jetée, Linda remarque les adolescents en pulls et parkas, qui sont en train de fumer. Ils tiennent leur cigarette vers le bas, au niveau de la cuisse, entre le pouce et l'index et, tel James Dean, en tirent de longues bouffées. Quand ils veulent appuyer leurs propos, ils se frappent l'épaule avec le plat de la main, et un gloussement aigu s'élève parfois comme une mince vrille de fumée. La jeune fille s'est trop approchée d'eux pour prétendre à l'anonymat et se trouve désormais dans une situation délicate : soit elle continue d'avancer, soit elle fait demi-tour et se retire, ce à quoi elle n'est pas disposée, ne souhaitant pas leur faire croire qu'elle les craint et n'aimant pas cette image d'un chien battant en retraite, la queue entre les jambes.

Linda se dirige vers l'extrémité nord de la jetée et baisse les yeux. C'est la marée haute, le niveau de l'eau clapotant contre les pieux est élevé. Les adolescents l'ont remarquée et se sont calmés, bien qu'ils persistent à se donner de grands coups sur l'épaule. La jeune fille regarde l'un d'eux jeter sa cigarette dans les embruns et s'enfoncer les mains dans les poches. Sa façon de se tenir est facilement reconnaissable. Elle décide de rester une bonne minute là où elle est, puis, après avoir tenu bon, de s'éloigner sans se presser, exactement comme elle l'aurait fait s'ils n'avaient pas été là.

Mais le garçon qui a les mains dans les poches se détache du groupe et se dirige vers elle.

« Bonsoir.

— Salut.

— Tu es Linda.

— Oui. »

Thomas hoche la tête, comme s'il lui fallait considérer ce fait important. Leur public se tient derrière lui.

« Tu es montée sur des manèges ?

— Oui.

— Les montagnes russes ?

— Oui.

— Combien de fois ?

— Sept.

— Pas possible ! » Le jeune homme a l'air vraiment surpris. Linda imagine un sourcil froncé, bien qu'ils se tiennent côte à côte et qu'elle ne puisse distinguer son visage.

« Tu veux une cigarette ?

— Volontiers. »

Pour l'allumer, l'adolescent doit se pencher et se protéger du vent. Il l'ôte de sa bouche, la tend à Linda. Elle en tire une longue bouffée et réprime une envie de tousser. Dans l'institution pour jeunes filles insoumises, elle fumait souvent. Le vent qui souffle en provenance de l'océan éloigne presque instantanément la fumée. C'était l'unique péché que les pensionnaires pouvaient commettre.

« Tu as déjà choisi un poète ? demande Thomas.

— Wordsworth.

— Tu l'aimes bien ?

— Certains trucs.

— Tu as aimé "Le Prélude" ?

— J'aime bien "Tintern Abbey". »

L'adolescent renifle. Son nez coule dans le froid. Sous son parka bleu marine, il porte un pull ras du cou foncé. À la lumière du réverbère, le pull a l'air noir mais pourrait très bien être vert. Un petit morceau de col blanc apparaît.

« T'as choisi qui ? demande la jeune fille.

— Keats. »

Elle hoche la tête, tire une autre bouffée.

« Le parc va fermer dans une demi-heure. Tu veux refaire un tour de montagnes russes ? »

Linda ne sait pas trop s'il s'agit d'une invitation ou d'un rappel.

« Non, ça va.

— Tu veux faire leur connaissance ? » interroge Thomas en désignant les autres d'un geste.

Elle l'ignore. Ou plutôt, elle a l'impression de ne pas en avoir envie. Et hausse les épaules.

Mais, désireux de la rencontrer, les adolescents s'approchent lentement, poussés par la curiosité.

« De toute façon, ce sont des crétins », déclare

Thomas tout en manifestant, de mauvaise grâce, une certaine affection.

Une voix forte ponctue l'air. « C'est comme ça, plus chaude que l'air, décrète l'un d'eux.

— Arrête tes conneries.

— Non, sérieusement, l'eau est meilleure en octobre qu'en août.

— Et tu sors ça d'où ?

— Il te suffit d'y aller.

— Vas-y toi-même, espèce d'idiot. »

Les adolescents se mettent à pousser celui qui a affirmé que l'eau était meilleure. Mais lui, petit et nerveux, sautille, se faufile, se montre plus habile, si bien qu'il se retrouve au milieu de la jetée quand les autres sont toujours au bord.

« Tu disais quoi, espèce d'enfoiré, tu veux prendre la température de l'eau maintenant ? » Les garçons rient. « Je te parie vingt-cinq dollars que tu n'entreras pas dedans. »

Thomas se tourne vers Linda et grogne, comme pour lui dire : Tu vois, ce sont vraiment des crétins.

La jeune fille fixe ses pieds puis la promenade en planches. Des amoureux marchent bras dessus bras dessous, et certains descendent vers la plage. Des cabans se transformeront en couverture. Dans le vent, la lumière, au bout d'un fil électrique, se balance furieusement, faisant vaciller les ombres.

« Il a raison », dit doucement Linda à Thomas.

Il la regarde, l'air perplexe.

« L'eau est meilleure en octobre. Un soir comme celui-ci, c'est comme si on prenait un bain. »

Pendant son séjour dans l'institution pour jeunes filles insoumises, Linda sortait discrètement de sa chambre quand les religieuses dormaient et allait se promener sur les rochers. Il y en avait un d'où on pouvait plonger sans danger. L'adolescente ôtait son peignoir et son pyjama et plongeait dans les vagues déferlantes. Elle aimait être nue, le sentiment d'être débarrassée des bonnes sœurs.

À côté d'eux, la discussion se poursuit. Celui qui est sûr que l'eau est bonne, Eddie Garrity, s'allonge sur le ventre, remonte ses manches et tend le bras pour la toucher. Il n'y parvient pas. Ce serait bien sûr trop compliqué de quitter la jetée, de retirer chaussettes et chaussures, et de tester la température de l'eau sur la plage, comme le ferait toute personne sensée.

« Hé, Eddie, je t'aide si tu veux prendre la température de l'eau », lance Donny T., un autre adolescent, en riant convulsivement. Ce qui signifie : Je t'aide et je te laisse tomber dedans.

« Va te faire foutre ! s'exclame Eddie en se relevant tant bien que mal.

— Je t'ai dit vingt-cinq dollars », insiste Donny T.

Linda écoute la discussion. Elle s'éloigne de Thomas et marche jusqu'à l'extrémité de la jetée. Le dos tourné aux garçons, elle enlève caban, foulard, pull, jupe, chaussures, chaussettes. Et, en combinaison, plonge dans l'eau.

Quand Linda remonte à la surface pour respirer, elle aperçoit Thomas à genoux sur la jetée. Il tient un caban dans les mains. Derrière lui, au milieu de la petite bande d'adolescents, Eddie a les bras croisés autour de la poitrine. La fille est entrée dans l'eau à sa place.

Elle remonte par à-coups sur les planches, pivote rapidement et s'assied en tournant le dos à Thomas. Le froid l'oblige à rentrer la tête dans les épaules. Le garçon l'enveloppe dans le caban de laine.

« Donny, passe-moi ta chemise », exige-t-il.

Aucun son de protestation chez Donny T. Moins d'une minute plus tard, Linda sent une chemise en coton lui effleurer l'épaule.

La jeune fille l'utilise pour se sécher la figure et les cheveux. Elle enfile son pull et sa jupe du mieux qu'elle peut, le dos tourné aux garçons. Et quand elle met ses chaussures, elle pose une main sur l'épaule de Thomas pour garder l'équilibre. Il lui présente son caban ouvert et elle y glisse les bras. Les adolescents observent un silence absolu.

« L'eau est meilleure que l'air », leur annonce Thomas au moment où Linda et lui quittent la jetée.

Ils doivent marcher vite, car elle frissonne.

« J'ai une voiture. Je vais te raccompagner.

— Non. J'habite juste de l'autre côté. »

Elle s'imagine, et n'aime pas ça, laissant une tache mouillée sur le siège. Et, plus important encore, elle ne veut pas que ses cousins lui posent de questions.

Thomas l'accompagne à pied, ils traversent Nantasket Avenue, remontent Park Avenue. Le pull lui gratte les bras, de l'eau goutte de sa combinaison sur ses mollets et descend dans ses chaussettes.

« Pourquoi as-tu fait ça ? » demande le jeune homme.

Elle ne maîtrise pas le claquement de ses dents. Thomas passe un bras autour de ses épaules et la tient fermement pour arrêter le tremblement. À les voir, on pourrait penser que la fille est malade, qu'elle a peut-être trop bu, et que le garçon la raccompagne chez elle.

Pourquoi a-t-elle fait ça ? Question pertinente. Pour l'effet théâtral ? Pour prouver quelque chose ? Surmonter la banalité de son prénom ? Se purifier ?

« Je l'ignore », répond sincèrement Linda.

Elle a les cheveux plaqués sur la tête, toute l'excitation autour des montagnes russes est oubliée. Elle n'a jamais été aussi moche, de l'eau de mer coule de son nez.

Ses cheveux représentent, et ont toujours représenté, son unique fierté. En temps normal, ils sont épais et longs, leur couleur proche du ton chaud du pin. Dans l'institution pour jeunes filles insoumises, elle les laissait parfois pousser jusqu'à la taille, même si les religieuses exigeaient systématiquement qu'elle les natte.

« Eh bien, c'était super », affirme Thomas en lui frottant les bras pour faire circuler le sang. Puis il rit et secoue la tête. « Mon Dieu, ils vont en parler pendant des semaines. »

Linda quitte Thomas au bas de sa rue.

« Maintenant, ça va bien, déclare-t-elle en abandonnant son bras.

— Je peux t'appeler demain ? »

La jeune fille réfléchit un moment. Personne ne lui a encore téléphoné à l'appartement.

« Il vaudrait mieux que je te retrouve quelque part.

— Ici ? À midi ?

— Je vais essayer. »

Linda remonte la rue en courant malgré des membres raides et tremblants ; elle a conscience d'être disgracieuse. En tournant au coin, la jeune fille ne peut s'empêcher de jeter un coup d'œil en arrière. Thomas est resté à l'endroit où elle l'a laissé. Il lève une main et lui fait signe.

Quand elle entre dans l'appartement, sa tante est dans le couloir. Ses cheveux sont roulés en boucles, maintenus par des pinces, et enserrés dans une résille : petits rouleaux dorés sur des tiges argentées derrière un grillage. Normalement, ils sont crêpés, laissant parfois entrevoir le crâne. Sa tante a une très nette implantation en V sur le front qu'elle s'efforce de dissimuler sous une frange.

La tante porte un peignoir de bain de crépon rose et un pyjama de flanelle décoré de théières. Les pantoufles, jadis roses, sont devenus beiges à force d'usure. Elle a des sourcils broussailleux mais des traces de rouge à lèvres bordeaux sur la bouche, comme si sa fierté était ambivalente.

Les deux femmes se tiennent de chaque côté d'une faille, chacune voulant quelque chose de l'autre.

« Tu sors d'où ? demande la tante.

— Je suis tombée dans l'eau », répond Linda en passant à côté d'elle.

Le lendemain, Thomas passe chercher Linda dans une Buick Skylark décapotable blanche à habillage intérieur en cuir de la couleur du rouge à lèvres de sa tante. Linda porte une salopette au mépris du dimanche, bien qu'elle soit consciencieusement allée à la messe avec ses cousins. Thomas a la même veste que la veille au soir, mais un beau pantalon, du genre de ce que mettrait un garçon pour aller à l'école.

« Je n'ai pas pris de foulard, constate la jeune fille. Je ne savais pas que ce serait une décapotable.

— Tu veux retourner en prendre un chez toi ?

— Non. »

Ils demeurent assis un moment dans la voiture avant que Thomas mette le moteur en marche. On dirait que chacun veut dire quelque chose à l'autre, mais pendant un certain temps ils se taisent.

« On t'a engueulée ? finit par demander l'adolescent.

— On m'a regardée de travers, répond Linda, et il sourit.

— Tu veux faire un tour ?

— Où ?

— N'importe où. Juste faire un tour.

— D'accord. »

Dans le véhicule, un espace infini les sépare. Linda examine le tableau de bord chromé, les boutons indiquant Phares, Essuie-glace, Allume-cigare, Accessoire. Qu'est-ce que peut bien être l'Accessoire ? se demande-t-elle. Thomas allume la radio d'où jaillit une musique un peu trop bruyante. Ça ne leur convient pas du tout, comme si Ricky Nelson s'était égaré au milieu d'un orchestre de chambre. Thomas éteint aussitôt.

« Parfois, quand je conduis, je n'allume pas la radio. J'ai besoin de temps pour réfléchir, explique-t-il.

— Moi aussi. Je veux dire, j'ai besoin de temps pour réfléchir. »

La jeune fille a les mains dans les poches de son caban. Si elle n'avait pas de manteau, elle se serait assise dessus.

Elle aime le toit découvert de la décapotable, bien que ses cheveux lui fouettent les yeux et qu'elle sache qu'ils seront emmêlés et filandreux quand Thomas arrêtera le véhicule. À l'époque où le copain de la tante habitait là et qu'ils avaient effectivement une voiture, tous les enfants étaient régulièrement entassés sur la banquette arrière conçue pour trois personnes. Les jours de pluie, les fenêtres étaient bien fermées, et sa tante fumait. Rien que d'y penser, Linda a mal à la tête.

Pendant que Thomas conduit, Linda remarque que la couleur de l'eau et du ciel s'est intensifiée depuis la veille ; le soleil se reflète péniblement dans la mer. Fabuleux bijou au million de diamants.

Avec diplomatie, l'adolescent s'éloigne du quartier où vit Linda. Avec diplomatie, il ne lui montre pas sa propre maison sur Allerton Hill.

« Tu es partie ? s'enquiert-il alors qu'ils tournent sur Samoset Avenue.

— Oui.

— Tu as eu un bébé ? »

L'audace du jeune homme la stupéfie mais néanmoins la réjouit. Elle aurait peut-être passé l'année entière sans qu'on lui pose une question directe, appris à supporter regards sarcastiques et réflexions désobligeantes.

« Non.

— Je m'en fiche. » Thomas se reprend. « Disons que je ne m'en fiche pas parce qu'il s'agit de toi, mais je ne t'en aurais pas moins aimée. La réputation, je m'en moque.

— Pourquoi tu m'aimes bien ?

— J'ai aimé la façon dont tu es entrée dans la classe. Ce premier jour. Tu cherchais à faire relax, mais je voyais bien que tu ne l'étais pas. Que tu étais peut-être quelqu'un dont les autres pouvaient profiter. » Il réfléchit un instant. « Maintenant, je n'en suis plus si sûr.

— Qu'est-ce qui t'a fait changer d'avis ?

— Toi. Hier soir. Quand tu as sauté dans l'eau.

— Plongé.

— Plongé dans l'eau. Tu as fait ça pour toi, non ? »

Linda se tait. Malgré cet espace infini entre eux, elle sent l'odeur du garçon – cette odeur de toasts chauds et d'autre chose. D'une chemise envoyée au blanchissage, bien sûr.

« Je suis une femme déchue, déclare la jeune fille en ne plaisantant qu'à moitié.

— Marie-Madeleine. » Thomas est tourné vers elle et tient le volant d'une seule main.

« C'était le nom de l'institution.

— C'est vrai.

— Elles s'appellent toujours Marie-Madeleine.

— Tu es catholique ?

— Oui. Pas toi ?

— Non.

— Comment se fait-il que tu connaisses Marie-Madeleine ?

— Tout le monde connaît Marie-Madeleine.

— Ah bon ? Je croyais que c'était une conception très catholique.

— Tu vas régulièrement à l'église ?

— C'est une question indiscrète.

— Je suis désolé.

— Oui, régulièrement.

— Et tu te confesses ?

— Oui.

— Tu confesses quoi ? »

Ces questions troublent la jeune fille. Personne ne l'a jamais sondée comme ça. Pas même les bonnes sœurs. Leurs questions étaient prévisibles, machinales. Un catéchisme.

« Je demande juste ce qu'une fille comme toi peut

bien avoir à confesser, ajoute Thomas en s'excusant quelque peu.

— Oh, il y a toujours des trucs. Des pensées impures, surtout.

— Impures, c'est-à-dire ?

— Impures. »

Thomas l'emmène dans un petit restaurant construit sur la plage et la conduit à un box situé près de l'entrée, aux sièges aussi rouges que ceux qu'ils viennent de quitter. Linda est gênée par ses cheveux et tente de les peigner avec les doigts en s'aidant du pare-soleil. Pendant ce temps-là, l'adolescent regarde ailleurs. Ses cheveux sont nuls, elle renonce.

« La prochaine fois, je prendrai un foulard, promet Thomas. Et je le laisserai dans la boîte à gants. »

La jeune fille est transportée de joie à l'idée que son ami dise qu'il y aura une prochaine fois.

Linda aurait pu ne rien avoir avalé pendant des années. Elle mange son hamburger-frites, le cheeseburger de Thomas, boit les deux milk-shakes, et assiste au premier repas – des dizaines suivront – auquel Thomas ne touchera guère.

« Tu n'as pas faim ?

— Pas vraiment. Mais toi, vas-y. »

Ce qu'elle fait, reconnaissante. On dirait qu'il n'y a jamais assez à manger chez elle.

« Je connais Michael. On joue ensemble au hockey. »

Équipe de hockey.

« Vous avez déjà commencé ?

— Pas encore. Bientôt. Je le vois régulièrement.

— Tu as des cousins ? demande Linda avec désinvolture.

— À peine. Juste deux.

— Tu es épiscopalien, je parie.

— Absolument pas. Pourquoi tu ne vis pas avec tes parents ? Il leur est arrivé quelque chose ?

— Ma mère est morte, répond Linda en essuyant le ketchup avec son petit pain. Dans un accident de car. Après ça, mon père s'est tout simplement volatilisé.

— Le cœur brisé ?

— Pas vraiment.

— Je suis désolé.

— C'était il y a longtemps. »

Thomas lui demande si elle veut manger autre chose.

« Non. Je suis rassasiée. Tu habites où ?

— Allerton Hill.

— C'est ce que je me disais. »

Il détourne les yeux.

« On est passés devant ta maison ?

— Oui.

— Pourquoi tu ne me l'as pas montrée ?

— Je ne sais pas. »

Plus tard, il annonce : « Je veux devenir écrivain. »

C'est la première fois – il y en aura une centaine d'autres – que quelqu'un dit à Linda Fallon qu'il ou elle veut devenir écrivain. Et comme c'est la première fois, elle le croit.

« Auteur dramatique, je pense. Tu as lu O'Neill ?»

De fait, elle a lu Eugene O'Neill. Un jésuite de l'école catholique pour filles avait fait lire à sa classe *Long voyage vers la nuit*, sa thèse étant que certaines

adolescentes pourraient y reconnaître leur famille.
« Bien sûr, répond Linda.

— Reniement et irresponsabilité. »

Elle acquiesce.

« Le brouillard. Le brouillard qui oblitère.

— Efface le passé.

— C'est ça, approuve Thomas, excité maintenant. Exactement ça. »

Dans le box, il est assis de côté, une longue jambe allongée devant lui.

« Tu as déjà écrit ta dissert ?

— Mon Dieu, non.

— Je pourrai te lire du Keats tout à l'heure ?

— Du Keats ? »

De temps à autre, des jeunes qui connaissent Thomas s'approchent, donnent un coup de pied au garçon ou tambourinent sur la table en Formica. Jamais aucun mot n'est échangé, mais ils examinent Linda. Médiocre pantomime.

Dans un box situé de l'autre côté de la salle, elle reconnaît Donny T., rencontré la veille au soir. Qui boit un Coca à petites gorgées et l'observe avec attention. Va-t-il la haïr de lui avoir donné tort ? Oui, elle le croit.

Des filles attablées au centre de la salle la regardent aussi. Avant de se tourner vers leurs compagnons et de faire des commentaires, sur Linda sans aucun doute. L'adolescente remarque les boucles parfaites, les jupes, les bas nylon rentrés dans les mocassins.

Quand ils quittent le petit restaurant, Donny T. est en train de compter de l'argent, assis à l'arrière d'une Bonneville bleu pastel.

« C'est ton ami ? demande Linda.

— Faut croire que oui.
— Pourquoi compte-t-il de l'argent ?
— Je ne veux pas le savoir. »

Thomas conduit la voiture jusqu'à la plage et se gare derrière une villa désertée. Il attrape un livre sur le siège arrière, dont le titre est *Keats*, tout simplement. Linda décide de ne pas feindre d'aimer les poèmes si ce n'est pas le cas. L'adolescent lit d'une voix étrangement chaude et râpeuse.

Quand je crains de cesser d'être
Avant que ma plume ait glané mon fertile cerveau...

Pendant ce temps-là, Linda fixe le chemin de terre qui, à travers la végétation, mène à l'arrière d'un bungalow gris-bleu au toit de bardeaux. L'habitation, petite, haute de un étage, est entourée d'une véranda aux moulures blanches. Il y a un hamac et une porte grillagée, et tous les stores sont baissés. L'air misérable de ce bungalow lui confère un certain charme et rappelle à la jeune fille la Grande Dépression, qu'ils étudient en histoire. Des pots en terre plantés de géraniums fanés sont posés près de la porte de derrière, et sous une fenêtre des roses se sont flétries.

En faisant un effort, Linda peut apercevoir une femme brune en robe et tablier. Une fillette blonde jouant sur la véranda. Un homme qui porte une chemise blanche et des bretelles. Un canotier sur la tête. Confond-elle son père avec Eugene O'Neill ?

Ô toi ! épouse encore inviolée de la quiétude,
Ô toi ! nourrisson du silence et des lentes heures...

D'un côté de la maison, deux poteaux ont été enfoncés dans le sol. Ils sont reliés entre eux par une corde à linge où pendent des pinces en bois que quelqu'un a oublié de retirer.

Maintenant plus que jamais
il semble délicieux de mourir,
De finir à minuit sans souffrance…

13

« C'était une pute, une prostituée, fait remarquer Linda.

— Elle s'est repentie de son passé, argumente Thomas. Et symbolise, aux yeux du Christ, la pénitence.

— Comment sais-tu tout ça ?

— J'ai lu des trucs.

— Je ne sais pratiquement rien sur elle, constate la jeune fille, ce qui n'est pas la stricte vérité.

— Elle a assisté à la crucifixion. Et a été la première à annoncer la résurrection aux disciples. »

Linda hausse les épaules. « Si tu le dis. »

Les dissertations sur Keats et Wordsworth sont écrites. Le parc d'attractions est fermé. Un ouragan a soufflé par intermittence, emportant vers la mer des villas construites sur la plage. Dans la Skylark, Thomas a lu *Prufrock* à Linda, ainsi que des passages de *Mort d'un commis voyageur*. La tante est revenue sur sa décision et a acheté à l'adolescente un ensemble au rabais dans le magasin où elle travaille. En réaction à une vague allusion de Thomas aux cheveux de quelqu'un d'autre, Linda a cessé de faire bouffer les siens. Les deux jeunes gens sont assis sur une colline qui surplombe l'Atlantique.

« Ça fait exactement un mois qu'on se connaît, constate-t-il.

— Ah bon ? s'étonne Linda qui s'était pourtant fait la même réflexion plus tôt dans la journée.

— J'ai l'impression de te connaître depuis toujours. »

La jeune fille se tait. La lumière sur l'eau est extraordinaire – aussi exquise que tous ces poèmes que Thomas lui lit souvent : ceux de Robert Lowell, Theodore Roethke, John Berryman ou Randall Jarrell.

« Ça t'arrive de penser la même chose ? » lui demande-t-il.

Cette attraction exercée par la lumière sur l'eau semble instinctive. Elle englobe le mouvement particulier des vagues, le garçon à ses côtés en parka et mocassins, la pelouse tondue qui descend en pente raide jusqu'aux rochers, et l'étendue, le panorama illimité, Boston exactement au nord, un pêcheur solitaire, qui s'attarde près de ses casiers à homards, à l'est.

« Oui. »

Elle voudrait pouvoir peindre la lumière sur l'eau, ou au moins trouver les mots pour la décrire. La saisir, la tenir dans ses mains. La mettre en bouteille.

« Tu pleures », constate Thomas.

Linda aimerait le nier, mais c'est impossible. Elle sanglote une fois, rapidement, comme une enfant. Ce serait délicieux de se laisser aller, songe-t-elle, mais désastreux : elle risquerait de ne plus pouvoir s'arrêter.

« Qu'est-ce qui ne va pas ? »

L'adolescente est incapable de répondre. Comment

expliquer ? Personne ne pleure à cause de la lumière. C'est absurde.

Elle renifle, s'efforce de retenir la morve qui veut couler. Elle n'a ni mouchoir en tissu ni Kleenex. Thomas fouille ses poches, en sort une tablette de chewing-gum, un paquet de cigarettes et un texte ronéotypé par un professeur. Rien ne fera l'affaire. « Sers-toi de ta manche », lui conseille-t-il.

Ce qu'elle fait, docilement. Avant de respirer longuement.

« Tu es… », commence-t-il.

Mais elle secoue la tête d'avant en arrière, comme pour l'inciter à ne pas dire un mot de plus. À regret, elle doit abandonner l'eau. Et penser à ce qui est peut-être inscrit sur cette feuille de papier, au fait qu'elle va bientôt devoir s'installer sur le matelas pour faire ses devoirs, à sa tante – des pensées qui, assurément, sécheront ses larmes.

« Linda », dit Thomas en lui prenant la main.

La jeune fille serre la sienne, y enfonce les ongles comme si elle était sur le point de tomber. Il fait un mouvement pour l'embrasser mais elle détourne la tête. Les lèvres du garçon effleurent le coin de sa bouche.

« Je ne peux pas », déclare-t-elle.

Il lui lâche la main. S'écarte de quelques centimètres. Secoue le paquet de cigarettes pour en faire tomber une, qu'il allume.

« Je t'aime bien, Thomas », ajoute Linda, désolée de lui avoir fait mal.

Il a un rictus et hoche la tête, comme pour dire qu'il n'en croit pas un mot. « Tu n'as pas l'air de vouloir quoi que ce soit de moi.

— C'est juste…

— C'est juste quoi ? demande-t-il d'une voix blanche.

— Il y a certaines choses que tu ignores me concernant.

— Alors, dis-les-moi.

— Je ne peux pas.

— Pourquoi ?

— Je ne peux pas.

— Il n'y a rien que je refuserais de te dire, affirme Thomas, et Linda perçoit dans sa voix qu'il est profondément peiné.

— Je sais », répond-elle, en se demandant si c'est entièrement vrai. On a tous des choses, des choses personnelles, des choses gênantes, qu'on souhaite garder pour soi.

Elle respire, frissonne. « Arrêtons ça, d'accord ? »

C'est à peu près la même chose, plus tard dans la semaine, dans l'obscurité d'une voiture garée sur la plage. Ils entendent le ressac, mais ne le voient pas. Leur bavardage embue les vitres. En plus de la buée, remarque Linda, le pare-brise est recouvert d'une pellicule de givre sur laquelle elle pourrait écrire son nom. La jeune fille fixe le trait de rouille à l'endroit où la capote rencontre la carrosserie.

« Tu vas te présenter où ?

— Me présenter ?

— L'université. Tu es brillante. Tu sais certainement que tu pourrais être prise partout. »

Thomas a un foulard écossais noué autour du cou. Il n'est pas très tard, seulement sept heures. Linda est censée être à la bibliothèque. Lui à un entraînement de hockey sur glace.

« Je ne sais pas. Je pensais à une école de secrétariat.

— Mon Dieu, Linda !

— Il faut que je trouve du boulot.

— Alors va à la fac et trouve-toi un boulot intéressant.

— L'argent risque d'être un problème.

— Les bourses, ça existe. »

L'adolescente ne veut pas en parler. Elle porte un gilet rose bruyère et une jupe en laine assortie. Ainsi que l'un des corsages blancs d'Eileen. Elle se fait désormais la raie au milieu et laisse ses cheveux retomber en boucles de chaque côté. Elle aime la façon dont ils lui cachent le visage quand elle se penche en avant.

En colère contre elle, Thomas regarde par la fenêtre côté conducteur. « Il faut que tu surmontes… ce truc d'infériorité », lui dit-il.

Linda retire de sa jupe une petite croûte au niveau du genou. Elle porte des bas nylon mais ses pieds sont gelés. La Skylark a une quantité de trous par lesquels s'infiltre le froid.

« Thomas, si je te racontais, tu ne serais plus jamais capable de penser à moi comme avant.

— Arrête tes conneries. »

Elle ne l'a jamais entendu employer ce mot.

Le silence de Linda est interminable, la respiration de Thomas superficielle, au point que la buée sur le pare-brise commence à se dissiper. Devant eux, à un mètre cinquante, la jeune fille reconnaît le bungalow. Il a l'air perdu et froid, se dit-elle. Linda aimerait pouvoir ouvrir la porte, allumer les lumières, faire un feu, bien secouer les draps et les couvertures. Faire une marmite de soupe. Avoir un endroit à elle.

Si seulement elle pouvait avoir un endroit à elle, songe-t-elle.

L'adolescente transpire sous son gilet.

« Ma tante avait un copain », lâche-t-elle, et à ce moment précis, Thomas se penche pour l'embrasser. Elle enfonce les poings dans les sièges de cuir rouge.

La bouche du garçon est hésitante contre la sienne. Linda sent sa lèvre supérieure, tendue, sa lèvre inférieure, charnue. Il pose la main sur sa joue.

Gênée, Linda baisse les yeux. Thomas suit son regard et remarque ses poings serrés. « N'aie pas peur de moi. »

Lentement, l'adolescente ouvre les mains. Elle sent l'haleine de Thomas, l'odeur de la sueur sur sa peau, aussi unique et identifiable qu'une empreinte digitale.

Le jeune homme est tordu sur son siège, le parka écrasé contre le volant. Il presse sa bouche contre celle de Linda, elle sent ses doigts sur son épaule. Et se dérobe, malgré elle.

Thomas retire sa main.

« Je suis désolée », dit-elle.

Il approche sa tête de son épaule. « Et alors, le copain de ta tante ?

— Il s'est barré. »

Les choses évoluent progressivement, à la manière dont un nageur timoré entrerait dans un océan glacial, petit à petit, en s'habituant au froid brutal. Linda ne pouvait pas savoir à quel point ce serait difficile ; elle n'a pas eu besoin d'imaginer l'amour physique avec un garçon. Son esprit ne se dérobe pas, mais ce n'est pas le cas de son corps, comme s'il avait d'autres souvenirs, des souvenirs propres. Un autre aurait pu se moquer d'elle, ou renoncer à cette fille qui ne méritait pas qu'on se donne du mal. Ou encore insister, si bien qu'elle aurait dû serrer les dents et penser à autre chose, gâtant à jamais son plaisir. Mais Thomas ne l'oblige à rien.

Un matin de novembre, la tante annonce à Linda : « Il faut que tu te trouves un boulot. Eileen travaille. Tommy et Michael travaillent. Patty travaille. Tu veux des vêtements, eh bien, trouve-toi un boulot. »

Lors de ses allées et venues à travers la ville, Linda a repéré diverses offres d'emploi : dans une boutique de bijoux bon marché, une laverie automatique, un bowling et un studio de photographe. Finalement, elle choisit de travailler dans le petit restaurant, comme serveuse. Elle porte un uniforme gris en fibres synthétiques, qui craque quand elle s'assied. La robe a des mancherons, un col blanc et des poches profondes pour les pourboires.

Quand ça marche bien, Linda peut rentrer le soir chez elle avec quinze dollars en pièces de monnaie. Une fortune, à ses yeux. Elle aime quitter l'établissement les mains dans les poches et sentir l'argent sous ses doigts.

L'adolescente travaille bien, elle est efficace et rapide comme l'éclair. Le propriétaire, un type qui boit de l'alcool dans un verre à jus de fruits quand il croit que personne ne le regarde, et qui a tenté une fois de la coincer contre le réfrigérateur pour l'embrasser, lui déclare, lors d'un rare moment de sobriété, qu'elle est la meilleure serveuse qu'il ait jamais eue.

Le petit restaurant jouit d'une certaine popularité. Plusieurs élèves y sont des habitués. Donny T. s'installe chaque jour dans le même box, entouré d'une espèce de cour. Manifestement, il a aussi une bonne mémoire.

« Notre espoir olympique ! » s'exclame-t-il quand Linda sort son bloc. C'est un garçon au regard vicieux, au large sourire rusé, qui sans ses dents jaunes pourrait être séduisant.

« Un Cherry Coke et des frites », commande Eddie Garrity, maigrelet, blond et presque perdu dans sa veste de cuir – une imitation exacte, remarque Linda, de celle de Donny T.

« Combien de clients aujourd'hui ? demande celui-ci, prêt à ricaner.

— Laisse-la tranquille », lâche Eddie à voix basse.

Donny T. se tourne. « Hé, petit malin, j'ai pas besoin de tes conseils.

— Tu veux manger quelque chose ? s'enquiert la jeune fille d'une voix calme.

— Juste toi. » L'adolescent lève les mains en l'air, feignant de se défendre. « Je plaisante. Je plaisante. » Il rit, puis cesse de ricaner. « Deux cheeseburgers. Des frites. Un milk-shake au chocolat. Et puis, ne me fais pas un de ces petits trucs merdiques. J'aime quand il y a plein de glace. »

Linda jette un coup d'œil derrière Donny T., à la table voisine, où un jeune homme a des ennuis avec sa mallette : l'un des fermoirs n'arrête pas de se soulever brusquement dès qu'il essaie de fermer le couvercle. Elle le regarde le tripoter une demi-douzaine de fois puis, apparemment vaincu, poser la mallette sur une chaise. Le jeune homme lui dit quelque chose, elle croit le connaître. Il a dans les vingt-deux, vingt-trois ans, estime-t-elle, et il est élégant en veste et cravate. Linda se demande ce qu'il fait pour gagner sa vie. Représentant de commerce ? Enseignant ?

La jeune fille prend la commande des autres garçons du box. Donny T. se déplace avec sa suite. Elle ferme son carnet d'un coup sec, le glisse dans sa poche et se penche pour débarrasser la table de tout ce que les précédents consommateurs y ont laissé.

« Tu t'adaptes bien ? demande Donny T. à un centimètre de sa taille.

— Très bien, répond-elle en attrapant un verre de Coca quasiment plein.

— L'endroit d'où tu viens ne te manque pas ? C'était quoi déjà ? Une institution ou un truc de ce genre ? » La voix de l'adolescent a monté d'un cran, suffisamment pour porter jusqu'à la table voisine. Le jeune homme à la mallette rebelle lève les yeux vers Linda.

« Très bien, répète-t-elle en renversant le Coca pour qu'il se répande sur la table en Formica devant Donny T.

— Attention ! hurle-t-il en s'efforçant de s'enfoncer dans le dossier du box en vinyle, pendant que le liquide dégouline sur son jean. Ma veste en cuir !

— Oh, dit Linda. Désolée. »

« Que fait Donny T. à l'arrière de la Bonneville d'Eddie Garrity ? »

Question posée à Thomas plus tard dans la soirée alors qu'ils rentrent chez eux en Skylark.

« Tu ne le sais pas ?

— Non, pourquoi ?

— Il vend de la coke. »

Linda imagine des bouteilles de Coca. Puis comprend. « Tu veux dire de la drogue ?

— Oui. Et pas qu'un peu !

— Pourquoi tu traînes avec lui ?

— On est copains depuis le primaire. » Thomas fait une pause. « Tu penses que c'est immoral de faire du trafic de drogue ? demande-t-il, un léger défi dans la voix.

— Je ne sais pas. » Linda n'a pas beaucoup réfléchi au problème.

« Il n'en revend pas aux enfants.

— Ne sommes-nous pas des enfants ? »

Progressivement, Thomas lui embrasse la bouche, le visage, le cou. Il dégage les deux premiers boutons de son corsage. Qu'il soulève pour lui frictionner le dos. Une fois, sa main effleure légèrement la poitrine de l'adolescente. Cela prend deux mois et demi.

Ils sont dans la voiture derrière le bungalow construit sur la plage. Ça semble être un bon endroit pour se garer : la plage est déserte, et le véhicule en grande partie cachée par les dunes. Bien qu'on soit juste avant Noël, les vitres sont embuées. Les quatre premiers boutons du corsage de Linda sont défaits. Thomas a la main posée sur la douce peau de son épaule, et la fait peu à peu glisser vers le bas. Linda est troublée, haletante, comme elle l'était sur les montagnes russes. Avec l'impression qu'une fois arrivée au sommet elle sera contrainte de descendre l'autre versant. Qu'elle ne pourra rien y faire.

Thomas approche de lui la main de sa compagne. Elle est surprise sans l'être vraiment – les garçons sont si manifestement trahis par leur corps. Linda veut le caresser, lui faire plaisir, mais quelque chose de répugnant plane aux confins de sa conscience.

Sentant sa résistance, il la lâche.

« Je suis désolée », souffle-t-elle.

Le faisceau d'une lampe traverse la voiture en se balançant furieusement. Rebondit sur le rétroviseur et aveugle Thomas, qui lève rapidement les yeux.

« Mon Dieu ! » s'exclame-t-il tandis que la lampe elle-même, une torche électrique, apparaît.

Sur la banquette avant, Linda et Thomas sont dans tous leurs états, comme dans une scène de comédie. Il reboutonne sa chemise, remonte la fermeture Éclair de son pantalon, et elle s'enveloppe dans son caban. Impossible de ne pas se rappeler la tante criant « putain », puis « traînée ». Ses bras battant l'air.

Le flic donne de grands coups sur la vitre. Thomas la baisse.

Un flash explose à la figure de Linda et, l'espace d'un instant, elle se dit : ce n'est pas la police, mais quelqu'un qui veut nous tuer. Aussi, quand l'homme écarte la torche et demande à voir le permis de Thomas, la jeune fille se sent presque soulagée.

« Hé ! Vous savez que c'est une propriété privée ?

— Non, je ne le savais pas, monsieur l'agent », répond Thomas d'une voix que Linda n'avait jamais entendue – excessivement polie, frisant la parodie. Ce qui, bien sûr, est faux.

Le policier examine le permis, ça dure une éternité, leur semble-t-il.

« T'es le gamin de Peter Janes ? » finit-il par demander.

Thomas est obligé d'acquiescer de la tête.

Le flic se penche et regarde attentivement Linda, comme s'il essayait de remettre son visage. « Ça va, mademoiselle ?

— Oui », répond-elle, mortifiée.

L'homme se redresse. « Circulez, ordonne-t-il brusquement à l'adolescent. Et rentrez chez vous. »

Paternel maintenant, ce qui va énormément agacer Thomas, Linda le sait. Elle adjure intérieurement son ami de tenir sa langue. Il remonte la vitre tandis que le flic se dirige vers son véhicule.

Dans la Skylark, ils se taisent en attendant que la voiture de police s'éloigne. Puis Thomas appuie sa tête contre le siège et se couvre le visage des mains. « Merde ! s'exclame-t-il, mais Linda voit qu'il sourit.

— Ça devait arriver, suggère-t-elle.

— Je ne peux pas croire qu'il connaisse mon père ! » Thomas est saisi d'un gros rire convulsif.

« Tu t'es montré terriblement poli », lui fait remarquer la jeune fille.

En croisant sa tante alors qu'elle se dirige vers la salle de bains, Linda pense à Thomas. Assise dans la salle de classe ou tendant un menu à un client, Linda pense à Thomas. Entre les cours, ils échangent des petits mots ou s'embrassent dans les coins. Thomas l'attend chaque matin au bas de sa rue, et quand elle monte dans la voiture, elle s'assied le plus près possible de lui, l'espace infini désormais de l'autre côté. Ils rognent quelques minutes sur la vie et sont toujours en retard.

Linda,
On peut se voir après les cours ?

Thomas,
J'ai relu O'Neill. Il y a ce passage : « Aucun d'entre nous ne peut changer les choses que la vie lui a faites. Elles existent avant qu'on s'en rende compte et alors, elles te font faire d'autres choses jusqu'à ce que tout finisse par se placer entre toi et ce que tu aimerais être, et tu as perdu à jamais ton moi véritable. »

Linda,

J'aime O'Neill, mais ce sont des conneries. Bien sûr qu'on peut changer les choses que la vie nous a faites. Je préfère ce passage : « Sa beauté et son rythme m'ont enivré et, l'espace d'un instant, je me suis perdu – en fait, j'ai perdu la vie. On m'avait libéré ! Je me suis évanoui dans la mer, devenant voiles blanches et gerbe d'embruns, rythme et beauté, le clair de lune, le bateau, le haut ciel faiblement étoilé ! J'appartenais – sans passé ni avenir, dans une atmosphère de paix, d'unité, de joie folle – à quelque chose de plus grand que ma propre vie ou que la vie de l'Homme, à la Vie elle-même. »

C'est mieux, non ?

Dieu que ce cours est barbant !

Linda,

J'aime beaucoup le pull que tu portes aujourd'hui. Tu m'as rendu dingue en quatrième heure.

Thomas,

Merci. C'est à Eileen.

Linda,

Que fais-tu ce week-end ? Il faut que j'aille skier à Killington. Je ne veux pas y aller parce que ça voudra dire quatre jours loin de toi. Mais qu'est-ce qui m'arrive ?

Thomas,

Je dois travailler tout le week-end. Je ne suis jamais montée sur des skis.

Linda,

Il y a un match de hockey sur glace ce soir. Tu viendras ?

Linda trouve que le hockey est un jeu brutal. La patinoire empeste la sueur et la bière. Il y a de la neige fondue. La jeune fille, en pull et caban, s'installe sur les gradins, les mains dans les poches, frissonnante.

Le vacarme est assourdissant. Les cris, les caquetages d'ivrogne, le claquement du palet et les lames chuintant sur la glace résonnent à travers la patinoire caverneuse. Pour ce qui est inaudible, l'imagination procure les effets sonores : une crosse qui heurte violemment un mollet ; le bruit sourd de l'os iliaque quand les patins d'un joueur se dérobent sous lui ; le bruit sec d'un casque heurtant la glace avec la force d'un fouet. Linda se crispe encore et encore. La foule absorbe tout.

Elle ne reconnaît pas Thomas quand il entre sur la patinoire. Ses épaules et ses jambes sont gargantuesques dans leur gaine de protection. Ses dents masquées par le protège-dents. Le contour de sa tête effacé par le casque. C'est un aspect de Thomas qu'elle n'avait jamais vu et n'aurait pu imaginer : penché en avant, le bâton tendu, les cuisses qui s'abaissent et se soulèvent, les mouvements aussi souples que ceux d'une ballerine, aussi prestes que ceux d'un danseur de claquettes. Le jeu de Thomas est offensif. Linda a du mal à suivre le match, elle ne connaît pas les règles. Parfois même, c'est en entendant les hurlements de la foule qu'elle comprend qu'un but a été marqué.

Ce soir-là, fatalement, il y a une bagarre. Au sujet d'un croche-pied intentionnel qui fait tomber Thomas de tout son long, le fait tournoyer sur le ventre.

L'adolescent se relève en un clin d'œil, se rassemble comme une araignée, enfonce la pointe de ses patins dans la glace, puis se jette sur le joueur qui lui a fait ça. Linda, qui a étudié au milieu des filles et des religieuses, n'a jamais vu de corps-à-corps, ces coups qui tombent, ces membres qui font ricochet, ces pulls tirés brutalement, ces violents coups de pied. La bagarre ne dure que quelques secondes, mais la scène évoque les centuries et ressemble davantage à un combat de gladiateurs qu'à tout ce dont elle a jamais été témoin. Thomas ne tient aucun compte de l'arbitre et se dirige vers le banc des pénalités, le casque au creux du bras, les cheveux raides et dressés sur la tête. Il marque un élégant arrêt juste devant le grillage, juge cette sanction équitable.

N'est pas penaud. Pas penaud du tout.

La veille de Noël, au matin, Linda ne retrouve pas Thomas en bas de sa rue comme convenu. De retour de New York pour les fêtes, Eileen vient juste de franchir le seuil, et Linda ne peut se résoudre à partir, d'autant que c'est surtout elle qu'Eileen veut voir. Même si, à vrai dire, elles ne se connaissent pas. Ce jour-là, Linda a pris soin de ne mettre aucun des anciens vêtements de sa cousine (elle ne souhaite pas ressembler à un modèle réduit de cette aînée) mais des habits qu'elle a achetés avec ses pourboires : une fine jupe de laine grise et un gilet noir, les manches relevées. Elle économise pour s'offrir une paire de bottes de cuir.

Linda n'aurait pas dû s'inquiéter. Nouvellement installée à Greenwich Village, Eileen arrive vêtue de batik. Elle ne met pas de soutien-gorge et porte de longues bottes de cuir semblables à celles que veut l'adolescente. Elle a des perles autour du cour et pas la moindre trace de maquillage. Linda, avec ses cheveux frisés en vue des fêtes, examine sa cousine de la tête aux pieds après qu'elles se sont embrassées.

Dans l'intimité de la chambre des filles, Eileen parle de boutiques hippies et de voluptueux massages. D'un groupe qui s'appelle The Mamas and the Papas. De pommes de terre sautées servies au petit déjeuner, et d'un boulot dont le projet s'intitule « Toujours plus haut ». Elle a un petit ami qui joue de l'harmonica au sein d'une formation de blues, et elle aime la musique de Sonny & Cher. Eileen explique pourquoi les femmes ne devraient pas utiliser de mascara et en quoi la coupe de cheveux tient du manifeste politique. Pourquoi également Linda, Patty et Erin devraient cesser de mettre un soutien-gorge.

« N'aie pas honte de ton passé, confie-t-elle à sa cousine, une fois les autres sorties de la pièce. C'est juste ton corps qui agissait, et tu ne devrais jamais avoir honte de ton corps. »

Linda est reconnaissante de la gentillesse inhérente à ce conseil, mais se demande, vaguement inquiète, ce qu'Eileen sait.

La veille de Noël, au cours du dîner, Jack revient en bondissant de la porte d'entrée et annonce à Linda qu'elle a de la visite. À la table de la cuisine, la jeune fille se fige sur son siège ; elle sait de qui il s'agit.

« Tu ferais bien d'aller voir », lâche la tante au bout d'un moment.

Thomas est dehors, dans le couloir, un petit paquet dans la main. La boîte est maladroitement emballée, entourée de Scotch. L'adolescent porte son imperméable, col relevé, et il a les oreilles rougies par le froid.

Linda est gênée à l'idée de ne rien avoir pour lui.

« Je ne pouvais pas m'échapper. Eileen vient d'arriver. »

Mais il a l'air blessé. Elle l'a très rarement vu ainsi, et la conscience d'en être la cause lui serre le cœur.

Thomas lui tend l'objet. « C'est pour toi. »

La gêne et les remords font oublier à Linda les bonnes manières. Elle ouvre le paquet dans le couloir tandis que son ami se tient là, gauche, les mains dans les poches. Dégager le cadeau de l'emballage lui prend une éternité. À l'intérieur de l'écrin se trouve une croix en or avec, en son centre, un minuscule diamant. Une croix en or au bout d'une chaîne. Et un petit mot : « Pour Marie-Madeleine. »

Linda ferme les yeux.

« Tourne-toi. Je vais te la mettre. »

Elle sent les doigts de Thomas sur sa nuque – trop gros pour le délicat fermoir.

« Laisse-moi faire », dit-elle au moment où Jack, incapable de contenir sa curiosité, ouvre la porte pour examiner de plus près le mystérieux étranger. Linda n'a alors pas d'autre choix que d'inviter Thomas à entrer.

Elle voit tout avec les yeux de Thomas : le papier peint et ses taches d'humidité dans le coin. La table du dîner de Noël, à proximité de l'évier plein de vaisselle. Le comptoir couvert de pâte à tarte et d'épluchures de pommes de terre, le poisson pané dans la poêle. La lampe suspendue au-dessus de la table, si souvent malmenée que l'abat-jour est déchiré.

Ils pénètrent dans l'antre au canapé écossais.

La fumée de cigarette forme un voile dans la pièce. La télé est allumée sur une émission spécial Noël.

Linda présente Thomas à ses cousins et cousines ainsi qu'à sa tante, la croix comme un fanal à son cou. La tante, réservée et circonspecte, examine le bel imperméable et la chemise Brooks Brothers, les gants de cuir et les chaussures de qualité. Jack est transporté d'excitation : voilà un grand qui lui parle, lui fait des clins d'œil. Thomas salue Michael de la tête puis s'installe dans le canapé écossais, l'imperméable toujours sur le dos, et répond aux questions de l'intrépide Eileen. Pendant tout ce temps, rouge à lèvres et frisure serrée, la tante observe. Sans faire de quartier.

Mortifiée au point de demeurer muette, Linda observe, comme de loin. Observe Thomas qui se débarrasse de son imperméable et se penche pour faire avec Jack une course de minuscules voitures métalliques. Observe la tante et Thomas, qui échangent un rapide regard étrangement entendu. Observe Patty et Erin, coincées à la cuisine par la corvée de vaisselle, qui jettent de temps à autre un coup d'œil furtif dans la pièce, visiblement intriguées par le beau jeune homme.

En une heure, Jack se retrouve sur les genoux de Thomas à écouter Bing Crosby.

Thomas reste jusqu'à ce que la tante commence à donner l'ordre de s'habiller en prévision du froid. Ils vont prendre le bus jusqu'à l'église pour la messe de minuit, explique-t-elle ; Thomas n'est clairement pas invité.

Avant le départ, les deux adolescents s'embrassent derrière la porte de la cuisine.

« Joyeux Noël », murmure Thomas, sentimental en fin de compte. Malgré tous les Lowell et les O'Neill.

« Merci pour la croix. Je la porterai toujours.

— J'aime tes cousins. Surtout Jack. »
Linda hoche la tête. « C'est un bon gamin.
— Ta tante ne m'aime pas.
— Ça n'a rien à voir avec toi.
— Tu peux t'échapper demain ? »
Elle réfléchit. « Dans l'après-midi, peut-être.
— Je passe te prendre à une heure. On ira à Boston.
— Boston ?
— J'adore cette ville quand tout est fermé. »

Dans le couloir, une fois Thomas parti, la tante enfile son manteau et dit, afin de n'être entendue que de Linda : « C'est le genre de type qui te brisera le cœur. »

Ils parcourent les rues désertes, le reste du monde bloqué chez soi par le froid cinglant qui s'engouffre depuis le port et serpente à travers les ruelles étroites du North End. Les sapins de Noël sont allumés aux fenêtres, même en plein jour. Linda imagine des montagnes de papier cadeau déchiré, des jouets cachés, une scène qu'elle vient elle-même de quitter. Eileen lui a offert une chemise en batik ; Michael, un album des Beatles ; Erin, un chapeau tricoté par elle. La tante, de pratiques sous-vêtements de coton achetés au rabais dans le grand magasin, et un missel avec son nom imprimé en lettres d'or dans le coin inférieur droit. *Linda M. Fallon.* Le M pour Marie, un prénom de confirmation qu'elle n'utilise jamais.

Linda frissonne, son caban n'étant nullement adapté au froid. Elle porte le chapeau d'Erin, mais ses cheveux flottent quand même au vent. La jeune fille a choisi de ne pas mettre de foulard pour que la croix se voie, et elle doit d'une main maintenir son manteau fermé. Dans l'autre, elle tient celle de Thomas. Gant contre gant.

Le vide est étrange et magnifique. La neige tombe et s'accroche aux cils. La ville entière est confortablement installée au sein d'une bulle de profond silence, que seul le curieux et lent roulement des pneus cloutés de rares taxis interrompt. Il n'est pas difficile de se représenter la ville comme un décor de théâtre, avec toutes les boutiques fermées, les cafés aussi. Les gens n'existant que dans l'imagination. Tout l'affairement et l'odeur de café devant être devinés.

« C'est parfait. Absolument parfait », déclare Linda. Elle veut parler de ce sentiment d'éternité, de cette promesse d'un possible, de la clarté de l'air.

Les deux adolescents parcourent l'extrémité de Beacon Hill et descendent Beacon Street. Ils longent la plantation d'arbres de Commonwealth Avenue et s'imaginent propriétaires d'un appartement dans l'un des hôtels particuliers. Leur imagination est débordante, et ils se décrivent mutuellement les cheminées, les dessus-de-lit, les livres dans la bibliothèque. Ils resteront toujours amis, conviennent-ils, quoi qu'il arrive. Ils remontent Boylston Street, puis Tremont Street le long du Common et s'arrêtent à l'unique établissement ouvert, un Bickford's situé en face de la station de métro Park Street.

Des traînards et des ivrognes sont assis sur des chaises espacées l'une de l'autre, le bonnet marin toujours sur la tête, le bout des moufles troué. Ils sont entrés pour fuir le froid, et l'un d'eux est en train de boire du lait. L'odeur qui émane du restaurant est celle de corps rarement lavés, de vieux bacon et de tristesse. Celle du bacon – probablement frit plus tôt dans la journée – persiste, telle une couche d'air qu'ils seraient contraints de respirer. L'atmosphère est baignée de cette tristesse qu'il est impossible d'ignorer. Aux yeux de Linda, l'endroit ressemble étrangement à une église, avec ses individus assis chacun sur sa chaise.

Thomas et elle choisissent une table à proximité de l'entrée – Thomas éprouve un sentiment inné de claustrophobie. Ils commandent un chocolat chaud et restent assis dans le calme, pour l'instant sans parler, les seuls bruits étant le tintement des couverts contre la porcelaine, le tiroir-caisse qui s'ouvre brusquement. La jeune fille regarde son ami qui observe les clochards, et elle a la très nette impression qu'il en sait plus qu'elle sur ce que ces hommes ont vécu, qu'il comprend instinctivement, que sa peau est sans doute plus perméable que la sienne. Quelque chose dans la forme de sa bouche semble indiquer que Thomas renferme en lui une bonne dose de perversité, pas nécessairement liée au sexe ou à l'alcool, mais au chaos et à la subversion.

« Mon bien-aimé », voudrait-elle dire à voix haute, sans savoir comment ou pourquoi ces mots ont jailli sur ses lèvres.

14

Un sac marin est posé sur la banquette arrière de la Skylark, un sac ocre avec une fermeture Éclair et une poignée. Ce pourrait être un sac de sport, mais il est fait dans une toile si grosse et si épaisse qu'il rappelle l'armée à Linda.

« Il y a quoi dans ce sac ? » s'enquiert-elle.

Thomas est rentré avec le car de l'équipe, Linda avec celui des spectateurs, qui a dérapé en pénétrant dans le parking. Les cheveux du jeune homme, encore mouillés par la douche, givrent avant qu'il ait pu mettre le chauffage dans la voiture. La tempête était brusquement arrivée de l'océan dans l'après-midi, rendant les routes traîtresses et glissantes. Thomas conduit, courbé contre le volant, et il scrute la route à travers un petit carré de pare-brise qui n'a pas encore givré. Le toit en cuir de la décapotable étouffe le bruit de la neige fondue.

« Juste un truc pour Donny T., répond distraitement Thomas en se concentrant sur sa conduite.

— Quel truc pour Donny T. ?

— Juste quelque chose qu'il veut que je lui garde. »

Le match de hockey a eu lieu à Norwell, et leur équipe a perdu deux-zéro.

« Tu as eu mal ?

— Quoi ? »

Thomas progresse très lentement dans Main et Spring Streets, derrière un camion. Sur Fitzpatrick, le camion accélère, et le jeune homme l'imite, se disant que les routes sont certainement plus fiables, malgré une visibilité toujours très limitée. Il tourne trop rapidement dans Nantasket Avenue, et la voiture fait un tête-à-queue. Linda tend les mains vers le tableau de bord pour se préparer au choc.

« C'est dément », s'exclame Thomas.

Il essaie de faire demi-tour, mais le sol est tellement glissant que la Skylark dérape et, comme au ralenti, traverse la rue pour s'arrêter contre un poteau téléphonique. L'adolescent fait ronfler le moteur pour tenter de démarrer, mais les roues se contentent de patiner sur la glace. Au-dessus de leur tête, des fils électriques lourdement chargés de neige se balancent dans le vent.

« Il va falloir marcher. On va laisser la voiture ici et on reviendra la chercher quand ils auront salé les routes, explique Thomas.

— Marcher jusqu'où ? » demande Linda. L'appartement est encore à des kilomètres.

« J'habite juste en haut de la côte. »

La semaine durant, les journaux répètent qu'on n'a pas connu pire mois de janvier depuis cinquante-quatre ans. Sur la plage, une maison a tellement gelé que le lendemain, au lever du soleil, elle ressemblait à un château enfermé dans la glace. Le port gèle également, et la pression sur les bateaux pris au piège est telle qu'au bout d'un moment la glace fendille leur coque. L'électricité est coupée pendant des jours, et les cours annulés à quatre reprises : les cars ne peuvent parvenir jusqu'au lycée. Puis c'est le dégel, et toute la ville croit le pire passé. Alors éclate la tempête, qui surprend tout le monde, même les météorologues, qui avaient annoncé des températures clémentes.

Thomas et Linda doivent monter la côte en escalier, en se retenant aux branches. Linda porte ses nouvelles bottes de cuir qui lui arrivent au genou, achetées avec ses pourboires ; leurs semelles glissantes les rendent désormais inutiles. Thomas, dont les chaussures adhèrent mieux au sol, la tient fermement par la main pour l'empêcher de dévaler la pente. De temps à autre, ils s'arrêtent près d'un arbre, reprennent haleine et s'embrassent. De la neige fondue dégouline sur leur cou. De la morve a gelé sur la lèvre supérieure de Thomas, et avec son bonnet marin enfoncé sur ses sourcils et ses oreilles, il ressemble à un clochard. Sa bouche et sa langue sont tièdes.

Le mois est certes néfaste aux études et aux transports, mais propice au patinage. Dans son sous-sol, Thomas a déniché une paire de patins pour enfants, et il passe régulièrement prendre Jack à l'appartement. Il l'emmène jusqu'aux marais et lui apprend à progresser sur la glace. Il donne la main à l'enfant quand il tombe sur les genoux, et patine en le plaçant entre ses jambes et en le soutenant sous les aisselles. Le garçonnet est étourdi par de tels exploits. Thomas lui fabrique un petit bâton de hockey et organise des « matchs » entre Michael et Jack d'un côté, lui-même et Rich, son frère de sept ans, de l'autre. Parfois, Linda met les patins d'Eileen et tourne autour d'eux, mais la plupart du temps elle reste sur la touche, serre ses bras autour de sa poitrine, et bat la semelle pour se réchauffer. Elle observe Thomas en compagnie de ses deux cousins comme une épouse observerait son mari en compagnie de ses enfants chéris. Fière et heureuse, avec ce sentiment d'accomplissement qu'on ne peut connaître ailleurs.

Ils mettent presque quarante-cinq minutes pour arriver chez Thomas. Au lieu de cinq quand le temps est correct. Le père du jeune homme les attend à l'entrée, son long visage plissé par l'inquiétude. Thomas, la bouche gelée, ne peut même pas faire les présentations. Sa mère, une grande femme anguleuse aux yeux bleu marine qui traversent Linda de part en part, leur apporte des serviettes de toilette et les aide à retirer leurs manteaux. Quand Thomas retrouve l'usage de la parole, il présente la jeune fille dont les mains sont raides et rougies. Elle espère que cette rougeur sera interprétée comme une réaction au froid.

« La tempête a éclaté brutalement, remarque le père.

— Nous nous faisions du souci de vous savoir en voiture », ajoute la mère.

Linda retire ses bottes et reste debout dans le salon, sans chaussures, les bras croisés, les mains rentrées sous les aisselles. L'adolescente n'a jamais vu une pièce pareille, ne se l'est même pas représentée en imagination. Elle est longue, élégante, avec une série de fenêtres à tout petits carreaux donnant sur la mer. Un feu brûle dans deux cheminées, et au moins une demi-douzaine de fauteuils et deux canapés de chintz, rayés et assortis, sont disposés en groupes. Linda se demande comment, le soir, on décide de l'endroit où l'on va s'asseoir. Alors elle songe à l'antre de l'immeuble de trois étages – l'image tremblotante de la télé, l'unique canapé aux bras usés dont Michael, Erin, Patty et Jack se servent comme dossier lorsqu'ils regardent *Le Monde merveilleux de Walt Disney*. Elle espère qu'aucun de ses cousins n'est dehors dans la tempête.

Thomas la conduit jusqu'à un canapé où ils s'installent côte à côte, la mère en face d'eux. Linda a l'impression de passer un examen. Le père entre avec du chocolat chaud, pareille occasion semble le réjouir, et il a l'air d'un petit garçon qui vient d'apprendre qu'il n'y a pas classe. La mère, en cardigan pervenche et jupe assortie, regarde avec insistance la petite amie de son fils, étudiant le rouge à lèvres, la jupe en jean et le pull sous lequel Linda ne porte pas de soutien-gorge.

« Vous êtes une nouvelle venue en ville », constate-t-elle en buvant son chocolat à petites gorgées. Linda tient sa tasse des deux mains pour essayer de les réchauffer.

« En quelque sorte. » L'adolescente baisse les yeux. Non seulement elle a mis un pull à travers lequel ses mamelons, durcis par le froid qui la pénètre jusqu'aux os, sont carrément visibles (quelle idiote, cette Eileen), mais de plus le pull a un profond décolleté en V qui fait ressortir la croix.

« Et vous habitez dans quel quartier ? poursuit la mère, qui ne s'encombre guère de civilités.

— Park Street. » Linda pose sa tasse et croise les bras sur sa poitrine. À côté d'elle, Thomas plie les doigts pour tenter de rétablir sa circulation. Il n'a pas touché à sa boisson. La jupe en jean est trop courte et trop serrée sur les cuisses de la jeune fille. Elle résiste à la forte envie de tirer dessus.

« Ça se trouve dans… ?
— Rockaway.
— Pas possible ! s'exclame la mère, ne cherchant même pas à dissimuler son incrédulité.
— Violente tempête », commente le père.

« Je vais faire visiter la maison à Linda », dit Thomas en se levant. Et Linda trouve remarquable de posséder une maison qu'on puisse faire visiter.

Ils montent l'escalier qui mène à la chambre de Thomas, se glissent derrière la porte et s'embrassent. Le jeune homme soulève le pull de son amie et pose ses mains froides sur ses seins. Il remonte la jupe en jean humide jusqu'à ses hanches. Linda est debout sur la pointe des pieds, collée contre le mur. Elle entend l'un des parents au bas de l'escalier, et elle est sûre qu'il ou elle va monter et entrer dans la pièce. C'est ce danger, ou l'excitation, ou la panique, qui lui évoque cette image indésirable : un homme soulevant le bas d'une robe.

« Je ne peux pas », murmure-t-elle en repoussant Thomas.

À contrecœur, il la lâche. La jeune fille se trémousse pour remettre pull et jupe en place. Ils entendent des pas dans l'escalier, et d'un coup de pied Thomas ferme la porte.

« Qu'est-ce qui se passe ? » demande-t-il.

Linda s'assied sur le lit et, s'efforçant d'effacer l'image qu'elle a dans la tête, examine chaque détail de la pièce : le bureau en bois, les piles de journaux, les stylos éparpillés dessus. Une chemise de soirée et un pantalon chiffonnés dans un coin. Des rideaux blancs qui enchâssent la fenêtre et semblent trop jolis pour une chambre de garçon. Dans un angle, une bibliothèque.

« Oh, mon Dieu, dit-elle doucement en se couvrant le visage des mains.

— Linda, qu'est-ce qui se passe ? » répète Thomas, la voix inquiète. Il s'accroupit devant elle.

Elle secoue la tête d'avant en arrière.

« C'est ça ? demande-t-il, manifestement perplexe, en indiquant le mur. Ça ? »

Une fois de plus, des bruits de pas se font entendre derrière la porte.

Dans la glace au-dessus de la coiffeuse, Linda voit leurs deux images : Thomas maintenant assis sur le lit, les cheveux coiffés à la hâte avec ses doigts, le dos légèrement voûté. Elle-même, debout près de la bibliothèque, les bras croisés, les yeux rougis par le froid, les cheveux aplatis par son chapeau.

Des pages d'écriture sont posées sur le bureau près de la bibliothèque. La jeune fille les examine un peu plus attentivement.

« Tu es en train d'écrire un poème ? »

Thomas regarde distraitement le bureau et se lève dès qu'il se rend compte que ses vers sont exposés aux regards. Il se dirige vers le bureau et ramasse les feuilles.

« Tu peux me le lire ?

— Non.

— Tu en es sûr ? »

Il remue les papiers. « Sûr et certain.

— Montre-le-moi. »

Thomas lui tend la première page. « C'est juste un brouillon », précise-t-il.

Elle la retourne et commence à lire. C'est un poème qui parle d'un plongeon depuis une jetée, d'une fille en combinaison dans l'eau. De lumières qui bougent en arrière-plan et d'adolescents railleurs.

Linda lit le poème jusqu'au bout, puis le relit.

Eau soyeuse. Pareille à la soie.

Quand ils redescendent, ça se gâte : femme glaciale, homme à qui son épouse a passé un savon. Le père entre d'un pas nonchalant dans une pièce où Linda perçoit le son d'un téléviseur ; la mère, femme investie d'une mission, appelle un taxi équipé de chaînes. Congédiée, Linda remet ses bottes et attend le taxi dans l'entrée en compagnie de Thomas.

« Dans le sac marin, lâche-t-il, c'est de la drogue. »

Le lendemain, dans la voiture garée derrière le bungalow, Thomas dénude le bras de Linda en faisant glisser veste et corsage, et il embrasse la protubérance anguleuse de l'épaule.

« C'est la partie de toi que je préfère, déclare-t-il.

— Ah bon ? Pourquoi ? » Compte tenu des autres parties récemment découvertes, cette réflexion ne paraît guère pertinente.

« C'est toi. C'est tout toi.

— N'est-ce pas le titre d'une chanson ?

Ils ont mis leurs lunettes de soleil. L'univers est resplendissant. Pour atteindre le bungalow, ils sont passés devant les montagnes russes, l'église Sainte-Anne et le petit restaurant, tous enfermés dans la glace. Le soleil faisait reluire les murs, trop brillants pour l'œil nu ; les branches des arbres semblaient venir du paradis.

« Ce n'est pas le genre de paradis qu'on imaginait, remarque Linda.

— Comment ?

— C'est un pays de rêves », poursuit-elle, admirative.

Thomas a récupéré sa voiture. Comme la plupart des gens qui avaient jusque-là résisté, il a fini par s'équiper de chaînes. Il restait encore février, puis mars, et qui sait quelles tempêtes insolites réserverait avril ?

« Elles m'ont coûté vingt dollars, a-t-il précisé. Cela dit, ça vaut le coup. Sinon, je n'aurais pas pu venir te chercher. »

Il l'embrasse. Bien qu'il se soit, témérairement, garé à l'emplacement habituel, Thomas soutient que le flic ne commencera sûrement pas sa ronde si tôt dans l'après-midi.

« Pourquoi tu fais ça ? » interroge Linda.

Il sait exactement ce à quoi elle fait allusion. « Donny T. me l'a demandé.

— Ce n'est pas une raison très valable », observe-t-elle en se penchant pour allumer la radio.

Les deux adolescents n'ont pas cours ce jour-là, mais il a fallu à Thomas toute la matinée pour faire remorquer la Skylark. Linda inspire profondément. Elle ne se lasse pas de l'odeur du garçon, cette odeur de pain grillé. Qui, à ses yeux, représente l'essence de la chaleur humaine.

« Chez toi, hier soir, ça a été catastrophique.

— Ça c'est bien passé.

— C'est faux. Elle me déteste.

— Elle est surprotectrice. »

Linda se couvre le visage des mains. « Je n'arrive pas à croire que j'aie pu porter ce pull sans mettre de soutien-gorge.

— J'ai adoré. » Thomas lui caresse la poitrine puis s'arrête, animal attendant le signal pour approcher.

« Ça va, dit-elle.

— Quoi que tu aies vécu, tu devrais en parler à quelqu'un.

— Je t'en parlerais si je pouvais. » La jeune fille réfléchit un instant. « J'en parlerais à Dieu si je pouvais.

— Mais n'est-Il pas censé voir et savoir tout ?

— Ça fait partie du contrat. Tu dois être capable de Lui dire ce que tu as fait.

— Ce n'est pas logique.

— Bien sûr que non. »

« Je ne veux pas t'offenser, reprend Thomas au bout de quelques minutes, mais tu crois vraiment que Dieu se soucie de tout ça ? »

Linda n'est pas choquée, ni même surprise. Cette même question, exprimée différemment, l'a déjà rongée un certain temps : le manque de logique qu'il y a, après l'Holocauste, à se préoccuper de savoir si Darren a couché avec Donna avant le mariage. La logique exige du bon sens : il est impossible que, face à toute cette horreur, Dieu ait pu s'intéresser à une histoire de relations sexuelles. Pourtant, l'idée qu'Il puisse ne pas s'en soucier réduit Linda au désespoir.

Thomas lui retire ses lunettes de soleil, et elle grimace.

« Enlève aussi les tiennes », dit-elle. Ce qu'il fait. Ils sont assis face à face.

« J'ai quelque chose à te demander, commence Thomas.

— OK. » Elle se sent prête à tout. Curieusement encouragée, en fait.

« S'il te plaît, raconte-moi ce qui s'est passé. »

L'assurance de Linda est trompeuse. Elle ouvre la bouche pour parler, mais n'y parvient pas.

Thomas appuie sa tête contre le siège et ferme les yeux. L'adolescente promène un doigt sur sa poitrine. Derrière eux, le soleil se couche. Le scintillement dans les dunes disparaît, et la température baisse.

« Tu vivais où avant ? Avant l'institution, je veux dire ?

— À Marshfield.

— Oh !

— Pourquoi ? Qu'est-ce qu'il y a de mal ?

— Rien. J'ai l'impression qu'il y a un certain nombre de choses que j'ignore à ton sujet. »

Linda se tait.

« L'été, tu allais où ?

— Thomas !

— Tu n'es donc même pas capable de répondre à une malheureuse question ? » Une note d'irritation, que la jeune fille n'avait encore jamais perçue, la fait se raidir.

« À quoi ça rime ?

— Quand tu vas te confesser, tu avoues que tu me laisses te caresser les seins ? »

Linda referme son corsage.

« Tu vas raconter au prêtre ce qui s'est passé hier soir ? Que j'ai soulevé ta jupe ? »

La jeune fille ne desserre pas les dents et regarde droit devant elle.

« Alors ? »

Linda remet ses lunettes de soleil.

« Tu dois aller jusqu'où dans les détails ?

— Thomas, arrête ! »

Sur le pare-brise, les cristaux ont disparu. La jeune fille serre son manteau autour de ses épaules. « Ramène-moi à la maison.

— Je cherche juste à comprendre ce que tu fabriques. »

Le vent marin agite la carrosserie et divague contre les vitres. Linda constate qu'il y a aussi du givre à l'intérieur du véhicule. Et que leur bouche exhale des bouffées de colère.

« Je crois que je suis furieux, reconnaît Thomas.

— Après qui ? Après moi ?

— Je crois que je suis furieux contre toi.

— Très bien. » Elle se serre contre la portière maintenant, et entreprend de boutonner son chemisier.

« Je ne suis pas furieux contre toi, se reprend-il.

— Tu as tort.

— Pourquoi ?

— J'ai gâché quelque chose, non ?

— Pure invention.

— Tu le pressens bien. Ce n'est pas une invention.

— Linda, regarde-moi. »

Elle refuse. « Quant à ne pas tout savoir sur quelqu'un, pourquoi ne pas me dire pourquoi tu transportes de la drogue pour Donny T. ?

— Et après ?

— Et après ? Merde alors, et après ? Tu pourrais aller en prison, voilà !

— Linda, regarde-moi. S'il te plaît. »

La jeune fille se laisse fléchir et se tourne vers Thomas.

« Voilà. Tu es tout pour moi. Si je pressens quelque chose, c'est bien ça. »

Elle garde le silence.

« C'est toi, ma famille, nom de Dieu ! Tu es mon amoureuse, mon amie, ma famille. » Il marque un temps d'arrêt. « Je suppose que je représente la même chose pour toi. »

C'est peut-être vrai, se dit-elle. Possible. Et alors, quel soulagement. Une autre façon de voir le monde :

avoir Thomas comme famille. La jeune fille traverse l'espace infini qui les sépare et lui caresse la main.

« T'es marrante quand tu dis "merde" », plaisante Thomas.

Thomas ouvre la portière. Il attrape le sac marin posé sur la banquette arrière. Linda le regarde se diriger vers la plage à travers l'herbe des dunes, il glisse, dérape. Elle s'assied sur les mains pour mieux voir. C'est la marée haute, l'eau clapote aux pieds du garçon. Avec la force d'un athlète, Thomas lance le sac haut et fort dans la mer. Il le regarde flotter un instant, jusqu'à ce qu'il coule.

Linda cille des yeux entre les brins d'herbe droits et verticaux, les bardeaux horizontaux du bungalow, les carreaux des fenêtres. Elle ne l'avait jamais remarqué, mais il y a un modèle pour tout. Jusque-là, l'adolescente avait cru que sa vie constituait une série d'événements fortuits. Telle chose se produisait, puis telle autre, et encore telle autre. Alors que, depuis le début, il y avait un plan, un projet. Un projet d'une admirable complexité.

Thomas rentre dans le véhicule en frissonnant. Il a mis sa veste mais sa chemise est toujours déboutonnée. Il se frotte les mains.

« Que va-t-il se passer maintenant ? s'enquiert Linda. Donny T. va être furieux, tu ne crois pas ? Il y en avait combien ?

— Quelques kilos. Il va sans doute payer quelqu'un pour me descendre.

— Thomas !

— Je blague ! Je le rembourserai. Je vais y réfléchir.

Le lendemain, à la cantine, Donny T. inscrit les paris quant au nombre de jours d'école qui risquent d'être annulés avant la fin de l'hiver. Le chiffre le plus élevé est six. Le plus bas zéro. Linda pense que celui-ci est plus près de la vérité. Les infimes variations de la lumière – son intensité, sa façon de traverser en oblique la fenêtre – semblent indiquer que le printemps, cruellement séduisant, est proche.

Il y a de petites flaques de neige fondue sur le carrelage près de sa table. La jeune fille est seule, il ne reste que cinq minutes avant le début des cours. Elle contemple la viande-surprise aux reflets luisants et irisés posée devant elle, la sauce figée et grumeleuse sur l'assiette. Et regrette d'avoir oublié d'apporter une pomme.

Linda observe Donny T. : son habileté quand il prend l'argent qu'on lui tend, la dextérité avec laquelle il le fourre dans la poche de sa veste, la façon désinvolte dont il griffonne des notes sur une serviette en papier, prêt à en faire une boule dans son poing au cas où un enseignant excessivement curieux viendrait à passer par là. Donny T. a l'esprit d'entreprise et il est doué.

L'adolescente avale une bouchée et envoie une rapide prière à Marie afin qu'elle intercède en faveur de Thomas, le protège et le guide. Ces prières, Linda les dit presque machinalement, mais pas tout à fait. Elle prie pour Jack et Eileen, a prié pour Patty quand elle a attrapé la rubéole, pour Erin quand elle a eu un D en latin. Elle compare ces prières à des ballons, les voit s'élever dans l'air en se tortillant, traverser les nuages, une ficelle derrière eux. Des ballons d'espoir. Une prière n'est rien, sinon un ballon d'espoir.

« Linda Fallon », dit une voix dans son dos.

La jeune fille se retourne et avale rapidement le morceau de viande. « Monsieur K.

— Puis-je m'asseoir ?

— Bien sûr, répond-elle en écartant son plateau.

— Il ne faut pas que je vous empêche de déjeuner.

— Non, ça va. De toute façon, c'est dégoûtant.

— C'est bien vrai. »

Monsieur K., un petit individu ramassé et costaud qui essaie en vain d'avoir l'air professoral, balance ses jambes au-dessus du banc. Il fait durer son café qu'il remue avec une paille.

« Voyez-vous, je suis non seulement professeur d'anglais mais également conseiller pédagogique des terminales.

— Je sais.

— En un mot, j'ai examiné la liste des élèves qui se présentent à l'université, et je n'ai pas vu votre nom.

— Non.

— Vous n'avez pas rempli de dossier. »

Linda défait une barrette puis la remet. « Non.

— Puis-je vous demander pourquoi ? »

Elle promène un doigt sur le bord de la table en Formica beige. « Je ne sais pas.

— Vous avez de très grandes aptitudes, déclare l'enseignant sans cesser de remuer son café. Vous savez brillamment assembler des phrases. Il y a une logique dans votre écriture. Est-il besoin d'ajouter qu'il s'agit là d'un atout qu'on trouve plutôt rarement dans la prose étudiante ? »

La jeune fille sourit.

« Puis-je vous poser une question personnelle ? »

Elle fait signe que oui.

« Est-ce pour des raisons financières ? »

Linda a tout calculé : même avec ses pourboires, elle

ne pourrait jamais payer la scolarité, et elle n'a pas mis tout l'argent de côté. Les frais de scolarité et de pension s'élèvent à trois mille cinq cents dollars. Et ce, uniquement pour la première année. « En grande partie », répond-elle.

Sans donner la véritable raison : elle ne peut pas s'imaginer abordant ce sujet avec sa tante qui, elle le sait, n'y verrait qu'un exemple supplémentaire de la manière dont Linda cherche à détenir un avantage sur elle, à faire mieux que ses cousins.

« Vous savez qu'il existe des bourses. »

L'adolescente hoche la tête.

« Nous ne sommes que fin janvier. Il est bien sûr trop tard pour une candidature en bonne et due forme, mais je connais certaines personnes, et M. Hanson aussi. Nous pourrions passer quelques coups de fil. Je pourrais vous aider à régler ça. »

Gênée, Linda regarde Donny T. Va-t-il se présenter à l'université ? Devenir voleur, joueur, banquier ? Elle ne sait même pas où Thomas a déposé un dossier. Pour la jeune fille, l'université est devenue un sujet plus ou moins tabou.

« Tout va bien à la maison ? » s'enquiert monsieur K.

Tout va super bien à la maison, se dit Linda.

« Faites-moi plaisir, d'accord ? Promettez-moi de passer dans ma classe et de parcourir le dépliant de certaines universités. Vous connaissez Tufts ? B.U., l'université de Boston ? »

Elle fait un signe de tête affirmatif.

Monsieur K. aperçoit la croix. « B.C. ? » demande-t-il. L'université catholique.

Considérant qu'elle n'a guère d'autre solution que d'acquiescer, Linda hoche encore la tête.

« Cet après-midi ? Êtes-vous libre en huitième heure ?

— Oui.

— Très bien. Alors, on s'en occupera à ce moment-là.

— D'accord. »

L'enseignant se déplie pour s'extirper du banc. « Vous étudiez quoi ce semestre ? Le XXe siècle ?

— Oui.

— "À peine sorti du sommeil de ma mère, j'ai offert ma vie à mon pays / Et me suis pelotonné dans le ventre du chasseur jusqu'à ce que gèle ma fourrure trempée." »

Linda sourit. « Randall Jarrell », dit-elle.

Elle attrape le bus qui s'arrête juste derrière le parking réservé aux étudiants. Le conducteur plisse les yeux en la regardant monter.

« Je suis malade. Je ne sèche pas. »

La jeune fille parcourt Main Street, Spring, Fitzpatrick et Nantasket Avenue en se disant qu'elle a peut-être le temps de mener son projet à terme et d'être rentrée pour son rendez-vous avec monsieur K. L'adolescente sait que si elle réfléchit trop à ce qu'elle s'apprête à faire elle se dégonflera ; aussi s'en abstient-elle. Mais il semble y avoir de l'urgence dans sa démarche.

Tout autour d'elle, l'univers est en train de fondre. D'étinceler, de dégoutter, de se briser, de faire tomber des toits d'énormes blocs de glace, des poteaux téléphoniques des torsades givrées, des gouttières d'incroyables glaçons. Le bus est surchauffé, et Linda ouvre son caban. Elle a deux cours avant son rendez-vous, et devra se présenter avec une raison plausible pour justifier son absence. Peut-être monsieur K. peut-il lui servir d'excuse.

Linda descend à l'arrêt le plus proche de Sainte-Anne. Le presbytère se trouve à proximité de l'église. S'il n'y avait pas ce sentiment d'urgence, elle ferait demi-tour et repartirait au lycée. Elle s'oblige à continuer d'avancer tout en sachant que sa requête a de grandes chances d'être accueillie avec dérision. C'est la chose la plus audacieuse qu'elle ait entreprise depuis son saut dans l'océan.

Elle grimpe les marches de pierre et frappe à la lourde porte en bois.

Un jeune prêtre vient ouvrir. Linda l'a déjà vu depuis les bancs de l'église, mais maintenant, de près, elle remarque qu'il ressemble à Eddie Garrity. Son col est de travers, et il tient à la main une serviette en papier.

« Accepteriez-vous de m'entendre en confession ? »

Le prêtre est très surpris par cette demande. « Nous confessons le samedi après-midi », explique-t-il non sans gentillesse. C'est peut-être un cousin d'Eddie, avec ses cheveux dorés et son corps maigrichon. Le *bon* cousin. « Nous ne sommes pas samedi, lui rappelle-t-il.

— Je sais. Mais je dois faire ça maintenant.

— Je suis en train de déjeuner.

— Je suis désolée », répond Linda sur le point de s'en tenir là. Peut-être est-ce un péché de vouloir plus que ce à quoi on a droit, se dit-elle. « Je vais patienter », ajoute-t-elle.

Le jeune prêtre porte lentement la serviette à sa bouche. « Entre. »

Linda pénètre dans un vestibule sombre et lambrissé. L'unique source de lumière provient d'appliques. Il pourrait même ne pas faire jour dehors. Elle perçoit un bruit de couverts raclant des assiettes en provenance d'une pièce située plus loin. Une voix.

« Tu ne devrais pas être en cours ?

— Si.

— Vont-ils s'inquiéter ?

— Non.

— Tu es en quelle classe ?

— Terminale.

— Après, tu retourneras au lycée ?

— Bien sûr.

— Je ne te demanderai pas ton nom.

— D'accord. Merci.

— Suis-moi », dit le jeune prêtre en laissant sa serviette en papier sur une desserte.

Linda le suit jusqu'à une petite antichambre donnant sur le vestibule. Si ce n'étaient les croix, il pourrait s'agir d'une pièce dans laquelle un potentat donnerait audience à un dignitaire étranger. Deux fauteuils, placés côte à côte, font face à l'entrée. Deux canapés assortis flanquent les murs. À part le mobilier, l'endroit est vide.

La jeune fille regarde le prêtre tirer les fauteuils jusqu'au centre de la pièce et les placer dos à dos, de telle sorte qu'une fois assise les personnes ne se voient pas. Il fait signe à Linda de prendre place.

Elle pose son sac à main par terre à côté du fauteuil et fait glisser son caban de ses épaules. Un sentiment de panique la submerge. Avouer réellement ses péchés dans cette antichambre, dos à dos avec le prêtre – sans isoloir, sans nul endroit où se protéger, se dissimuler – lui semble inconcevable.

« Père, pardonnez-moi, car j'ai péché », commence-t-elle, et c'est à peine un murmure.

Il y a d'abord un long silence.

« Désires-tu confesser certains péchés ? suggère le prêtre avec, dans la voix, pas vraiment une note d'ennui mais peut-être de la fatigue.

— Il y a des années, se lance Linda dont le cœur bat la chamade, j'ai vécu une relation inconvenante avec le petit ami de ma tante. J'avais treize ans.

— Que veux-tu dire par "inconvenante" ?

— On... » La jeune fille réfléchit à la manière d'exprimer ça. Forniquer serait-il le terme exact ? « On a eu des relations sexuelles. »

S'ensuit un léger silence. « Tu as eu des relations sexuelles avec un homme qui était le petit ami de ta tante ?

— Oui.

— Quel âge avait cet homme ?

— Je ne sais pas trop. Je dirais la quarantaine.

— Je vois.

— Il vivait avec ma tante. Il vivait avec nous.

— Et combien de fois as-tu forniqué avec cet individu ?

— Cinq fois.

— Il t'y a contrainte ?

— Non. Pas exactement.

— Tu as déjà confessé ça ?

— Non.

— Ce sont des péchés graves. Forniquer et taire un péché à son confesseur. Personne n'est au courant ?

— Ma tante. Elle nous a découverts. On m'a éloignée pendant un bon bout de temps.

— Ah ! » s'exclame le prêtre. Indubitablement le *ah* de reconnaissance. « Continue.

— La relation a pris fin. Et l'homme a abandonné la famille.

— Et tu crois que c'était à cause de toi ?

— Peut-être. Je veux dire, ça paraît probable. »

Le prêtre se tait un long moment. Ce silence inquiète Linda. Les choses ne sont pas censées se dérouler comme ça. Derrière la porte, elle entend de l'eau couler, des voix dans le couloir. Le prêtre va-t-il vouloir plus de détails ?

« Je peux te parler franchement ? » finit-il par demander.

La question est déroutante, et la jeune fille ne peut pas facilement y répondre. Son interlocuteur se tourne, si bien qu'il est maintenant penché vers elle, au-dessus de l'accoudoir. « C'est inhabituel, mais je crois que je dois t'en parler. »

Linda aussi bouge légèrement sur son siège. Du coin de l'œil, elle aperçoit la manche du prêtre, sa main pâle. Pleine de taches de rousseur, comme celles d'Eddie Garrity.

« Je connais ton nom. Tu es Linda Fallon. »

L'adolescente retient sa respiration.

« Je connais un peu ta situation », poursuit le prêtre. Sa voix est plus douce, pas aussi sévère. Certainement pas aussi fatiguée. « L'individu dont tu parles était un homme abject. Je l'ai très peu connu avant son départ, mais j'en ai vu suffisamment et j'en ai appris suffisamment depuis pour en être convaincu. Ce qu'il t'a fait, il l'a fait à d'autres filles de ton âge, et même à des plus jeunes. Il l'a fait à maintes reprises. Tu comprends ce que je suis en train de te dire ? »

Linda hoche la tête ; elle peut à peine en croire ses oreilles. D'autres filles ? Des plus jeunes ?

« Disons qu'il était malade ou méchant. Probablement les deux. Mais ce que je suis en train d'essayer de t'expliquer, c'est que tu n'étais pas la seule. »

Ces éléments sont tellement nouveaux pour Linda que le monde tel qu'elle l'a connu se met aussitôt à tournoyer, à se détraquer. Elle a mal au cœur, comme une envie de vomir. Et se souvient brusquement d'Eileen et de sa remarque énigmatique : « C'est juste ton corps qui agissait, et tu ne devrais jamais avoir honte de ton corps. »

« Je ne peux absolument pas imaginer à quoi ressemble le cœur d'un tel individu. Il faut prier pour son âme. Mais je peux, me semble-t-il, comprendre un peu de ton cœur. »

L'adolescente a l'impression que sa cage thoracique diminue de volume, et elle craint d'être bientôt incapable de respirer.

« Tu te sens responsable de ce qui s'est passé », constate le prêtre.

Linda fait signe que oui avant de réaliser que son interlocuteur n'a peut-être pas vu ce hochement de tête. Elle se penche alors légèrement plus sur l'accoudoir, comme lui, mais refuse de le regarder dans les yeux. Au loin, elle perçoit ce qui ressemble à un au revoir, une porte qui se referme. « Oui. Plus ou moins.

— Bien qu'il eût sans doute été souhaitable que tu te montres plus forte et que tu repousses cet homme, son péché à lui est de loin le plus grave. Tu étais une enfant. Tu es encore une enfant. »

Linda sent avec horreur d'indésirables larmes lui monter aux yeux. Elles jaillissent et baignent ses paupières.

« Ta tante a eu tort de te faire partir. J'imagine ce que tu as pu ressentir. »

Elle secoue la tête d'avant en arrière. Quelle gentillesse, quelle gentillesse ! C'est presque plus douloureux qu'un mot dur. Personne ne lui a jamais parlé de la sorte.

« Tu n'as pas à confesser ce péché parce que tu n'as pas commis de péché. Tu comprends ce que je suis en train de t'expliquer ? »

L'adolescente ne comprend pas. Pas vraiment. Ça va à l'encontre de tout ce qu'on lui a toujours dit.

« Même si certains pensent le contraire. » Le prêtre a un bref éternuement et s'excuse. Sort un mouchoir, se mouche. « Je sens que je m'enrhume, dit-il pour se justifier. Tu aimerais discuter de ça avec quelqu'un ? Quelqu'un à même de t'aider ?

— Non, répond Linda en secouant rapidement la tête.

— Je pense par exemple à un médecin, qui pourrait te parler de ce qu'on peut ressentir par rapport à tout ça.

— Non. Je ne crois pas.

— Je pourrais m'arranger pour que ce soit une femme.

— Non, vraiment.

— C'est trop dur de porter seule un tel fardeau. »

Un gros sanglot d'enfant lui échappe. Sa gorge se serre, elle hoquette. Et se détourne du prêtre.

Linda l'entend se lever et sortir de la pièce. Et se dit qu'il la laisse pleurer seule à l'abri des regards ; mais il revient avec une boîte de Kleenex. L'homme s'arrête devant l'adolescente, qui n'est pas disposée à lever les yeux au-dessus de ses genoux. Elle prend un mouchoir, se mouche. Toutes ces fonctions du corps, se dit-elle.

« Peut-être aimerais-tu être un peu seule ?

— Je dois retourner en cours. » Elle secoue encore la tête, plus que tout désireuse de quitter le presbytère.

« Je comprends, répond-il. Linda… »

La jeune fille lève les yeux. Elle avait tort. Il ne ressemble absolument pas à Eddie Garrity. « Peux-tu pardonner à cet homme ?

— Je ne sais pas. Je m'efforce de ne pas y penser.

— Peux-tu pardonner à ta tante ? »

Elle fait non de la tête. « Elle est remplie de haine. Ce qui me paraît plus grave.

— Il ne nous appartient pas de décider quel est le péché le plus grave.

— Effectivement, reconnaît Linda.

— Tu vas travailler à leur pardonner. Tu vas essayer.

— Oui, répond-elle, consciente de ne peut-être pas dire la vérité.

— Tu as des amis ? Des gens à qui parler ?

— Une personne.

— Quelqu'un en qui tu as confiance ?

— Oui. Grande confiance.

— C'est un garçon ou une fille ?

— Un garçon.

— Il est catholique ?

— Non.

— Eh bien, peu importe.

— Il est ma vie.

— Allons, allons. Dieu est ta vie. Ta vie est en Dieu.

— Oui.

— Mais ce n'est peut-être pas le moment d'entrer dans ce genre de discussion. Je suppose que tu as reçu tout un enseignement religieux. »

Elle fait oui de la tête.

« Plus que tu ne l'as jamais souhaité. »

Linda jette un coup d'œil vers le prêtre et constate qu'il sourit. Non, il ne ressemble pas du tout à Eddie Garrity, se dit-elle.

L'homme lui tend la main. Elle la prend et il l'aide à se lever.

« Je te raccompagne à la porte. Et si jamais tu veux parler, de ça ou d'autre chose, il te suffit d'appeler.

— Merci. Je ne connais même pas votre nom.
— Père Meaghan. N'oublie pas ton sac à main. »

Linda se retrouve sur le trottoir et sent que le prêtre l'observe derrière une fenêtre. Dehors, la lumière est si vive, si violente, que la jeune fille sort aussitôt ses lunettes de soleil. Reconnaissante, elle les met, tourne à l'angle en direction de l'arrêt du bus, et une fois hors de vue du presbytère fond en larmes.

Appuyée contre le mur, la jeune fille attend devant la salle du Nantasket. Elle s'étonne qu'un architecte ait pu créer une chose aussi monstrueuse que cette école, et croire qu'un tel bâtiment puisse contribuer à l'apprentissage du savoir. Après tout, c'était peut-être bien une prison. Des briques jaunes s'élèvent très haut au-dessus de sa tête, ne ménageant de la place que pour de petits vasistas. Des années de graffitis ont transformé la couleur des portes métalliques en bleu sourd ou orange passé. On a recouvert de treillis les étroites ouvertures vitrées percées dans les portes afin, suppose-t-elle, de les préserver d'un poing aventureux. De temps à autre, Linda regarde par la fente pour voir ce que fait Thomas. Le garçon est assis au bout d'une longue table en compagnie de huit autres élèves et ils semblent engagés à fond dans une discussion. L'imprimeur a fait livrer dans la salle de nombreux exemplaires du *Nantasket*, qui sont maintenant entassés sur les bureaux.

Linda ne devrait absolument pas se trouver là. Elle sait qu'elle aurait dû prendre le dernier bus, rentrer chez elle, fermer la porte de la chambre et faire ses devoirs. Elle a un contrôle de maths le lendemain matin et doit écrire une dissertation sur un livre qu'elle n'a pas encore lu. Avec son travail au restaurant, les matchs de hockey (deux par semaine) et les heures passées en compagnie de Thomas (totalement indispensables), la jeune fille dispose de moins en moins de temps pour étudier. Sa discussion imminente avec monsieur K. sera vaine si elle ne maintient pas le niveau de ses notes. Jusque-là, l'école lui avait toujours paru facile, mais elle est en train d'apprendre que la facilité n'est possible que si l'on consacre du temps aux choses.

Le censeur qui, des mois plus tôt, a représenté le premier contact de Linda avec l'établissement est au bout du couloir en train d'admonester un élève renfrogné qui a les cheveux longs et une veste en jean. L'adolescente n'entend pas ce qu'il dit mais le devine : « Je ne veux plus voir cette veste. Coupez-moi ces cheveux. »

Linda pense à sa rencontre avec le prêtre, un événement totalement ahurissant. D'une telle étrangeté et d'une telle irréalité qu'il aurait pu ne jamais se produire.

Mais il a bien eu lieu, se dit-elle. Il a bien eu lieu.

La porte s'ouvre et Thomas sort de la pièce avec un exemplaire du *Nantasket*. Il lit en marchant.

« Hé ! crie-t-elle.

— Linda ! s'exclame-t-il en se tournant vers son amie. Salut ! Je ne m'attendais pas à te voir.

— Qu'est-ce que c'est que ça ?

— Regarde. »

Le magazine littéraire est ouvert à une page sur laquelle est imprimé un court poème écrit par Thomas Janes. Linda le lit. « C'est très bien, Thomas. » Effectivement, c'est bien. Vraiment bien. « Félicitations.

— Merci. Merci, répète le jeune homme en inclinant la tête. Qu'est-ce que tu fais ici ?

— Eh bien, j'ai discuté avec monsieur K. et je crois que je vais me présenter à l'université.

— C'est vrai ? s'étonne Thomas, le sourire aux lèvres. C'est vrai ? » Il pousse Linda contre le mur. « Où ?

— Middlebury, pour commencer.

— Ce monsieur K., incroyable !

— Et Tufts et B.C., peut-être.

— Sans blague.

— La date limite est dépassée mais il a donné des coups de fil, expliqué ce qu'il appelle "ma situation", et on veut bien examiner mon dossier. En tout cas, Middlebury jusqu'à présent.

— Il fait des miracles », déclare Thomas en embrassant la jeune fille.

« Pas de fraternisation entre les sexes pendant les heures de cours », leur crie-t-on du bout du couloir. Thomas, qui tourne le dos au censeur, hausse un sourcil. L'homme a les mains sur les hanches. D'une minute à l'autre, il va taper du pied, se dit Linda.

« Il se passe quelque chose de louche par ici ? » s'enquiert l'individu.

Le parking n'est que neige fondue. Linda a les semelles de ses bottes trempées.

« Maintenant que j'ai des chaînes, on n'aura sans doute jamais plus une journée en dessous de zéro », affirme Thomas. Le jeune homme déverrouille la portière de la Skylark. Il fait étrangement bon et Linda retire aussitôt son manteau. Thomas allume la radio.

« C'est la même chose avec un parapluie, dit la jeune fille.

— De quoi parles-tu ?

— Il suffit que tu penses à en prendre un pour qu'il ne pleuve pas.

— Il faut fêter ça !

— D'accord. Où ? »

Thomas réfléchit en pianotant sur le volant. « Pas très loin d'ici, il y a un restaurant de fruits de mer sympa qui s'appelle le Lobster Pot. On pourrait y dîner.

— Tu crois ? On est mercredi.

— Et alors ?

— J'ai un contrôle demain.

— Tu réviseras plus tard.

— Il faut que je travaille.

— Non, pas maintenant », objecte Thomas en faisant marche arrière.

Ils longent une route côtière étroite et tortueuse. Linda est assise si près de Thomas qu'il doit parfois dégager son bras pour conduire. Quand c'est possible, il pose sa main sur le genou de son amie. À un moment donné, il remonte sa jupe pour voir sa cuisse. Puis glisse sa main sous la jupe. La jeune fille ne le repousse pas.

Il s'arrête devant une station-service afin que Linda puisse appeler le restaurant où elle travaille. Elle se pince le nez et fait semblant d'avoir un rhume, tandis que Thomas reste à l'extérieur de la cabine et donne des coups sur la vitre en chantant : « *Help me, Rhonda. Help, help me, Rhonda.* » Quand ils remontent dans la voiture, la jeune fille l'embrasse si fort et si longtemps qu'il en suffoque.

Pendant le trajet, le soleil couchant éclaire les arbres

et les vieilles maisons situées en bord de route si bien que, l'espace d'un instant, le monde a l'air joyeusement en feu.

« C'est le plus beau jour de ma vie », déclare Linda.

— C'est vrai ? »

L'eau des marais devient d'un rose éclatant. Thomas sort de sous son siège une bouteille de ce qui semble être du scotch ou du whisky. Une ombre traverse la route.

« Qu'est-ce que c'est ? demande Linda.

— Tu veux prendre un verre ? Il faut arroser ça ! »

La bouteille n'est qu'à moitié pleine. Peut-être ignore-t-elle certaines choses le concernant.

« Tu n'as jamais bu un coup.

— Thomas, on peut s'arrêter quelque part ? J'ai quelque chose à te dire. »

« Il avait des relations sexuelles avec moi », lâche Linda d'une seule traite, à toute vitesse.

Elle s'attend à ce que la voiture s'effondre dans le sol, que le vent forcisse. Thomas a garé la Skylark sur un chemin de terre au milieu des marais. Un bosquet d'arbres, qui scintillent et se fondent dans le soleil couchant, les cache en partie de la route.

« Il t'a violée.

— Ce n'était pas du viol. »

Voilà venu le moment, se dit Linda, où Thomas va devoir ouvrir la portière et sortir, laissant s'engouffrer une rafale de vent frais. Où il va devoir marcher, rassembler ses esprits et, quand il remontera dans la voiture, tout entre eux sera différent, elle le sait.

« Souvent ?

— Cinq fois. »

Le jeune homme appuie sa tête contre le dossier. Linda est prise de vertige. Il faut qu'elle mange.

« Je savais que c'était quelque chose de ce genre, remarque calmement Thomas.

— Ah bon ? » Elle n'est que très légèrement surprise. Et peut-être un peu désarçonnée. Qu'on ait finalement découvert son terrible secret.

« Je n'en étais pas sûr. En fait, j'ai cru un temps qu'il pouvait s'agir de ton père.

— Mon père est parti quand j'avais cinq ans. Je te l'ai dit.

— J'ai pensé que tu mentais peut-être sur la date de son départ. » Aucune réprobation de la part de Thomas. Il sous-entend qu'elle aurait alors eu raison de lui mentir.

« C'était horrible ?

— La question n'est pas là, répond la jeune fille avec circonspection avant d'ajouter, au bout d'un moment : Je crois qu'on devrait arrêter de parler de ça. »

Thomas hoche la tête. À quoi bon les détails ? Les images qu'on ne pourra jamais effacer ?

« Je t'aime », déclare-t-il.

Linda secoue la tête. Il n'aurait pas dû prononcer ces mots maintenant. Elle risque de toujours croire qu'ils ont été en partie dictées par la pitié.

« Je t'aime depuis que je t'ai vue entrer dans la classe. »

Mais ces mots sont considérables, elle le sait, et son cœur bondit dans sa poitrine.

« Parfois, je me dis qu'on est faits pour vivre ensemble, poursuit Thomas.

— Je suis d'accord », répond-elle aussitôt. Et c'est la vérité. Elle est tout à fait d'accord.

Transporté de joie, il se tourne vers elle.

« Tu en es sûre ?

— J'en suis sûre. »

Thomas s'écarte et l'observe attentivement. « Ce n'est pas quelque chose qu'il t'a forcée à faire ? Te mettre toute nue ? »

La jeune fille secoue la tête et comprend que Thomas aussi est habité par certaines images – les pires qu'il puisse imaginer, pires que les siennes à elle. Ce qu'on imagine est toujours pire que ce qui est.

Linda croise les bras, retire son pull et se sent plus nue que jamais. Elle se tortille les hanches pour enlever sa jupe. Et se rend compte que Thomas retient son souffle.

« Linda. »

Légèrement, comme on caresse une sculpture dans un musée, Thomas promène le bout de ses doigts depuis son cou jusqu'à ses cuisses. Elle aussi retient sa respiration.

« C'est bon », dit-elle.

Ils s'installent sur la banquette arrière pour ne pas être gênés par le volant. Dehors, c'est encore l'hiver, mais l'intérieur n'est que buée et souffle chaud. Une espèce de cocon, le monde opaque.

Linda pensait que seule existait la douleur liée au plaisir. Ça semblait suffire : les baisers, les caresses, et la mystérieuse humidité qu'elle allait remporter avec elle dans l'immeuble à trois étages. Mais cet après-midi-là, dans la voiture, elle finit par comprendre ce qu'il en est de cette douleur : comment le corps peine, explose, se pulvérise.

Ils sont étendus, les jambes emmêlées et repliées pour tenir sur la banquette. Linda a chaud – Thomas est allongé sur elle – mais lui a froid maintenant, il attrape son caban sur le siège avant et le fait glisser sur son dos.

Puis il ramène doucement les cheveux de Linda en arrière. « Ça va ? s'inquiète-t-il.

— Tout est nouveau, répond-elle. Absolument tout. »

« On ne se quittera jamais, promet Thomas.

— Non.

— Rien ne peut nous séparer.

— Non.

— Tu as aimé ça ? Faire l'amour ?

— J'ai adoré.

— Tu n'as pas eu peur ?

— Un peu. »

Thomas récupère la bouteille sur le siège avant et se soulève pour boire une gorgée. « Tu en veux ? »

Si elle hésite, ça ne dure qu'une seconde, deux au plus. « C'est quoi ?

— Du scotch. »

L'alcool la brûle et Linda sent presque aussitôt la chaleur se répandre dans son ventre. Elle se ressert avant de rendre la bouteille à Thomas. Au bout d'un moment, elle renverse la tête en arrière. L'alcool lui porte un coup, la fait sortir de la Skylark, tournoyer, dériver.

« Ça t'a contrarié ?

— Quoi ?

— Que je ne sois pas… Tu sais bien. » Linda est incapable de prononcer le mot.

« Vierge ?

— Oui, répond-elle soulagée.

— Non », affirme Thomas.

« Quand quelque chose t'arrive, ça ne bouleverse pas nécessairement ta vie à jamais, fait-il remarquer.

— Ça a bouleversé ma vie à jamais », déclare la jeune fille.

Les deux adolescents s'habillent maladroitement sur la banquette arrière. Puis ils sortent de la voiture et s'installent sur les sièges avant – autre scène de comédie.

« On aura des enfants », lance Thomas.

Linda est ahurie. « Tu crois ?

— J'aime beaucoup Jack.

— D'accord.

— Combien, d'après toi ?

— Je ne sais pas. Trois ou quatre ?

— Je pensais sept ou huit.

— Thomas ! »

Le jeune homme est penché sur le volant. « Tu me grattes le dos ?

— Comme ça ?

— Partout.

— Comme ça ?

— Oui, soupire Thomas. C'est super. »

« Je me sens tellement heureuse. Incroyablement heureuse.

— Qu'on se soit rencontrés, tu veux dire ?

— Oui.

— C'est un sacré miracle. »

« J'ai une question à te poser », annonce Thomas tandis qu'ils roulent à nouveau sur la route côtière. Peut-être conduit-il plus vite qu'avant – peut-être un peu trop vite.

« Vas-y.

— Pourquoi as-tu laissé faire ? »

Linda ferme rapidement les yeux et réfléchit. Elle sait qu'elle doit tenter de répondre. « Je ne sais pas, commence-t-elle. J'ai toujours été l'exclue… » La jeune femme s'interrompt. « Ce n'est pas une excuse, tu comprends. C'est juste une explication.

— Je comprends.

— Avec ma tante et mes cousins, même ceux qui me traitaient bien, je me suis toujours sentie une étrangère. Comme des gens qui se montrent aimables avec leur bonne, si tu veux. Mais lui était différent. C'est consternant, mais je dois reconnaître que je me sentais importante à ses yeux. Il avait toujours des petits cadeaux pour moi. »

En s'entendant, elle s'arrête. C'est absolument consternant. « Au début, je crois qu'il avait pitié de moi et qu'il cherchait à compenser à sa façon. Il m'emmenait voir un film ou faire des courses en ville.

— Il a fait la même chose à Eileen ?

— J'ai toujours cru que non. Mais maintenant, je n'en suis plus si sûre. » Elle repense à sa question initiale. « Pour être le plus exacte possible, je dirai que je l'ai fait pour qu'on s'occupe de moi. À l'époque, c'était un besoin maladif chez moi. Et je crois que c'est toujours le cas.

— Comme tout le monde. »

Thomas monte le son de la radio, ce qu'il fait rarement. Il chante, mal et fort, et Linda ne peut s'empêcher de sourire. Elle s'enfonce dans son siège. La jeune fille ne peut pas croire à sa chance. Désormais, elle a Thomas et un avenir – des années de possible. Soudain, le soleil se couche, faisant rouler les ombres sur le mur des maisons. La température baisse, et Linda attrape son manteau.

« Je t'aime », déclare-t-elle tandis qu'ils amorcent un virage brusque.

Et c'est vrai. Elle sait qu'elle l'aimera sa vie durant.

Un petit enfant, une fillette âgée de cinq ou six ans, est assise sur un tricycle au milieu de la route. Elle voit la Skylark approcher, prend le tricycle sous son bras et, courbée sous le poids, se met à courir.

C'est une scène fugace, un tableau, légèrement comique. Le « Oh » de surprise sur le visage de l'enfant, sa décision pleine de bon sens de porter le tricycle, son dandinement rapide pour échapper au danger. Et si Linda et Thomas avaient poursuivi leur route, ils auraient d'abord été horrifiés puis amusés par la scène, le scotch transformant les rires en gloussements.

Mais ils ne poursuivent pas leur route.

Thomas freine et donne un coup de volant pour éviter la fillette. Linda hurle quand un poteau téléphonique et un arbre obscurcissent le pare-brise. Thomas redresse brusquement les roues, le véhicule dérape, traverse la route étroite, et un pneu arrière se prend dans un fossé.

Ça arrive aussi vite que ça.

Au cours des secondes pendant lesquelles ils décollent – les dernières secondes de la vie de Linda –, la jeune fille ne voit pas le passé, cette existence censée défiler très rapidement devant nos yeux, mais l'avenir :

non pas la vie qu'elle a vécue, mais celle qu'elle aurait pu vivre.

Un cottage au milieu d'un champ de chrysanthèmes dans un pays lointain.

Un garçonnet assis sur ses genoux, le cuir chevelu marqué par la maladie.

Une chambre blanche avec de ravissantes fenêtres et, au centre, une table à dessin.

Un enfant, Marcus, plus fragile que sa sœur.

Une pluie d'oranges sur le sol d'une cuisine.

Une chambre d'hôtel avec un miroir, son visage vieillissant.

Un avion émergeant des nuages.

Une réception à l'occasion de la sortie d'un livre.

Une maison en bord de mer et un homme – grand, élégant, beau – assis sur la véranda.

En cet après-midi de janvier, la Skylark fait un tonneau et dégringole au fond d'un talus. Des bris de vitres sont projetés à l'intérieur du véhicule. Linda tend la main vers Thomas et prononce son nom.

Thomas. Son bien-aimé Thomas. Qui continuera d'écrire une série de poèmes appelée *Marie-Madeleine* au sujet d'une adolescente morte dans un accident de voiture quand elle n'avait que dix-sept ans. Qui, un jour, gagnera un prix puis perdra sa fille et, peu avant quatre heures, un dimanche après-midi, se donnera la mort à Toronto – ces pertes étant finalement trop lourdes à porter.

Mais pas avant d'avoir connu la lumière impitoyable de l'équateur, un amour qui n'existe que dans l'imagination, et la lutte persistante pour mettre en mots les possibilités infinies d'une vie qui n'aura jamais été vécue.

Liaison dangereuse

(Pocket n° 11277)

Au cœur de la bonne société de Boston de la fin du XIXe siècle, une adolescente de quinze ans devient l'amante d'un ami de son père, âgé de quarante et un ans. Cet homme, marié, a quatre enfants. Lorsque leur liaison est découverte, le scandale, immense, impose à la jeune fille enceinte un sort qu'il est difficile d'accepter.
Un personnage de femme étonnant, volontaire et déterminée, qui assumera les conséquences de ses choix, même les plus douloureux.

Secrets de famille

(Pocket n° 11276)

Récemment divorcé, Andrew revient dans sa petite ville natale pour enterrer sa mère. Seul dans la maison parentale, il est soudain assailli par un souvenir terrible : celui de cette nuit fatale où sa jeune amie Eden fut violée avant de perdre la vue, et son père adoptif abattu à coups de fusil. Dix-neuf ans ont passé et le coupable n'a jamais été retrouvé. Tenace, insidieux, le passé harcèle Andrew ; et soudain certaines scènes de l'enfance prennent leur sens véritable.

Impression réalisée sur Presse Offset par

BRODARD & TAUPIN

GROUPE CPI

32136 – La Flèche (Sarthe), le 31-10-2005
Dépôt légal : novembre 2005

POCKET – 12, avenue d'Italie - 75627 Paris cedex 13
Tél. : 01.44.16.05.00

Imprimé en France